DEFENDER A JACOB

William Landay

DEFENDER A JACOB

Traducción de Montse Roca

la esfera de los libros

Primera edición: junio de 2012

Título original: *Defending Jacob*
Edición original: Delacorte Press, Random House Publishing Group,
Random House, Inc., Nueva York, 2012

Avenida de Alfonso XIII, 1, bajos
28002 Madrid
Tel.: 91 296 02 00 • Fax: 91 296 02 06
www.esferalibros.com

ISBN: 978-84-9970-368-8
Depósito legal: M. 16.751-2012
Composición: Moelmo, SCP
Impresión: Cofás
Encuadernación: Méndez
Impreso en España-*Printed in Spain*

Primera parte

«Pensemos en nuestras expectativas ante la Ley Criminal desde un punto de vista práctico... No tenemos más que imaginar que, gracias a algún tipo de viaje a través del tiempo, nos encontramos con Adán, nuestro primer ancestro homínido: un protohombre de escasa estatura, pelaje exuberante y recientemente bípedo, que busca comida en la sabana africana hace unos tres millones de años. Estaremos de acuerdo en que, por muchas leyes que dictemos, seguiría siendo una imprudencia acariciar a esa pequeña y hábil criatura».

REYNARD THOMPSON
A General Theory of Human Violence (1921)

1

Ante el gran jurado

Sr. Logiudice: Diga su nombre, por favor.
Testigo: Andrew Barber.
Sr. Logiudice: ¿En qué trabaja, Sr. Barber?
Testigo: Fui ayudante del fiscal del distrito de este condado durante 22 años.
Sr. Logiudice: «Fui». ¿En qué trabaja ahora?
Testigo: Supongo que podría decirse que estoy en paro.

En abril de 2008, Neal Logiudice me citó finalmente ante el gran jurado. Cuando ya era demasiado tarde. Demasiado tarde para su caso, desde luego, pero también demasiado tarde para Logiudice. Su reputación ya estaba afectada sin remedio, y su carrera también. Un fiscal con una reputación en entredicho puede seguir renqueando durante una temporada, pero sus colegas le vigilarán como lobos y finalmente le obligarán a marcharse, por el bien de la manada. Yo lo he visto muchas veces: un ayudante de fiscal del distrito que hoy es insustituible mañana ya ha sido olvidado.

Yo siempre tuve debilidad por Neal Logiudice (pronúnciese *la-JOO-dis*). Llegó a la oficina del fiscal del distrito doce años antes, directamente de la Facultad de Derecho. Tenía entonces veintinueve años, era bajo, se estaba quedando calvo y tenía tripita. Los dientes se le salían de la boca y tenía que hacer fuerza para mantenerla cerrada, como una maleta repleta, lo cual le obligaba a fruncir los labios con gesto arisco. Yo solía insistirle para que no hiciera esa mueca delante de los miembros del jurado —a nadie le gusta que le riñan—, pero él lo hacía sin darse cuenta. Se ponía de pie frente al estrado, meneando la cabeza y frunciendo los labios como un maestro de escuela o un sacerdote, y todos los miembros del jurado albergaban el secreto deseo de votar en contra suya. En la oficina, Logiudice era un poco manipulador y lameculos. Todos le tomaban el pelo. Los demás ayudantes del fiscal se metían con él a todas horas, pero el resto de la gente también, incluso personas que trabajaban fuera del despacho: policías, administrativos, secretarias, gente que no solía expresar su desagrado por un fiscal de forma tan obvia. Le llamaban Milhouse, como ese personaje bobo de *Los Simpson*, y se les ocurrían miles de variaciones de su nombre. LoFoolish, LoDoofus, Sid Vicious, Judicious, y cosas así. Pero a mí Logiudice me caía bien. Simplemente era ingenuo. Pulverizaba las vidas de la gente con la mejor intención y sin perder jamás un minuto de sueño por ello. Al fin y al cabo, él solo perseguía a los malos. Ese es el sofisma del fiscal —*Son los malos porque yo les acuso*— y Logiudice no era el primero en dejarse engañar por eso, así que yo disculpaba su rectitud. Incluso me gustaba. Le apoyaba precisamente por sus rarezas: el nombre impronunciable, los dientes superpuestos —a cualquiera de sus compañeros se los habrían arreglado con un aparato dental carísimo pagado por mami y papi—, incluso su descarada ambición. Yo veía algo en aquel tipo. Cierta tenacidad en su forma de resistir tanto rechazo, en cómo se limitaba a aceptarlo y lo aceptaba. Obviamente era un chico de clase trabajadora, decidido a conseguir para sí mismo aquello que a tantos otros les habían regalado sin más. Supongo que en ese sentido, y *solo* en ese, era igual que yo.

Ahora, doce años después de llegar a la oficina, y pese a todas sus peculiaridades, lo había conseguido, o casi. Neal Logiudice era primer ayudante, el número dos de la oficina del fiscal del distrito de Middlesex, la mano derecha del fiscal y jefe de fiscales litigantes. Me quitó el puesto a mí, ese chaval que un día me dijo: «Andy, tú eres *exactamente* lo que yo quiero llegar a ser». Debería haberlo visto venir.

Aquella mañana, en la sala del tribunal, los miembros del jurado estaban de mal humor y alicaídos. Una treintena de hombres y mujeres que no habían sido suficientemente hábiles como para eludir sus obligaciones, sentados, apretujados en esas sillas prefabricadas de escuela con mesitas adosadas a los brazos. A esas alturas ya entendían bastante bien su cometido. Los tribunales de acusación duran varios meses y ellos comprendieron con bastante rapidez de qué va el espectáculo: acusar, señalar con el dedo, nombrar al malo.

Un proceso ante el gran jurado no es un juicio. No hay juez en la sala, ni abogado defensor. El fiscal domina el espectáculo. Es una investigación, y en teoría una comprobación del poder del fiscal, ya que el gran jurado decide si el fiscal tiene pruebas suficientes para que al sospechoso le juzgue un tribunal. Si hay pruebas suficientes, el gran jurado otorga al fiscal el derecho a la acusación, su pase para el Tribunal Superior de Justicia. Si no, no existe «acusación formal» y el caso termina antes de empezar. En la práctica la inexistencia de acusación formal es poco común. La mayoría de las veces el gran jurado acusa. ¿Por qué? Solo conocen un lado del caso.

Pero, en esta ocasión, sospecho que los miembros del jurado sabían que Logiudice no tenía caso. Hoy no. La verdad no saldría a la luz, no con estas pruebas viciadas y contaminadas, no después de todo lo que había pasado. Ya hacía más de un año, habían pasado más de doce meses desde que habían descubierto en el bosque el cadáver de un chico de catorce años con el pecho atravesado por tres cuchilladas en hilera, como si le hubieran clavado un tridente. Pero no era tanto por una cuestión de tiempo. Era por todo lo demás. Demasiado tarde, y el gran jurado lo sabía.

Yo también lo sabía.

Solo Logiudice permanecía impertérrito. Frunció los labios con ese gesto extraño que solía hacer. Revisó las notas de su cuaderno, meditó la siguiente pregunta. Se limitó a hacer lo que yo le había enseñado. La voz que oía en la cabeza era la mía: no dejes que te preocupe la debilidad del caso. Cíñete al sistema. Juega el juego del mismo modo como se ha jugado durante los últimos quinientos años, utiliza la misma táctica rastrera que siempre ha guiado los interrogatorios: atraer, atrapar, joder.

Dijo:

—¿Recuerda cuándo se enteró del asesinato del chico Rifkin?

—Sí.

—Descríbalo.

—Recibí una llamada, creo que la primera fue de la COAC, es decir, la policía estatal. Luego enseguida hubo dos más, una de la policía de Newton, otra de la fiscalía de guardia. A lo mejor no fue en ese orden, pero básicamente el teléfono empezó a sonar sin parar.

—¿Cuándo fue eso?

—El jueves 12 de abril de 2007, hacia las nueve de la mañana, justo después de que descubrieran el cadáver.

—¿Por qué le telefonearon a usted?

—Yo era el primer ayudante. Me notificaban todos los asesinatos del condado. Era el procedimiento habitual.

—Pero usted no se hacía cargo de todos los casos, ¿verdad? Usted no investigaba personalmente, ni llevaba todos los homicidios que llegaban.

—No, claro que no. No tenía tiempo para eso. Yo me quedaba con muy pocos homicidios. La mayoría se asignaban a otros ayudantes del fiscal.

—Pero se quedó con este.

—Sí.

—¿Decidió inmediatamente que lo iba a llevar usted mismo, o fue más tarde?

—Lo decidí casi inmediatamente.

—¿Por qué? ¿Por qué quería este caso en particular?

—Yo tenía un acuerdo con la fiscal del distrito, Lynn Canavan: ciertos casos los llevaría yo personalmente.

—¿Qué tipo de casos?

—Los más prioritarios.

—¿Por qué usted?

—Yo era el abogado litigante más antiguo de la oficina. Ella quería asegurarse de que los casos importantes se llevaran de forma adecuada.

—¿Quién decidía si un caso tenía prioridad máxima?

—En primera instancia yo. Consultándolo con la fiscal del distrito, naturalmente, pero las cosas suelen ir muy rápido en los primeros momentos. Normalmente no hay tiempo para reuniones.

—¿Así que *usted* decidió que el asesinato de Rifkin era un caso con prioridad máxima?

—Por supuesto.

—¿Por qué?

—Porque implicaba el asesinato de un niño. Creo que también pensé que podía convertirse en algo gordo, captar la atención de los medios de comunicación. Era un caso de ese tipo. Había ocurrido en una ciudad rica, la víctima era rica. Ya habíamos tenido unos cuantos casos como ese. Al principio tampoco sabíamos exactamente de qué se trataba. Si se hubiera convertido en un asunto menor, más adelante lo habría transferido, pero en aquellas primeras horas tenía que asegurarme de que todo se hiciera bien.

—¿Informó usted a la fiscal del distrito de que tenía un conflicto de intereses?

—No.

—¿Por qué no?

—Porque no lo tenía.

—¿No era su hijo Jacob compañero del niño muerto?

—Sí, pero yo no conocía a la víctima y que yo supiera Jacob tampoco le conocía. Ni siquiera llegué a saber el nombre del chico muerto.

—No conocía usted al chico. De acuerdo. Pero ¿sabía que él y su hijo estaban en el mismo curso de la misma escuela de enseñanza media de la misma ciudad?

—Sí.

—Y aun así, ¿no consideró que existía un conflicto que le excluía? ¿No pensó que podían cuestionar su objetividad?

—No. Claro que no.

—¿Ni siquiera lo piensa ahora? ¿Insiste usted, incluso hoy, en que *sigue* sin ver que las circunstancias creaban un *aparente* conflicto?

—No, no había nada impropio. Ni siquiera inusual. ¿El hecho de que yo viviera en la ciudad donde sucedió el asesinato? Eso era *bueno.* El fiscal de condados más pequeños vive a menudo en la misma comunidad en la que sucede un crimen, a menudo conoce a los afectados. ¿Y qué? Por eso tiene un deseo *aun mayor* de capturar al culpable. Eso no es un conflicto de intereses. Mire, la verdad es que yo tengo un conflicto con todos los asesinos. En eso consiste mi trabajo, en resumidas cuentas. Aquel era un crimen horrible, espantoso, y mi trabajo era hacer algo. Mi intención era hacer simplemente eso.

—De acuerdo.

Logiudice bajó la mirada hacia el cuaderno. No tenía sentido atacar al testigo al principio de su declaración. Sin duda tendría tiempo de volver a ese punto a lo largo del día, cuando yo estuviera cansado. Por el momento más valía no caldear el ambiente.

—¿Conoce usted su derecho a acogerse a la primera enmienda?

—Por supuesto.

—¿Y ha renunciado a él?

—Eso parece. Estoy aquí. Estoy hablando.

Risitas ahogadas procedentes del gran jurado.

Logiudice dejó su bloc sobre la mesa y con ello, por lo visto, apartó por el momento su estrategia.

—Señor Barber, Andy, ¿puedo preguntarle una cosa? ¿Por qué no recurrir a eso? ¿Por qué no seguir callado? —No pronunció la frase implícita: *Es lo que yo habría hecho.*

Por un momento pensé que aquello era una táctica, un poco de teatro. Pero parecía que Logiudice lo pensaba realmente. Le preocupaba que yo tramara algo. No quería dejarse engañar y quedar como un tonto.

Yo dije:

—No quiero seguir callado. Quiero que se sepa la verdad.

—¿Pase lo que pase?

—Yo creo en el sistema, igual que usted, igual que todos los presentes.

Bueno, eso no era cierto del todo. Yo no creo en el sistema judicial, al menos no creo que sea especialmente bueno para averiguar la verdad. Como todos los abogados. Hemos visto demasiadas equivocaciones, demasiadas conclusiones incorrectas. El veredicto de un jurado no es más que una hipótesis; una hipótesis generalmente bienintencionada, pero no se puede decidir qué es verdad y qué no por un simple voto de diferencia. Y aun así, pese a todo eso, yo creo en el poder del ritual. Creo en el simbolismo religioso, en las togas negras, en los palacios de justicia con columnas de mármol como los templos griegos. Cuando celebramos un juicio, celebramos una misa. Rezamos juntos para cumplir con nuestro deber y para protegernos del peligro, y eso vale la pena, al margen de que nuestras plegarias sean o no escuchadas.

Claro que Logiudice no era partidario de ese tipo de sandez solemne. Él vivía en ese universo binario de los abogados: culpable o inocente, y estaba decidido a no dejarme salir de ahí.

—Usted cree en el sistema, ¿verdad? —dijo con desdén—. Bien, Andy, pues volvamos a él. Dejaremos que actúe el sistema.

Y lanzó una mirada de listillo sabelotodo al jurado.

Buen chico, Neal. No dejes que el testigo se meta en la cama con el jurado; *tú* te metes en la cama con el jurado. Saltas ahí, te cuelas bajo la manta a su lado y dejas al testigo fuera, que pase frío. Yo sonreí con suficiencia. Me habría levantado y habría aplaudido si me hubieran dejado, porque yo le enseñé a hacer justamente eso. ¿Por qué negarme a mí mismo un poco de orgullo paterno? Después de todo, no debo de haberlo hecho tan mal, si convertí a Neal Logiudice en un abogado aceptable.

—Pues venga —dije, como haciéndole una carantoña al jurado—. Deja de hacer el capullo y métete en faena, Neal.

Él me miró y luego volvió a coger su bloc de notas y le echó una ojeada, para volver a donde estaba. Yo casi podía deletrear la idea que tenía impresa en la frente: *atraer*, *atrapar*, *joder*.

—De acuerdo —dijo él—. Vayamos al período posterior al crimen.

2
Nuestra gente

Abril de 2007: doce meses antes

Se diría que la ciudad entera acudió a casa de los Rifkin cuando la abrieron para la Shivá, el duelo judío. No pensaban permitir que la familia sufriera en privado. El asesinato del chico era un asunto público y el duelo lo sería también. La casa estaba tan llena que, cuando ocasionalmente subía el murmullo de la conversación, todo aquello adquiría la incómoda apariencia de una fiesta, hasta que el gentío bajaba la voz de golpe, como si alguien hubiera manipulado un invisible botón de volumen.

Yo fui de un lado a otro, intentando abrirme camino entre aquella multitud, repitiendo «Perdón», con gesto de disculpa.

La gente me miraba curiosa. Alguien dijo: «Es él, ese es Andy Barber», pero no me detuve. Ya habían pasado cuatro días del crimen y todo el mundo sabía que yo llevaba el caso. Querían preguntarme por aquello, naturalmente, sobre sospechosos y pistas y todo eso, pero no se atrevían. De momento, los detalles de la investigación no importaban, solo la cruda realidad de que un chico inocente estaba muerto.

¡Asesinado! La noticia fue un golpe bajo para ellos. Nunca había habido un crimen del que hablar en Newton. Lo que los vecinos sabían sobre la violencia procedía exclusivamente de noticiarios y programas de televisión. Ellos daban por supuesto que la violencia criminal se limitaba al centro de la ciudad, que era un asunto de marginados de barrios bajos. Estaban equivocados, naturalmente, pero no eran tontos y si se hubiera tratado del asesinato de un adulto no les habría impresionado tanto. Lo que convertía el asesinato de Ben Rifkin en algo tan soez era que implicaba a uno de los niños de la localidad. Era una violación de la propia imagen de Newton. Durante un tiempo hubo en el centro de Newton un cartel que calificaba el lugar como «Una comunidad de familias, una familia de comunidades», y uno oía decir a menudo que Newton era «un buen sitio para criar a los niños». Y desde luego lo era. Estaba lleno de centros para preparar exámenes y profesores de actividades extraescolares, academias de artes marciales y ligas de fútbol los sábados. Los padres jóvenes del pueblo estaban especialmente orgullosos de esa idea de Newton como un paraíso infantil. Muchos de ellos habían abandonado una ciudad sofisticada y a la última para trasladarse aquí. Habían aceptado los enormes gastos, la monotonía sofocante y la molesta decepción de adaptarse a una vida convencional. Para esos residentes ambivalentes, todo ese proyecto de las afueras tenía sentido únicamente porque era «un buen sitio para criar a los niños». Se lo habían jugado todo por eso.

Fui pasando de un grupo a otro, yendo de habitación en habitación. Los chicos, los amigos del crío muerto, se habían congregado en un estudio en la parte delantera de la casa. Hablaban en voz baja, atónitos. Había una chica con el maquillaje corrido por las lágrimas. Mi propio hijo, Jacob, estaba sentado en una silla baja, desgarbado y lánguido, separado del resto. Miraba la pantalla de su teléfono móvil, indiferente a las conversaciones de alrededor.

La familia —ancianas abuelas, primos pequeños...—, paralizada por el dolor, estaba en el salón de al lado.

Finalmente, en la cocina, estaban los padres de los niños que habían estudiado sucesivamente en las mismas escuelas de Newton que Ben Rifkin. Ese era nuestro grupo. Nos conocíamos desde hacía ocho años, desde el día en que nuestros hijos empezaron en la guardería. Nos habíamos encontrado miles de veces al despedirles por las mañanas y recogerles por las tardes, en interminables partidos de fútbol y colectas de fondos de la escuela, y en una memorable representación de *Doce hombres sin piedad.* Pero, aparte de un reducido grupo de amigos, no nos conocíamos demasiado unos a otros. Había camaradería entre nosotros, desde luego, pero no auténtica conexión. La mayoría de esas relaciones no sobrevivirían a la graduación de nuestros hijos. Pero durante aquellos primeros días posteriores al asesinato de Ben Rifkin nos sentíamos falsamente cercanos. Era como si todos nos hubiéramos sincerado de repente con los demás.

En la enorme cocina de los Rifkin —vitrocerámica Wolf, nevera de dos puertas, mostradores de granito, armarios blancos de estilo inglés— los padres de la escuela estaban apiñados en grupos de tres o cuatro y se hacían confesiones íntimas sobre el insomnio, la tristeza y un miedo persistente. Hablaban una y otra vez de Columbine y del 11 de septiembre, y de cómo la muerte de Ben les impulsaba a no despegarse de sus hijos mientras pudieran. Las extravagantes emociones de aquella tarde se veían acrecentadas por la luz cálida de la cocina, proyectada por unos apliques en las paredes en forma de globos de color naranja. Los padres disfrutaban del lujo de confesarse secretos con esa iluminación de fondo, cuando entré yo.

Toby Lanzman, una de las mamás, estaba junto a la isla de la cocina colocando entremeses en una bandeja cuando entré. Llevaba un trapo de cocina colgado al hombro. Se le marcaban los músculos del antebrazo mientras trabajaba. Toby era la mejor amiga de Laurie, una de las pocas relaciones duraderas que habíamos establecido aquí. Al ver que yo estaba buscando a mi mujer, señaló al otro extremo de la habitación.

—Está haciendo de mamá de las madres —dijo Toby.

—Ya lo veo.

—Bueno, todos necesitamos que nos mimen un poco en este momento.

Yo gruñí, la miré perplejo y me fui. Toby me provocaba. La única forma de defenderme de ella era una retirada táctica.

Laurie estaba con un grupo reducido de madres. Llevaba la melena, que siempre ha sido densa y rebelde, en un moño informal cogido atrás con un gran clip de carey. Acariciaba con gesto de consuelo el brazo de una amiga. Esta se inclinaba visiblemente hacia Laurie, como un gato ante una caricia.

Cuando llegué a su lado, me rodeó la cintura con el brazo.

—Hola, cariño.

—Hemos de irnos.

—Andy, no has dejado de decir esto desde que llegamos.

—No es verdad. Lo he pensado, pero no lo he dicho.

—Bueno, lo llevas escrito en la cara —suspiró—. Sabía que teníamos que haber venido en distintos coches.

Se me quedó mirando un momento. No quería irse, pero comprendía que yo, que nunca había sido un gran conversador, —charlar en habitaciones repletas siempre me dejaba agotado—, estuviera incómodo allí, que me sintiera observado.

Y todas esas cosas había que sopesarlas. Una familia requería gestión como cualquier otra organización.

—Vete tú —decidió—. Toby me llevará a casa en su coche.

—¿Sí?

—Sí. ¿Por qué no? Llévate a Jacob.

—¿Estás segura? —Me incliné (saco a Laurie más de dos palmos) para decirle en un aparte—: Porque me *encantaría* quedarme.

Se echó a reír.

—Vete antes de que cambie de opinión.

El coro de plañideras nos miró.

—Venga. Tu abrigo está en el dormitorio de arriba.

Subí las escaleras y fui a parar a un pasillo largo. Aquí no llegaba el ruido, lo cual supuso un alivio. Seguía con el eco del murmullo del gentío metido en los oídos. Empecé a buscar los abrigos. En una habitación, que aparentemente era de la hermana pequeña del chico muerto, había un montón sobre la cama, pero el mío no estaba.

La puerta de la habitación contigua estaba cerrada. Llamé, la abrí y metí la cabeza para echar un vistazo.

La habitación estaba a oscuras. La única luz procedía de un rincón donde había una lámpara de pie de latón. El padre del chico muerto estaba sentado en una butaca orejera bajo esa luz. Dan Rifkin era menudo, esbelto, delicado. Llevaba el pelo peinado con gomina, como siempre. Vestía un traje oscuro que parecía caro, con una lágrima tosca de unos cinco centímetros en la solapa, como símbolo de su corazón destrozado. Qué manera de desperdiciar un traje tan caro, pensé. En la penumbra se le veían los ojos hundidos, como si se hubiera pintado unos círculos de un tono azulón, como los de un mapache.

—Hola, Andy —dijo.

—Perdona. Buscaba el abrigo. No quería molestarte.

—No, siéntate un momento.

—No, no quiero incordiar.

—Por favor, Andy, siéntate, siéntate. Quiero preguntarte una cosa.

Se me cayó el alma a los pies. Yo he sido testigo de la agonía de los supervivientes de víctimas de asesinatos. Mi trabajo me obliga a presenciarlo. Los padres de niños asesinados son los que lo pasan peor, y en mi opinión los padres lo pasan incluso peor que las madres, porque a ellos les han enseñado a ser estoicos, a «comportarse como hombres». Los estudios demuestran que a menudo los padres de niños asesinados mueren pocos años después del crimen, muchas veces de un ataque al corazón. En realidad, mueren de pena. En un momento determinado el fiscal se da cuenta de que él tampoco es capaz de sobrevivir a ese tipo de desgracia. No puede seguir a los padres al abismo. De manera que, en lugar de eso, se centra en los aspectos técnicos del trabajo. Lo convierte en un oficio como cualquier otro. El truco consiste en mantener a distancia a los que sufren.

Pero Dan Rifkin insistió. Movió el brazo como el policía que indica a los coches que sigan adelante, y al ver que no podía hacer otra cosa, yo cerré la puerta despacio y me senté en una silla a su lado.

—¿Una copa? —Levantó un vaso de whisky, solo.

—No.

—¿Se sabe algo nuevo, Andy?

—No. Lo siento pero no.

Asintió decepcionado, y dirigió la mirada al otro extremo de la habitación.

—Siempre me ha encantado este cuarto. Vengo aquí a pensar. Cuando pasa algo así, dedicas mucho tiempo a pensar. —Esbozó una sonrisita tensa: *No te preocupes, estoy bien.*

—Estoy convencido de eso.

—Lo que no puedo quitarme de la cabeza es: ¿por qué lo haría ese tipo?

—Dan, la verdad es que no deberías...

—No, escúchame. Solo..., yo no..., no necesito apoyo psicológico. Simplemente soy una persona racional. Me pregunto cosas. No sobre los detalles. Cuando tú y yo hemos hablado, siempre ha sido sobre los detalles: la prueba, el proceso judicial. Pero yo soy una persona racional, ¿vale? Soy una persona racional y tengo preguntas. Otras preguntas.

Yo me hundí en mi asiento y noté que relajaba los hombros, en un gesto de consentimiento.

—Vale. Ahí va: Ben era *tan* bueno... Eso es lo primero. Claro que ningún niño se merece esto, en ningún caso. Ya lo sé. Pero Ben era realmente un buen chaval. Era *tan* bueno... Y solo era un crío. ¡Tenía catorce años, por Dios santo! Nunca dio ningún problema. Nunca. Jamás, jamás, jamás. ¿Por qué, entonces? ¿Cuál fue el motivo? No me refiero a ira, avaricia, celos, ese tipo de motivos, porque en este caso el motivo *no puede* ser corriente, no puede ser, simplemente no tiene sentido. ¿Quién podría sentir ese tipo de..., de *rabia* contra Ben, contra cualquier crío? No tiene sentido, simplemente. Simplemente no tiene sentido. —Rifkin se puso cuatro dedos de la mano derecha en la frente y se dio un masaje lento y circular en la piel—. Lo que quiero decir es: ¿qué *diferencia* a esa gente? Porque naturalmente yo he sentido esas cosas, esos *motivos*: rabia, avaricia, celos, tú los has sentido, todo el mundo los ha sentido. Pero nosotros no hemos matado nunca a nadie. ¿Lo ves? Nosotros nunca *podríamos* matar a nadie. Pero algunas personas lo hacen, algunas personas *pueden.* ¿Por qué pasa eso?

—No lo sé.

—Tú debes de haber captado algo de eso.

—No, la verdad es que no.

—Pero tú hablas con ellos, tú los conoces. ¿Qué dicen los asesinos?

—La mayoría no habla mucho.

—¿Se lo preguntas alguna vez? No por qué lo hicieron, sino en primer lugar qué hace que sean capaces de hacerlo.

—No.

—¿Por qué no?

—Porque no contestarían. Sus abogados no les dejarían.

—¡Abogados! —Agitó la mano.

—En cualquier caso, la mayoría no sabría qué contestar. Esos asesinos filosóficos tipo *El silencio de los corderos*, eso es una gilipollez. Eso solo pasa en las películas. De todas formas, esos tipos están llenos de mierda. Si tuvieran que contestar, probablemente te hablarían de una niñez dura o algo así. Se convertirían en las víctimas. Es la historia de siempre.

Él asintió, para que yo continuara.

—Dan, la cuestión es que no puedes torturarte a ti mismo buscando motivos. No los hay, ninguno. Esto no tiene lógica. No en el aspecto al que tú te refieres.

Rifkin se deslizó un poco en la butaca, concentrándose, como si quisiera pensar otra vez en todo aquello. Los ojos le brillaban, pero su tono de voz era monocorde, controlado.

—¿Hay otros padres que pregunten este tipo de cosas?

—Preguntan todo tipo de cosas.

—¿Tú les ves una vez que termina el caso? ¿A los padres?

—A veces.

—¿Y qué pinta tienen? ¿Están bien?

—Algunos están bien.

—Pero otros no.

—Otros no.

—Los que lo superan, ¿qué hacen? ¿Cuál es la clave? Tiene que haber una pauta. ¿Cuál es la estrategia, qué prácticas son mejores? ¿Qué les ha ayudado a ellos?

—Buscan ayuda. Se apoyan en la familia, en la gente que les rodea. Hay grupos organizados para supervivientes; recurren a ellos. Nosotros podemos ponerte en contacto con ellos. Deberías hablar con la abogada que representa a las víctimas. Ella te meterá en un grupo de apoyo. Eso ayuda mucho. La cuestión es que no puedes hacerlo tú solo. Tienes que recordar que por ahí hay gente que ha pasado por esto, que saben por lo que estás pasando.

—Y los otros, los padres que no lo superan, ¿a esos qué les pasa? ¿A los que nunca lo superan?

—Tú no serás uno de esos.

—Pero ¿y si lo soy? ¿Qué me pasará a mí, a nosotros?

—No permitiremos que pase eso. Ni siquiera lo consideraremos.

—Pero pasa. Pasa, ¿verdad? Eso pasa.

—A ti no. Ben no querría que te pasara.

Silencio.

—Yo conozco a tu hijo —dijo Rifkin—. Jacob.

—Sí.

—Le he visto por ahí, en el colegio. Parece un buen chico. Un chico alto y guapo. Debes de estar orgulloso.

—Lo estoy.

—Se parece a ti, creo.

—Sí, eso dicen.

Suspiró profundamente.

—¿Sabes?, últimamente pienso mucho en esos críos de la clase de Ben. Me siento unido a ellos. Quiero verles triunfar, ¿sabes? Les he visto crecer, me siento cerca de ellos. ¿Es raro eso? ¿Me pasa porque hace que me sienta más cerca de Ben?

¿Por eso me pego a esos chavales? Porque lo parece, ¿verdad? Es raro.

—Dan, no te preocupes por las apariencias. La gente pensará lo que quiera. Peor para ellos. No puedes preocuparte por eso.

Se masajeó un poco más la frente. Su dolor no habría sido más obvio ni aunque se hubiese estado desangrando en el suelo. Yo quería ayudarle, y al mismo tiempo quería alejarme de él.

—Si lo *supiera*, si el caso estuviera resuelto, me ayudaría. Porque la incertidumbre me está consumiendo. Me ayudará que el caso se resuelva, ¿verdad? Eso ha ayudado a los padres en otros casos que has visto, ¿eh?

—Sí, eso creo.

—No quiero presionarte. No quiero que te lo tomes así. Es solo que pienso que me ayudará que el caso esté resuelto y conocer a ese tipo, cuando *le hayan encerrado* y *le quiten de en medio*. No es que dude de ti, Andy. Solo digo que eso me ayudará. A mí, a mi mujer, a todos. Creo que eso es lo que necesitamos. Que se cierre. Para eso contamos contigo.

Aquella noche Laurie y yo estábamos leyendo en la cama.

—Sigo pensando que es un error volver a abrir la escuela tan pronto.

—Laurie, ya lo hemos hablado. —Mi voz expresaba aburrimiento. *Lo hemos hablado mil veces*—. A Jacob no le pasará absolutamente nada. Le llevaremos nosotros, le acompañaremos hasta la puerta. Allí habrá un montón de policías. Estará más seguro en el colegio que en cualquier otro sitio.

—Más seguro. Eso no puedes saberlo. ¿Cómo lo sabes? Nadie tiene ni idea de quién es ese tío, ni de qué piensa hacer ahora.

—Han de abrir la escuela en algún momento. La vida continúa.

—Te equivocas, Andy.

—¿Hasta cuándo pretendes que esperen?

—Hasta que cojan al culpable.

—Eso puede ir para largo.

—¿Y qué? ¿Eso es lo peor que puede pasar? Que el chaval pierda unos cuantos días de clase. ¿Y qué? Al menos estarían seguros.

—No puedes conseguir que estén totalmente seguros. El mundo es muy grande. Grande y peligroso.

—Vale, pues más seguros.

Me apoyé el libro abierto en el estómago, como si fuera un tejadito.

—Laurie, si mantienes la escuela cerrada, les transmites a esos chicos una idea equivocada. Se supone que la escuela es un sitio seguro. No un sitio que deben temer. Es su segunda casa. Donde pasan la mayor parte del día. Ellos *quieren* estar ahí. Quieren estar con sus amigos, no encerrados en casa, escondidos debajo de la cama para que no se les lleve el coco.

—El coco ya se ha llevado a uno. Lo cual quiere decir que no es el coco.

—De acuerdo, pero ya sabes qué quiero decir.

—Ah, sé lo que quieres decir, Andy. Pero simplemente opino que te equivocas. La prioridad principal es mantener a nuestros hijos a salvo, físicamente. Después ya podrán estar con sus amigos o lo que sea. No puedes prometerme que los chicos estarán seguros hasta que atrapen a ese tío.

—¿Necesitas una garantía?

—Sí.

—Cogeremos a ese tío —dije yo—. Te lo garantizo.

—¿Cuándo?

—Pronto.

—¿Lo sabes?

—Lo espero. Siempre les pillamos.

—No siempre. ¿Recuerdas aquel que mató a su mujer y la metió en la parte de atrás del Saab envuelta en una manta?

—A ese le pillamos. Simplemente no pudimos..., vale, *casi* siempre. Casi siempre les pillamos. A este le pillaremos, te lo prometo.

—¿Y si te equivocas?

—Si me equivoco, estoy convencido de que tú me lo aclararás todo.

—No, quiero decir si te equivocas y un pobre chico acaba mal.

—Eso no pasará, Laurie.

Ella frunció el ceño y se rindió.

—No hay forma de discutir contigo. Es como chocar contra una pared una y otra vez.

—No estamos discutiendo. Estamos hablando.

—Tú eres abogado y no ves la diferencia. Yo estoy *discutiendo.*

—Oye, ¿qué quieres que diga, Laurie?

—No quiero que digas nada. Quiero que escuches. ¿Sabes?, confiar no es lo mismo que tener razón. Piensa: puede que estemos poniendo en peligro a nuestro hijo. —Me puso la punta de un dedo en la sien y apretó, como si en parte fuera una broma, pero en parte estuviera enfadada—. Piensa.

Se dio la vuelta, dejó su libro sobre un montón inestable que tenía en la mesilla, y se tumbó de espaldas a mí, acurrucada, como una cría en un cuerpo de adulto.

—Eh —dije yo—, échate para allá.

Con una serie de saltitos volvió hacia atrás hasta que pegó la espalda a mí. Hasta que sintió cierta calidez o solidez o lo que fuera que necesitara de mí en aquel momento. Yo le acaricié el brazo.

—No pasará nada.

Ella resopló.

Yo dije:

—Imagino que el sexo está descartado.

—Creía que no estábamos discutiendo.

—Yo no, pero tú sí. Y quiero que lo sepas, no importa, te perdono.

—Ja, ja. A lo mejor..., si dices que lo sientes...

—Lo siento.

—No lo parece.

—Lo siento mucho, profundamente. De verdad.

—Ahora di que estás equivocado.

—¿Equivocado?

—Di que te equivocas. ¿Tienes ganas o no?

—Hum. A ver, para que me quede claro: solo tengo que decir que estoy equivocado y una mujer preciosa me hará el amor apasionadamente.

—Yo no he dicho apasionadamente. Solo normal.

—Vale, o sea: si digo que estoy equivocado, una mujer preciosa me hará el amor sin la menor pasión, pero con una técnica bastante buena. ¿Es eso?

—¿Una técnica bastante buena?

—Una técnica increíble.

Yo dejé el libro, la biografía de Truman de McCullough, en mi mesilla de noche, encima de un montón resbaladizo de revistas, y apagué la luz.

—Olvídalo. No estoy equivocado.

—No importa. Ya has dicho que soy preciosa. Salgo ganando.

3

Otra vez al colegio

A la mañana siguiente, temprano, se oyó una voz en la habitación de Jacob, un gemido; y yo me desperté y me di cuenta de que mi cuerpo ya se había puesto en marcha, se puso de pie a tientas y fue a rastras a los pies de la cama. Inmerso todavía en el sopor del sueño, salí del dormitorio a oscuras, crucé el pasillo bajo la luz gris del amanecer y me sumí de nuevo en la oscuridad del dormitorio de mi hijo.

Encendí el interruptor de la pared y ajusté el conmutador. La habitación de Jacob estaba abarrotada de zapatillas de deporte enormes, un MacBook cubierto de pegatinas, un iPod, libros del colegio, novelas de bolsillo, cajas de zapatos llenas de cartas viejas de béisbol y cómics. En una esquina, un Xbox conectado a una televisión antigua. Los discos del Xbox y sus estuches estaban amontonados al lado, la mayoría eran videojuegos de guerra. Había ropa sucia, naturalmente, pero también dos montones de ropa limpia cuidadosamente doblada y entregada por Laurie, que Jacob había declinado colocar en el armario, porque era más fácil coger la ropa limpia del montón. Encima de una estantería baja había una serie de trofeos de fútbol infantil, que Jacob había ganado cuando era pequeño. Nunca había sido un atleta, pero todos los críos de esas edades conseguían un trofeo, y él no los había movido de allí en todos esos años. Las estatuillas parecían reliquias religiosas, ignoradas, virtualmente invisibles para él. Había un viejo cartel de cine de *Five Fingers of Death*, una película de artes marciales de los años setenta, en el que se veía un hombre con uniforme de karate que destroza con un puño muy pulido el ladrillo de una pared. (¡La obra maestra de las Artes Marciales! ¡CONTEMPLA un ataque increíble tras otro! ¡PALIDECE ante el ritual prohibido del ataque! ¡ACLAMA al joven luchador de artes marciales que vence en solitario a los malignos señores de la guerra!»). El revoltijo era tan intenso y permanente, que Laurie y yo habíamos dejado hacía tiempo de pelearnos con Jacob para que lo limpiara. La verdad es que ya ni siquiera lo veíamos. Laurie tenía la teoría de que el desorden era la proyección de la vida interior de Jacob —que entrar en su dormitorio era como entrar en su caótica mente adolescente—, de modo que era una tontería agobiarle encima con eso. Créanme, eso es lo que te pasa cuando te casas con la hija de un loquero. Para mí, aquello solo era una habitación desordenada, y me ponía muy nervioso cada vez que entraba.

Jacob estaba tumbado de lado en un extremo de la cama, sin moverse. Tenía la cabeza arqueada hacia atrás y la boca abierta, como un lobo que aúlla. No roncaba, pero hacía un ruidito pegajoso al respirar; había estado resfriado. Respiraba entrecortadamente y gimoteaba a la vez:

—N... n... —*No, no.*

—Jacob —murmuré. Me acerqué para acariciarle la cabeza—. ¡Jake!

Él volvió a gritar. Sus ojos parpadearon bajo las pestañas.

Se oyó el traqueteo de un tranvía, el primero que se dirigía hacia Boston por el borde del río, y pasaba cada mañana a las 6.05.

—Estás soñando, nada más —le dije.

Consolar a mi hijo de ese modo me produjo un leve arrebato de placer. La situación provocó una de esas punzadas de nostalgia a las que están sujetos los padres, un vago recuerdo de Jake cuando era un crío de tres o cuatro años y teníamos una costumbre a la hora de acostarse. Yo preguntaba: ¿quién quiere a Jacob? Y él contestaba: papá. Era lo último que nos decíamos el uno al otro todas las noches antes de que se durmiera. Pero Jake nunca necesitó que le dieran seguridad. A él nunca se le ocurrió que sus papás pudieran desaparecer, su papá no, ni pensarlo. Era yo quien necesitaba aquel jueguecito de pregunta-respuesta. Cuando yo era niño mi padre no estaba. Apenas le conocí. Así que decidí que mis hijos nunca se sentirían así; nunca sabrían lo que es no tener padre. Era extraño pensar que en cuestión de pocos años sería Jacob quien me abandonaría a *mí.* Se marcharía a la universidad y mi época de obligaciones diarias como papá en activo habría terminado. Cada vez le vería menos, y al final nuestra relación se reduciría a unas pocas visitas anuales por vacaciones y algún fin de semana en verano. Me costaba imaginarlo. ¿Qué era yo sino el padre de Jacob?

Y entonces tuve otra idea, inevitable dadas las circunstancias: sin duda Dan Rifkin también pretendía evitarle a su hijo el menor daño, como yo, y sin duda tampoco estaba preparado, igual que yo, para despedirse de su hijo. Pero Ben Rifkin yacía en un cajón refrigerado de la oficina del forense, mientras mi hijo estaba en su cama caliente, y lo único que les diferenciaba era la suerte. Me avergüenza admitir que pensé: *Gracias a Dios. Gracias a Dios que fue a su hijo a quien pillaron y no al mío.* Pensé que yo no sería capaz de sobrevivir a la pérdida.

Me arrodillé junto a la cama, rodeé a Jacob con los brazos y apoyé mi cabeza en la suya. Volví a recordar. Cuando Jake era pequeño, en cuanto se despertaba solía cruzar medio dormido el pasillo y se acurrucaba en nuestra cama. Ahora, le notaba enorme y huesudo e inquieto entre mis brazos. Era guapo, tenía el pelo negro y rizado y la piel morena. Tenía catorce años. Seguro que no me permitiría abrazarle de ese modo si estuviera despierto. En los últimos tiempos se había vuelto un poco hosco, solitario y un incordio. A veces era como tener a un desconocido viviendo en casa, un desconocido un poco insoportable. Típico comportamiento adolescente, decía Laurie. Jake estaba probando diferentes personalidades, preparándose para dejar atrás definitivamente la infancia.

Me sorprendió darme cuenta de que mi caricia realmente tranquilizaba a Jacob, y ahuyentaba la pesadilla que tuviera. Lanzó un único y profundo suspiro, y se dio la vuelta. Su respiración adoptó una cadencia confortable y cayó en un sueño profundo, mucho más profundo del que yo soy capaz ahora mismo. (Parecía que a los cincuenta y un años yo había olvidado cómo dormir. Me despertaba varias veces cada noche y raramente dormía más de cuatro o cinco horas). Me gustó pensar que yo le había calmado, pero ¿quién sabe? A lo mejor ni siquiera sabía que estaba allí.

Aquella mañana los tres estábamos inquietos. La reapertura del colegio McCormick solo cinco días después del asesinato nos ponía un poco nerviosos. Seguimos nuestra rutina habitual —duchas, café y bollos, una ojeada a Internet para comprobar el correo, los resultados deportivos y las noticias—, pero estábamos tensos e incómodos. Nos levantamos todos a las seis y media, pero nos entretuvimos y al final resultó que nos retrasamos, lo cual nos provocó más ansiedad.

Laurie estaba especialmente nerviosa. No solo tenía miedo por Jacob, creo. Todavía estaba afectada por el asesinato, como la gente sana que se sorprende la primera vez que contrae una enfermedad grave. Uno podría esperar que Laurie, que llevaba años viviendo con un fiscal, estuviera más preparada que sus vecinos. A esas alturas ya debería saber —aunque la noche anterior yo fui insensible y sordo y no lo noté— que la vida *continúa.* Incluso la violencia más extrema, al final, se ve reducida a material de un juicio: una resma de papel, unas cuantas pruebas, una docena de testigos sudorosos y vacilantes. El mundo mira hacia otro lado y, ¿por qué no? La gente muere, algunos de forma violenta; es trágico, sí, pero en un momento determinado deja de impresionarte, al menos a un fiscal viejo. Mirando por encima de mi hombro, Laurie había presenciado aquel ciclo muchas veces, y sin embargo todavía la dejaba perpleja la irrupción de la violencia en su propia vida. Todos sus gestos lo expresaban, la actitud artrítica de su propio cuerpo, el tono apagado de su voz. Se esforzaba por mantener la compostura y no le resultaba fácil.

Jacob miraba fijamente su MacBook y masticaba en silencio un bollo gomoso descongelado en el microondas. Laurie intentaba que se abriera, como hace siempre, pero él no estaba por la labor.

—¿Cómo te sienta volver, Jacob?

—No sé.

—¿Estás nervioso? ¿Preocupado? ¿Qué?

—No sé.

—¿Cómo puedes no saberlo? ¿Quién va a saberlo, pues?

—Mamá, ahora no tengo ganas de hablar.

Esa era la frase educada que le habíamos enseñado a decir, en lugar de limitarse a ignorar a sus padres. Pero a esas alturas había repetido «ahora no tengo ganas de hablar» tan a menudo y de un modo tan mecánico, que ya no tenía nada de educado.

—Jacob, ¿puedes decirme simplemente si estás bien, para que deje de preocuparme?

—Acabo de *decirlo.* No tengo ganas de hablar.

Laurie me miró exasperada.

—Jake, tu madre te ha hecho una pregunta. No te morirás por contestar.

—Estoy *bien.*

—Yo creo que a tu madre le gustaría algo un poco más concreto que eso.

—Papá, deja... —Volvió a centrar la atención en el ordenador.

Yo miré a Laurie y encogí los hombros.

—El chico dice que está bien.

—Eso ya lo he entendido. Gracias.

—No te preocupes, madre. Bien y ya está.

—¿Y tú, marido?

—Estoy *bien.* Ahora no tengo ganas de hablar.

Jacob me miró con resentimiento.

Laurie sonrió sin ganas.

—Necesito una hija para equilibrar las cosas, para tener alguien con quien hablar. Esto es como vivir con un par de paredes.

—Lo que necesitas es una esposa.

—Ya lo he pensado.

Los dos acompañamos a Jacob a la escuela. La mayoría del resto de los padres hizo lo mismo, y a las ocho de la mañana el colegio parecía un circo. Había un cierto caos circulatorio en la puerta, potentes monovolúmenes Honda y coches familiares y 4 × 4. Cerca de allí había unas cuantas furgonetas aparcadas, equipadas con parabólicas, cabinas, antenas. La policía había colocado caballetes que bloqueaban los dos extremos del sendero circular. Un agente de Newton hacía guardia a la entrada de la escuela. Otro esperaba en un coche de policía aparcado delante. Los alumnos, con sus pesadas mochilas cargadas a la espalda, se abrían camino hacia la puerta entre esos obstáculos. Los padres merodeaban en la acera o acompañaban a sus hijos hasta la entrada principal.

Yo aparqué nuestro monovolumen en la calle, a una manzana de distancia, y nos quedamos allí sentados y embobados.

—Uau —murmuró Jacob.

—Uau —corroboró Laurie.

—Esto es bestial —dijo Jacob.

Laurie parecía afectada. Su mano izquierda, con sus dedos largos y sus preciosas uñas nítidas, colgaba del apoyabrazos. Siempre tuvo unas manos bonitas y elegantes; los dedos regordetes de la mano de fregona de mi madre parecían patas de perro al lado de los de Laurie. Yo me acerqué para cogerle la mano y enlacé mis dedos con los suyos para que nuestras dos manos se transformaran en un puño. Al ver su mano en la mía tuve un momento de sentimentalismo. La miré animoso y presioné más nuestras manos unidas. Viniendo de mí, aquello era un ataque de emotividad histérica, y Laurie me devolvió el apretón para darme las gracias. Se volvió para mirar otra vez a través del parabrisas. Su cabello oscuro estaba salpicado de canas. Pequeñas arrugas salían de sus ojos y de la comisura de sus labios. Pero, al mirarla, también creí ver su cara más tersa y juvenil.

—¿Qué?

—Nada.

—Me estás mirando.

—Eres mi mujer. Tengo derecho a mirar.

—¿Eso dicen las normas?

—Fijamente, con lascivia, comerte con la mirada, todo lo que quiera. Créeme. Soy abogado.

Un buen matrimonio deja atrás una larga estela de evocaciones. Una simple palabra, un gesto, un tono de voz pueden hacer que florezcan muchos recuerdos. Laurie y yo llevábamos más de treinta años coqueteando así; desde el día que nos conocimos en el instituto y ambos nos volvimos un poco locos de amor. Ahora las cosas eran distintas, claro. A los cincuenta y un años el amor era una experiencia más tranquila. Juntos navegábamos sin rumbo a través de los días. Pero ambos recordábamos cómo había empezado todo, e incluso ahora, en plena mediana edad, cuando pienso en aquella jovencita resplandeciente, sigo sintiendo una cierta emoción del primer amor, todavía ahí, encendida todavía como una luz piloto.

Caminamos hacia la escuela, subiendo el pequeño montículo sobre el que se asienta el edificio.

Jacob iba entre los dos. Llevaba una sudadera marrón vieja con capucha, unos tejanos anchos, y unas Adidas Superstar. La mochila colgada en el hombro derecho. El pelo un poco largo por encima de las orejas, y un mechón en la frente que prácticamente le tapaba las cejas. Un chico más valiente habría sido más atrevido y habría ido por ahí alardeando de su aspecto gótico, o de fanático de la moda, o de cualquier otro signo de rebeldía, pero Jacob no era así. A lo máximo a lo que se atrevía era a un toque de inconformismo. Su sonrisa tenía cierto aire de intriga. Se diría que disfrutaba con toda esa excitación, lo cual, entre otras cosas, rompía de forma innegable el tedio de octavo curso.

Cuando llegamos a la acera frente a la escuela, fuimos abducidos por un grupo de tres madres jóvenes, todas con hijos en la clase de Jacob. La más enérgica y extrovertida de todas, la líder implícita, era Toby Lanzman, la mujer que había visto anoche en la Shivá de los Rifkin. Vestía unos relucientes pantalones de deporte, una camiseta a juego y una gorra de béisbol con una cola de caballo sujeta en el agujero de atrás. Toby era adicta al ejercicio físico. Tenía el cuerpo esbelto de una corredora y una cara sin un gramo de grasa. Para los padres del colegio, sus músculos resultaban a la vez atractivos e intimidantes, electrizantes en cualquier caso. Yo, yo pensaba que valía más que una docena de padres juntos. Era la clase de amiga que uno querría tener en un momento de crisis. El tipo de amiga que te apoya.

Pero si Toby era la capitana de ese grupo de madres, Laurie era el núcleo emocional, el corazón, y probablemente el cerebro también. Cuando algo iba mal, cuando alguna de ellas se quedaba sin trabajo, o el marido la engañaba o un hijo tenía problemas en el colegio, era a Laurie a quien llamaba. Sin duda a ellas les atraía la misma cualidad de Laurie que a mí: tenía una calidez cerebral y amable. Yo, en momentos románticos, tenía la vaga sensación de que aquellas mujeres eran mis rivales sentimentales, que querían algunas de las mismas cosas de Laurie que yo (aprobación, amor). Así que cuando las veía juntas como esa familia en la sombra, con Toby en el papel del padre severo y Laurie en el de madre cariñosa, era imposible que no me sintiera un poco celoso y excluido.

Toby nos acogió en el pequeño círculo de la acera, y nos dio la bienvenida a cada uno con un protocolo distinto, que yo nunca acabé de entender: un abrazo para Laurie, un beso en la mejilla para mí —*muuua*, me dijo al oído—, un simple hola para Jacob.

—Todo esto es terrible, ¿verdad? —suspiró.

—Yo estoy horrorizada —confesó Laurie, aliviada de estar entre sus amigas—. Simplemente no puedo digerirlo. No sé qué pensar.

Su expresión era de sorpresa más que de angustia. No era capaz de ver lógica en lo que había pasado.

—¿Y tú qué tal, Jacob? —Toby miró fijamente a Jacob, decidida a ignorar la diferencia de edad que les separaba—. ¿Cómo estás?

Jacob se encogió de hombros.

—Estoy bien.

—¿Listo para volver al colegio?

Él evadió la pregunta con un gesto más aparatoso —echó los hombros hacia arriba y luego los dejó caer— para demostrar que sabía que le trataban con condescendencia.

Yo dije:

—Más vale que te vayas, Jake, o llegarás tarde. Recuerda que has de pasar el control de seguridad.

—Sí, vale. —Jacob puso los ojos en blanco, como si toda esa preocupación por la seguridad de los niños fuera una confirmación más de la eterna estupidez de los adultos. ¿No se daban cuenta de que era demasiado tarde?

—Anda, ve —dije yo sonriendo como él.

—¿No llevas armas, ni objetos punzantes? —dijo Toby con una mueca. Estaba citando a un detective que había enviado un e-mail al director de la escuela, en el que enumeraba las nuevas medidas de seguridad para el centro.

Jacob se colocó de nuevo la mochila sobre el hombro con el pulgar.

—Solo libros.

—Bien, pues. Anda, ve. Aprende algo.

Jacob se despidió con un gesto de los adultos que sonrieron benevolentes, cruzó arrastrando los pies la valla policial, y se unió a la marea de estudiantes que se dirigían a la puerta de entrada.

Cuando se fue, el grupo abandonó su fingido buen humor. Todo el peso de la preocupación cayó sobre ellos.

Incluso Toby parecía atribulada.

—¿Alguien se ha puesto en contacto con Dan y Joan Rifkin? —preguntó.

—Me parece que no —dijo Laurie.

—Pues deberíamos. Hemos de hacerlo.

—Esa pobre gente. No puedo ni imaginármelo.

—No creo que nadie sepa qué decirles. —Esa era Susan Frank, la única mujer del grupo vestida para ir al trabajo, con el traje de punto gris de una abogada—. Quiero decir que ¿qué *se puede* decir? En serio, ¿qué demonios puedes decirle a alguien después de esto? Es tan..., no sé, devastador.

—Nada —corroboró Laurie—. Es imposible decir absolutamente nada para arreglarlo. Pero lo que importa no es lo que digas, sino simplemente estar con ellos.

—Basta con que les digas que piensas en ellos —repitió Toby—. Eso es lo único que podemos hacer, hacerles saber que pensamos en ellos.

La última de las presentes, Wendy Seligman, me preguntó:

—¿Tú qué piensas, Andy? Tú te enfrentas a situaciones como esta constantemente, ¿verdad? Hablar con las familias después de algo así.

—La mayoría de las veces no digo nada. Me limito al caso; no hablo de nada más. Con respecto a lo demás, no puedo hacer mucho.

Wendy asintió, decepcionada. Me consideraba una carga, uno de esos maridos que había que tolerar, la parte inferior de una pareja casada. Pero adoraba a Laurie, que aparentemente era excelente en cada uno de los tres distintos roles con los que esas mujeres hacían malabarismos: era esposa, era madre y, solo en último lugar, era ella misma. Si yo le parecía interesante a Laurie, suponía Wendy, debía de tener una faceta oculta que no me molestaba en compartir —lo cual quizás significaba que *ella* me parecía aburrida a mí, que yo pensaba que no valía la pena el esfuerzo de tener una verdadera conversación—. Wendy estaba divorciada, era la única divorciada o madre soltera de su pequeño grupo, y tendía a imaginar que las demás analizaban sus defectos.

Toby trató de levantar los ánimos.

—¿Sabéis?, nos hemos pasado todos estos años protegiendo a esos críos de las armas de juguete y de los programas de televisión y los videojuegos violentos. Bob y yo ni siquiera dejamos que nuestros hijos tuvieran pistolas de agua, por Dios santo, a menos que parecieran otra cosa. Y ni siquiera las llamábamos pistolas; las llamábamos «chorros» o lo que sea, como si los niños no lo supieran. Y ahora esto. Es como... —y levantó las manos con gesto de exasperación.

Pero la broma no tuvo éxito.

—Es irónico —confirmó Wendy, abatida, para que Toby viera que la había escuchado.

—Es verdad —suspiró Susan, en honor de Toby.

Laurie dijo:

—Yo creo que damos demasiada importancia a lo que podemos hacer como padres. Tu hijo es tu hijo. Y es como es.

—¿Así que podría haberles dado a los niños las malditas pistolas de agua?

—Seguramente. Con Jacob..., no sé. Pero a veces me pregunto si realmente sirvieron para algo todas las cosas que hicimos, todo lo que nos preocupaba. Él siempre ha sido como es ahora, pero más pequeño. Con todos los críos pasa lo mismo. En realidad no son distintos a como eran de pequeños.

—Sí, pero nuestro estilo paternal tampoco ha cambiado. Así que quizás les estamos enseñando las mismas cosas.

Wendy:

—Yo no tengo ningún estilo paternal. Me limito a improvisar sobre la marcha.

Susan:

—Yo igual. Todos hacemos lo mismo. Salvo Laurie. Tú, Laurie, seguramente tienes un estilo paternal. Tú también, Toby.

—¡Yo no!

—¡Ah, sí! Seguramente lees libros sobre el tema.

—Yo no. —Laurie levantó las manos: *Yo soy inocente*—. En cualquier caso, lo único que pienso es que todos nos hacemos ilusiones cuando decimos que podemos moldear a nuestros hijos para que sean de una manera o de otra. Casi todo es innato.

Las mujeres se miraron. Quizás en Jacob era innato, pero en sus hijos no. No como en el caso de Jacob, en cualquier caso.

Wendy dijo:

—¿Alguna de vosotras conocía a Ben?

Se refería a Ben Rifkin, la víctima del crimen. Ellas no le conocían. Llamarle por su nombre de pila solo era una forma de adoptarle.

Toby:

—No. Dylan nunca fue amigo suyo. Y Ben nunca hizo deporte ni nada.

Susan:

—Compartía alguna asignatura con Max. Yo le veía a menudo. Parecía buen niño, supongo, pero ¿quién sabe?

Toby:

—Esos críos tienen vida propia. Estoy segura de que tienen secretos.

Laurie:

—Igual que nosotros, a su edad, por otro lado.

Toby:

—Yo era muy obediente a su edad. Nunca di un motivo de preocupación a mis padres.

Laurie:

—Yo también era buena.

Yo intervine para decir:

—Tú no eras *tan* buena.

—Lo era hasta que te conocí. Tú me corrompiste.

—¿Ah, sí? Bueno, pues me enorgullezco de ello. Lo incluiré en mi currículo.

Pero no resultó una broma demasiado apropiada justo después de haber mencionado el nombre del crío, y me sentí bruto y avergonzado ante aquellas mujeres, cuya sensibilidad emotiva era muy superior a la mía.

Hubo un momento de silencio y luego Wendy soltó:

—Ay, Dios, esa pobre gente. ¡Esa pobre madre! Y nosotros estamos aquí, en plan «la vida continúa, otra vez al colegio», y su pobre hijito no volverá nunca jamás.

A Wendy se le humedecieron los ojos. *Qué espanto: un día, sin que tengas ninguna culpa...*

Toby se acercó a abrazar a su amiga, y Laurie y Susan le acariciaron la espalda.

Yo, excluido, me quedé allí un momento con expresión boba y bienintencionada —una sonrisa tensa, los ojos ligeramente caídos—, luego me excusé y fui a revisar la instalación de seguridad de la entrada de la escuela, antes de que la cosa se pusiera más lacrimógena. No acababa de entender la intensidad del dolor de Wendy por un niño al que no conocía, y lo tomé como un signo más de la vulnerabilidad emocional de aquella mujer. Además, el hecho de que Wendy hubiera pronunciado las mismas palabras que yo anoche, «la vida continúa», la convertían en cierto modo en aliada de Laurie en una discusión que acababa de resolverse. En resumen, era el momento oportuno para largarse.

Me dirigí al control de seguridad que habían instalado en el vestíbulo del colegio. Consistía en una mesa larga donde se registraban a mano los abrigos y las mochilas, y una zona donde unos agentes de Newton, dos varones, dos mujeres, barrían a los chicos con detectores de metales. Jake tenía razón; todo aquello era una ridiculez. No había motivo para pensar que alguien llevaría un arma a la escuela, o que el asesino tenía alguna relación con el centro. Ni siquiera habían descubierto el cadáver en los terrenos del colegio. Solo tenía sentido de cara a tranquilizar la ansiedad de los padres.

Cuando llegué, el ritual Kabuki de registrar a cada estudiante se había interrumpido. Había una chica que levantaba la voz y sorteaba a uno de los policías mientras el otro miraba, con la porra cruzada sobre el pecho, presentando armas como si fuera a agredir a la chica con ella. El problema, claramente, era que en la sudadera ponía «F-C-U-K». El policía había considerado que era un mensaje «incitante» y por lo tanto, según las improvisadas normas de seguridad del colegio, estaba prohibido. La chica le explicaba que las iniciales correspondían a una marca de ropa que se podía encontrar en cualquier centro comercial, y que, aunque fuera una «palabrota», ¿cómo eso podía incitar a alguien?, y que no estaba dispuesta a entregar una sudadera que era muy cara, y que ¿por qué iba a tirar una sudadera cara a un contenedor sin motivo? Estaban en un impasse.

Su adversario, el policía, estaba encorvado. Con el cuello inclinado hacia delante y la cabeza colocada delante del cuerpo, como si fuera un buitre. Pero cuando me vio se irguió, echó la cabeza hacia atrás, de manera que la piel bajo la barbilla se plegó sobre sí misma.

—¿Todo bien? —le pregunté al agente.

—Sí, *señor.*

Sí, *señor.* Yo odiaba esas maneras militares adoptadas por los departamentos de policía, los falsos rangos del ejército y la cadena de mando, y todo eso.

—Descanse —dije, como una broma, pero el policía bajó la mirada a los pies, avergonzado.

—Hola —le dije a la chica, que tenía pinta de estar en séptimo u octavo curso. No la reconocí como una de las compañeras de Jacob, pero podía serlo.

—Hola.

—¿Qué pasa aquí? A lo mejor puedo ayudar.

—Usted es el padre de Jacob Barber, ¿verdad?

—Pues sí.

—¿Es usted policía o algo parecido?

—Solo fiscal del distrito. ¿Y tú quién eres?

—Sarah.

—Sarah. Vale, Sarah, ¿qué problema hay?

La chica se quedó callada, dudando. Y después soltó de golpe:

—Es que yo estoy intentando decirle a este agente que no tiene que quitarme mi sudadera, que ya la guardaré en mi taquilla o le daré la vuelta, *lo que sea*. Pero a él no le gusta lo que pone aunque nadie podrá *verlo*, y que además no tiene nada de malo, solo es una *palabra.* Así que todo esto es tan absolutamente... —y se calló la última palabra: *estúpido.*

—Yo no decido las normas —explicó simplemente el policía.

—¡No pone nada! ¡Yo solo digo eso! ¡No dice lo que él dice que dice! Y además ya le he dicho que la *guardaré.* ¡Se lo he dicho! Se lo he dicho como un millón de veces pero no me escucha. No hay derecho.

La chica estaba a punto de llorar.

—A mí me parece bien, si la deja en la taquilla, ¿no cree? No veo que mal puede haber en ello. Yo asumo la responsabilidad.

—Mire, usted es el jefe. Lo que usted diga.

—Y mañana —le dije a la chica, para compensar al agente—, quizás podrías dejar esta sudadera en casa.

Le guiñé el ojo, y ella recogió sus cosas y enfiló el pasillo a toda prisa.

Yo me coloqué junto al policía ofendido y juntos miramos hacia la calle a través de las puertas de la escuela.

Un segundo.

—Hizo usted lo que tenía que hacer —dije yo—. Probablemente no debí meter las narices.

Eran una tontería, claro, esas dos frases. Sin duda el agente también sabía que eran una tontería. Pero ¿qué podía hacer? La misma cadena de mando que le obligaba a poner en práctica una norma estúpida, le obligaba a ceder ante un abogado corpulento y tonto del culo con un traje barato, que no sabía lo duro que era ser policía ni la poca cantidad del trabajo de los agentes que llega a los informes policiales que se abren paso hasta los fiscales virginales e incompetentes, todos ellos aislados en sus tribunales de justicia como monjas en un convento. Puag.

—No importa —me dijo el agente.

Y no importaba. Pero me quedé ahí de todos modos, haciendo frente común con él, para asegurarme de que sabía en qué equipo jugaba yo.

4

Trampa mental

El juzgado del condado de Middlesex, donde estaba la sede central de la oficina del fiscal del distrito, era un edificio rematadamente feo. Era una torre de dieciséis plantas construida en los años sesenta, con una fachada exterior de cemento con formas rectangulares de distintos tipos: bloques lisos, cuadrículas de rejilla, troneras. Era como si el arquitecto hubiera prohibido las líneas curvas y los materiales de construcción cálidos con el empeño de conseguir que aquel lugar fuera lo más deprimente posible. Dentro la cosa no mejoraba demasiado. Los espacios interiores eran sofocantes, mortecinos, lúgubres. La mayoría de los despachos no tenían ventanas; quedaban sepultados por la forma de bloque sólido del edificio. Las salas de justicia, de estilo moderno, tampoco tenían ventanas. Construir salas de justicia sin ventanas es una estrategia arquitectónica común, para aumentar el efecto de cámara aislada del mundo cotidiano, un teatro para la gran obra atemporal de la ley. Era necesario que aquí no se les molestara.

Uno podía pasarse días enteros en ese edificio sin ver nunca el cielo ni el sol. Y algo peor aún, todo el mundo sabía que el tribunal era un «edificio enfermo». Los huecos de los ascensores estaban forrados de asbesto, y cada vez que la puerta de un ascensor se abría con un traqueteo, el edificio lanzaba al aire una nube de partículas tóxicas. Pronto habría que clausurar toda esa destartalada construcción, pero su aspecto lastimoso no importaba demasiado a los detectives y abogados de dentro. A menudo es en lugares sórdidos como ese donde se lleva a cabo realmente el trabajo de la administración local. Al cabo de cierto tiempo, dejas de fijarte.

Yo solía estar casi todos los días en mi mesa hacia la siete y media o las ocho, antes de que empezaran a sonar los teléfonos, antes del primer turno de las nueve y media. Pero, debido a la reapertura de la escuela de Jacob, aquella mañana llegué pasadas las nueve. Ansioso por ver el expediente Rifkin, cerré inmediatamente la puerta de mi despacho, me senté y coloqué las fotografías del lugar del crimen sobre mi escritorio. Apoyé un pie en un cajón abierto y me eché hacia atrás, para observarlas.

La lámina de madera plastificada de las esquinas de mi mesa había empezado a desprenderse del tablero de cartón prensado. Yo tenía la costumbre de rascar esas esquinas inconscientemente cuando estaba nervioso, arrancaba la superficie plastificada con el dedo, como si fuera una costra. A veces me sorprendía al oír el chasquido que hacía cuando la levantaba y la rompía. Era un sonido que yo asociaba con pensamientos profundos. Estoy seguro de que aquella mañana yo hacía tic-tac como una bomba.

Tenía la sensación de que la investigación iba mal. Era raro. Demasiado silencio, aun después de cinco largos días de rastreo. Es un tópico pero es verdad: la mayoría de los casos se resuelven rápidamente, durante las horas y los días frenéticos inmediatamente posteriores a un asesinato, cuando hay ruido por todas partes, pruebas, teorías, ideas, testigos, acusaciones..., posibilidades. Otros casos tardan más en solucionarse, en localizar la señal correcta en ese entorno tan ruidoso, la verdadera historia entre otras que son verosímiles. Unos pocos casos no se resuelven nunca. La señal no emerge entre el ruido. Abundan las posibilidades, todas posibles, ninguna probable, ninguna demostrable, y así termina el caso. Pero en todos los casos hay ruido, siempre. Siempre hay sospechas, teorías, posibilidades que considerar. En el asesinato de Ben Rifkin no. Cinco días de silencio. Alguien cosió tres agujeros en línea en el pecho de aquel chico, sin dejar ningún indicio del cómo o el porqué.

La frustrante ansiedad que aquello causaba, en mí, en los detectives que trabajaban en el caso, incluso en el pueblo, empezaba a hacer mella. Yo tenía la sensación de que jugaban conmigo, de que me manipulaban a propósito. Me ocultaban un secreto. Hay un término en el argot que usaban Jacob y sus amigos, *trampa mental*, que se refiere a martirizar a alguien, despistándole, normalmente a base de ocultarle un hecho crucial. Una chica finge que le gusta un chico: eso es una *trampa mental.* Una película revela un hecho esencial al final, que cambia o explica todo lo sucedido antes: *El sexto sentido* o *Sospechosos habituales*, por ejemplo, son lo que Jake llama *películas con trampa mental.* El caso Rifkin empezaba a parecerse a una *trampa mental.* La única forma de explicar el silencio sepulcral posterior al crimen era que alguien hubiera organizado todo aquello. Había alguien observando, disfrutando con nuestra ignorancia, con nuestra estupidez. En la fase de investigación de un crimen violento, el detective a menudo concibe un odio justificado por el criminal, antes de tener la menor idea de quién es. Yo no solía sentir ese tipo de pasión en relación con ningún caso, pero ese asesino no me gustaba. Por matar, claro, pero también por jodernos. Por negarse a rendirse. Por controlar la situación. Cuando finalmente supiera su nombre y conociera su cara, solo tendría que adecuar mi desprecio para que encajara con él.

En las fotos del lugar del crimen que tenía ante mí, el cuerpo yacía sobre hojas marrones, retorcido, con la cara mirando al cielo y los ojos abiertos. Las imágenes en sí mismas no eran especialmente truculentas, un chico tumbado en la hojarasca. En cualquier caso, la sangre por sí misma no solía perturbarme. Como mucha gente que ha tenido contacto con la violencia, expresaba mis emociones dentro de un registro muy concreto. Nunca excesivo, nunca escaso. Siempre me aseguraba de que fuera así, desde niño. Mis emociones no se salían del carril.

Benjamin Rifkin tenía catorce años, estudiaba octavo curso en la escuela McCormick. Jacob iba a su clase pero apenas le conocía. Me dijo que, en el colegio, Ben tenía fama de ser «un poco vago», listo pero no buen estudiante, nunca asistía a las clases avanzadas que abarrotaban el horario de Jacob. Era guapo, incluso un poco chulo. A menudo llevaba el pelo corto peinado en un copete con algo llamado gomina. Según Jacob, gustaba a las chicas. A Ben le gustaban los deportes y era un buen atleta, pero prefería el monopatín o esquiar que los deportes de grupo. «Yo no iba con él —me dijo Jacob—. Tenía su propio grupo, y eran todos demasiado guay». Y añadió con la mordacidad típica de la adolescencia: «Ahora todo el mundo lo sabe todo de él, pero antes nadie le hacía ni caso».

Encontraron el cuerpo el 12 de abril de 2007, en Cold Spring Park: 26 hectáreas de bosque de pinos que rodean los terrenos de la escuela. Los bosques estaban repletos de circuitos de footing. Se cruzaban entre sí y conducían, por diferentes ramificaciones, a un sendero circular que cubría el perímetro del parque. Yo conocía esos caminos bastante bien; corría allí casi todas las mañanas. Era en un pequeño barranco, junto a uno de esos senderos más pequeños, donde habían arrojado cabeza abajo el cuerpo de Ben. Se deslizó y fue a parar al pie de un árbol. Una mujer llamada Paula Giannetto descubrió el cuerpo cuando pasó corriendo. El momento del descubrimiento era preciso: ella desconectó el cronómetro que usaba para correr cuando se paró a investigar. Eran las 9.07 de la mañana —todavía no hacía una hora que el chico había salido de casa, para ir caminando al colegio cercano—. No había rastros de sangre. El cuerpo yacía con la cabeza hacia abajo, los brazos extendidos, las piernas juntas, como un saltador con estilo. Giannetto informó de que no le pareció obvio que el chico estuviera muerto, de manera que le dio la vuelta con la esperanza de reanimarle. «Creí que estaba enfermo, que quizás se había desmayado o algo así. No pensé...». El forense señaló más tarde que la posición invertida del cuerpo sobre un terreno en pendiente, los pies más altos que la cabeza, podría explicar el extraño rubor de la cara. La sangre se le había subido a la cabeza, provocando «lividez». Cuando la testigo le dio la vuelta al chico, vio que tenía la parte delantera de la camiseta empapada de sangre. Dio un grito, tropezó, cayó y fue hacia atrás, apoyándose en las palmas de las manos y los talones, y luego se levantó y se fue corriendo. Por tanto, la posición del cuerpo en las fotos del lugar del crimen —torcido, con la cara hacia arriba— no era exacta.

Al chico le habían dado tres puñaladas en el pecho. Una directa al corazón que habría sido fatal por sí misma. El cuchillo había entrado y salido otra vez, una, dos, tres veces, como una bayoneta. El arma tenía el filo dentado, como evidenciaban los jirones del contorno izquierdo de las heridas y la tela hecha trizas de la camiseta. El ángulo de entrada sugería que el atacante medía aproximadamente lo mismo que Ben, un metro setenta y cinco, aunque el terreno en pendiente del parque convertía esa proyección en poco fiable. No encontraron el arma. No había heridas de pelea: la víctima no tenía señales ni en los brazos ni en las manos. La mejor pista, quizás, era una única y prístina huella, impresa con la propia sangre de la víctima, pulcramente conservada en una etiqueta interior de la sudadera abierta de la víctima, de cuya solapa le había agarrado su asesino, que le empujó por la pendiente al barranco. La huella no correspondía ni a la víctima ni a Paula Giannetto.

Los escuetos hechos del crimen habían evolucionado muy poco en esos cinco días desde el asesinato. Los detectives habían interrogado al vecindario y habían peinado dos veces el parque, inmediatamente después del descubrimiento, y otra vez veinticuatro horas después, para encontrar testigos que frecuentaran el parque a esa hora del día. Los barridos no habían conducido a nada. Para los periódicos y para los cada vez más aterrorizados padres del colegio McCormick, el crimen era como una especie de ataque arbitrario. A medida que iban transcurriendo los días sin novedades, el silencio de la policía y de la oficina del fiscal del distrito parecía confirmar los peores temores de los padres: un depredador merodeaba por los bosques de Cold Spring Park. Desde entonces, el parque estaba abandonado, aunque un coche de la policía de Newton permanecía todo el día en el aparcamiento, para tranquilizar a los que iban a correr y a hacer marcha atlética. Solo los propietarios de perros seguían yendo, para soltar a los animales de las correas en un prado destinado a tal efecto.

Un policía estatal de paisano llamado Paul Duffy se coló en mi despacho después de llamar mecánicamente a la puerta, y se sentó al otro lado de la mesa, con evidente excitación.

El teniente de detectives Paul Duffy nació siendo policía, pertenecía a la tercera generación de agentes de la ley y era hijo de un antiguo jefe de homicidios de la policía de Boston. Pero no lo parecía. Hablaba en voz baja, tenía entradas y las facciones delicadas, podía haber ejercido una profesión más diplomática que la de policía. Duffy era el responsable de una unidad de la policía estatal, adjunta a la oficina del fiscal del distrito. La unidad era conocida por su acrónimo, CPAC (pronúnciese *cepac*). Las iniciales significaban Crimen, Prevención y Control, pero en el fondo el nombre no tenía sentido (está claro que prevenir y controlar el crimen es lo que hacen todos los policías), y casi nadie sabía qué significaban realmente esas letras. En la práctica la misión de los CPAC era simple: eran los detectives del fiscal del distrito. Trabajaban en casos inusualmente complejos, investigaciones largas o prominentes. Y lo más importante, llevaban todos los asesinatos del condado. En los casos de homicidio, los detectives de la CPAC colaboraban con los agentes locales, que en su mayoría aceptaban encantados su ayuda. Fuera de la propia Boston, los homicidios eran tan poco frecuentes que los locales no podían adquirir la experiencia necesaria, especialmente en localidades pequeñas donde los asesinatos eran tan extraordinarios como los cometas. Aun así, que los estatales irrumpieran para hacerse cargo de una investigación local era una situación políticamente delicada. Era necesario un toque de finura como el de Paul Duffy. Para capitanear la unidad de la CPAC, no bastaba con ser un investigador hábil; tenías que tener la flexibilidad suficiente para satisfacer a los diversos votantes potenciales, cuyos dedos del pie tu trabajo consistía en pisar.

Yo apreciaba a Duffy sin reservas. Seguramente era el único policía con quien trabajaba de quien era amigo personal. Solíamos trabajar juntos en los casos, el primer abogado de la oficina del fiscal y el principal detective. También salíamos juntos. Nuestras familias se conocían. Paul me había hecho padrino de Owen, el mediano de sus tres hijos, y si yo hubiera creído en Dios o en padrinos, habría hecho lo mismo con él. Era más extravertido, más gregario y sentimental que yo, pero las buenas amistades requieren personalidades complementarias, no idénticas.

—Dime que tienes algo o lárgate de mi oficina.

—Tengo algo.

—Ya era hora.

—No pareces muy agradecido.

Echó una carpeta de archivo sobre mi escritorio.

—*Leonard Patz* —leí en voz alta. Era un informe de la Junta de la Condicional—. *Abusos y agresión a un menor; procacidad y lascivia; procacidad y lascivia; allanamiento de morada; abusos y agresión, desestimada; abusos y agresión a un menor, pendiente.* Encantador. El pedófilo del barrio.

Duffy dijo:

—Tiene veintiséis años. Vive cerca del parque, en ese edificio de apartamentos, el Windsor o como se llame.

En la foto de la ficha, sujeta con un clip a la carpeta, se veía a un hombre gordo con la cara rechoncha, el pelo al uno y los labios perfilados. Yo la saqué del clip y la miré atentamente.

—Un guaperas. ¿Por qué no sabíamos nada de él?

—No estaba en el registro de delincuentes sexuales. Se trasladó a Newton el año pasado y no lo comunicó.

—¿Y cómo le encontraste?

—A uno de los ayudantes del fiscal del distrito de la Unidad contra el Abuso Infantil le llamó la atención. Por esa acusación pendiente por agresión y abusos en el tribunal del distrito de Newton, aquí, en la parte de arriba de la página.

—¿Qué tipo de fianza?

—Personal.

—¿Qué hizo?

—Agarrar del paquete a un chaval en la biblioteca pública. El crío tenía catorce años, igual que Ben Rifkin.

—¿En serio? Eso cuadra, ¿verdad?

—Es un comienzo.

—Espera, ¿agarra a un chaval por el paquete y sale con una fianza personal?

—Por lo visto no está claro que el chico quiera declarar.

—Aun así, me voy a esa biblioteca.

—Quizás deberías llevar un suspensorio.

—Nunca salgo de casa sin uno.

Estudié la foto policial. Intuí algo referente a Patz desde el principio. Claro que estaba desesperado —*quería* tener esa sensación, necesitaba un sospechoso urgentemente, necesitaba presentar algo por fin—, así que desconfié de mis sospechas. Pero no podía ignorarlas del todo. Hay que hacer caso de la intuición. En eso consiste la pericia: toda la experiencia, los casos que se ganan y se pierden, los errores lamentables, todos los detalles técnicos que uno aprende de memoria a base de repetirlos, con el tiempo esas cosas te generan un sentido instintivo del oficio. Una «corazonada». Y desde que topé con Patz esa primera vez, tuve la corazonada de que podía ser él.

—Como mínimo vale la pena darle un susto —dije.

—Pero ten en cuenta una cosa: en el historial de Patz no hay ningún incidente violento. Ni armas, ni nada. Este es el único.

—Aquí veo dos casos de abuso y agresión y para mí eso ya es violencia.

—Agarrar a un chaval por los huevos no es lo mismo que asesinar.

—Por algo hay que empezar.

—Puede. No sé, Andy. Quiero decir que ya veo por dónde vas, pero a mí me parece más un gilipollas que un asesino. Y está el tema sexual, el chico de los Rifkin no presentaba indicios de ataque sexual.

Yo me encogí de hombros.

—Quizás no llegó tan lejos. Puede que le interrumpieran. Quizás le hiciera proposiciones al crío, o intentó llevárselo al bosque a punta de navaja, y el chaval se resistió. O quizás se rio de él, le ridiculizó y a Patz le dio un ataque de ira.

—Demasiados quizás.

—Bueno, veamos qué tiene que decir. Tráemelo.

—No puedo traerle. No tengo nada para retenerle. No hay nada que le relacione con este caso.

—Pues dile que quieres que repase las fotos de las fichas, para ver si puede identificar a alguien que pudiera haber visto en Cold Spring Park.

—Y tiene un abogado de oficio para la acusación pendiente. No vendrá voluntariamente.

—Pues dile que le denunciarás por no haber comunicado su nueva dirección al registro de delincuentes sexuales, que ya le habías echado el ojo por eso. Dile que guardar pornografía infantil en el ordenador es un delito federal. Dile cualquier cosa, no importa. Ve a buscarle y agárrale de los huevos un poco.

Duffy sonrió y arqueó las cejas. Las bromas sobre agarrar de los testículos nunca pasan de moda.

—Ve a buscarle y ya está.

Duffy dudaba.

—No sé. Creo que nos estamos precipitando. ¿Por qué no simplemente enseñamos una fotografía de Patz por ahí, para ver si alguien le recuerda aquella mañana en el parque? Hablamos con los vecinos. O llamamos a su puerta sin asustarle y así conseguimos que hable. —Duffy hizo ese gesto con los dedos, como un pico que se abre y se cierra: *bla, bla, bla*—. Nunca se sabe. Si vas a buscarle a lo mejor llama a su abogado y pierdes la única posibilidad de charlar con él.

—No, es mejor ir a por él. Después puedes camelártelo tú, Duffy. Eso lo haces muy bien.

—¿Estás seguro?

—No podemos dejar que la gente diga que no presionamos a ese tío.

El comentario estaba fuera de lugar, y en la cara de Duffy apareció un gesto de duda. Siempre habíamos respetado la norma de no hacer el menor caso de lo que pensara la gente, ni de la apariencia que tuvieran las cosas. Se supone que el criterio de un fiscal está al margen de la política.

—Ya sabes lo que quiero decir, Paul. Este es el primer sospechoso creíble que tenemos. No quiero perderle por no haber hecho bastante.

—Vale —dijo, con un gesto de desagrado—. Le traeré.

—Bien.

Duffy se recostó en la silla, una vez terminada la charla de trabajo, quería suavizar el pequeño rifirrafe que habíamos tenido.

—¿Cómo le ha sentado a Jacob volver al colegio esta mañana?

—Ah, bien. A Jake no le preocupa nada. Pero Laurie, en cambio...

—¿Está un poco afectada?

—¿Un poco? ¿Te acuerdas de *Tiburón*, cuando Roy Scheider tiene que hacer que sus hijos se metan en el océano, para que todo el mundo vea que nadar no es peligroso?

—¿Tu mujer se parece a Roy Scheider? ¿Me estás diciendo eso?

—La expresión de su rostro.

—¿Tú no estabas preocupado? Venga, estoy seguro de que tú también parecías Roy Scheider.

—Mira, tío, yo estaba en plan Robert Shaw, te lo aseguro.

—Las cosas no acabaron demasiado bien para Robert Shaw, si no recuerdo mal.

—Para el tiburón tampoco. Eso es lo que cuenta, Duffy. Ahora ve a buscar a Patz.

—Andy, esto me incomoda un poco —afirmó Lynn Canavan.

Durante un momento no supe de qué estaba hablando. De hecho me pasó por la cabeza que podía estar bromeando. Ella solía tomarle el pelo a la gente cuando éramos jóvenes. Yo me lo tragué más de una vez, me tomaba en serio un comentario suyo que al cabo de un minuto resultaba que era una broma. Pero, pasado un minuto, me pareció que Lynn hablaba muy en serio. Últimamente se ha vuelto muy difícil de entender.

Aquella mañana estábamos los tres en el enorme despacho de Canavan: la fiscal del distrito Canavan, Neal Logiudice y yo. Estábamos sentados alrededor de una mesa de reuniones, en cuyo centro había una caja vacía de Dunkin' Donuts con restos de la reunión anterior de aquella misma mañana. La habitación tenía unos acabados elegantes, paneles de madera y ventanas con vistas a East Cambridge. Pero era tan fría como el resto del juzgado. La misma moqueta rala de color morado, sobre un suelo de bloques de cemento. El mismo techo deprimente de azulejos moteados. La misma atmósfera cargada y rancia. Como oficina central no era gran cosa.

Canavan jugueteaba con un bolígrafo, daba golpecitos en

un cuaderno de notas, con la cabeza inclinada como si estuviera reflexionando.

—No sé. No sé si me gusta que lleves este caso. Tu hijo va a ese colegio. Te toca demasiado de cerca. Me incomoda un poco.

—¿Te incomoda a ti, Lynn, o a este Rasputín de aquí? —Señalé a Logiudice.

—Mira, esto no tiene gracia, Andy...

—A mí —afirmó Canavan.

—Deja que lo adivine: Neal quiere el caso.

—Neal piensa que puede haber cierto problema. Y yo también, francamente. Hay un conflicto aparente. Y eso es importante, Andy.

Desde luego, las apariencias importaban. Lynn Canavan era una figura política emergente. Desde el momento en que la eligieron fiscal del distrito, dos años antes, hubo rumores sobre a qué cargo aspiraría seguidamente: gobernadora, fiscal general de Massachusetts, incluso senadora de Estados Unidos. Pasaba de los cuarenta, era atractiva, inteligente, seria y ambiciosa. Yo la conocía y trabajaba con ella desde hacía quince años, desde que ambos éramos abogados jóvenes. Éramos aliados. El día que la nombraron fiscal del distrito me eligió como su ayudante, pero yo supe desde el principio que era un puesto temporal. Un patán de tribunales como yo no tiene valor en el mundo de la política. Fuera cual fuese el destino de Canavan, yo no la acompañaría. Pero todavía faltaba tiempo para eso. Entretanto, ella esperaba el momento oportuno, pulía su personalidad pública, su «etiqueta»: la profesional de la ley y el orden, firme y eficiente. Raramente sonreía ante las cámaras, raramente bromeaba. Apenas usaba maquillaje ni joyas, y llevaba un peinado corto y cómodo. Las personas de más edad del despacho recordaban a una Lynn Canavan distinta: divertida, carismática, una más del grupo, capaz de renegar como un carretero y de beber como una esponja. Pero los votantes nunca vieron nada de eso, y a estas alturas quizás esa antigua Lynn, más natural, ya no existía. Supongo que no tuvo más remedio que transformarse a sí misma. Su vida era ahora una candidatura eterna; nadie podía culparla por convertirse en alguien que fingía ser desde hacía tanto tiempo. En cualquier caso, todos hemos de crecer, dejar a un lado las niñerías y todo eso. Pero ahí se había perdido algo más. En el transcurso de la transformación de Lynn de mariposa a polilla, nuestra amistad se había visto afectada. Ninguno de los dos tenía la confianza de antaño, esa sensación de confianza y entendimiento que habíamos tenido. Quizás ella me nombraría juez algún día, por los viejos tiempos, como pago por todo. Pero los dos sabíamos, creo, que nuestra amistad ya no tenía recorrido. Por culpa de eso, cuando estábamos juntos, ambos nos sentíamos un poco tristes e incómodos, como amantes ante los inconvenientes finales de su aventura.

En cualquier caso, el probable ascenso de Lynn Canavan creaba un vacío a sus espaldas y la política aborrece el vacío. En el pasado, el hecho de que Neal Logiudice pudiera ocuparlo habría parecido absurdo. Ahora, ¿quién podía saberlo? Estaba claro que Logiudice no me consideraba un obstáculo. Yo había dicho una y otra vez que no me interesaba el puesto, y era verdad. Lo último que quería era llevar una vida expuesta, pública. Pero él iba a necesitar más que disputas burocráticas internas para llegar hasta allí. Si Neal quería ser fiscal del distrito, debía contar con un auténtico triunfo para mostrárselo a los votantes. Una ostentosa victoria personal en el tribunal. Necesitaba enseñar la piel de la víctima. Yo empezaba a entender de quién iba a ser esa piel.

—¿Me estás apartando del caso, Lynn?

—Ahora mismo me limito a preguntarte qué piensas.

—Ya lo hemos hablado. Sigo con el caso. No hay ningún problema.

—Lo tienes prácticamente dentro de casa, Andy. Puede que tu hijo esté en peligro. Si hubiera tenido la mala suerte de pasear por el parque en un mal momento...

Logiudice dijo:

—Puede que esto esté afectando tu criterio, un poco. Me refiero a si eres justo, si te paras a pensarlo objetivamente.

—¿Afectando en qué sentido?

—¿Emocionalmente?

—No.

—¿Estás enfadado, Andy?

—¿Parezco enfadado? —puntualicé.

—Sí, un poco. O quizás a la defensiva. Y no deberías estarlo, todos los presentes estamos en el mismo bando. Y es perfectamente normal que te afecte emocionalmente. Si mi hijo estuviera metido...

—Neal, ¿en serio estás cuestionando mi integridad? ¿O solo mi competencia?

—Ninguna de las dos. Cuestiono tu objetividad.

—Lynn, ¿está hablando en tu nombre? ¿Tú crees esta estupidez?

Ella frunció el ceño.

—Para serte sincera, tengo la antena puesta.

—¿La antena? Venga ya, ¿eso qué quiere decir?

—Estoy preocupada.

Logiudice:

—Son las apariencias, Andy. La *apariencia* de objetividad. Nadie está diciendo que realmente tú...

—Mira, vete a la mierda, Neal, ¿vale? Esto no es asunto tuyo.

—¿Perdona?

—Limítate a dejarme llevar mi caso. Me importan un carajo las apariencias. El caso va despacio porque las cosas están así, no porque yo lo esté retrasando. No voy a precipitarme y acusar a alguien solo por quedar bien. Creía que te tenía mejor enseñado.

—Tú me enseñaste a esforzarme al máximo en todos los casos.

—Yo *estoy esforzándome* al máximo.

—¿Por qué no has interrogado a los chicos? Ya han pasado cinco días.

—Sabes perfectamente por qué. Porque esto no es Boston, Neal, es Newton. Hay que negociar hasta el más mínimo detalle: con qué chicos podemos hablar, dónde hablar, qué podemos preguntar, quién tiene que estar presente. Esto no es Dorchester High. La mitad de los padres de esa escuela son abogados.

—Cálmate, Andy. Nadie te acusa de nada. El problema es la impresión que des. Desde fuera, puede parecer que estás ignorando lo obvio.

—¿Y eso qué quiere decir?

—Los alumnos. ¿Has pensado que puede que el asesino sea un alumno? Tú me lo has dicho miles de veces, ¿no?: sigue la pista de las pruebas allá donde te lleven.

—No hay ninguna prueba que sugiera que es un estudiante. Ninguna. Si la hubiera, la seguiría.

—No puedes seguirla si no la buscas.

Aquel fue un momento ¡ajá! Por fin lo pillaba. Había llegado el momento, como supe desde el principio. Yo era el superior inmediato de Neal en el escalafón. Ahora cargaría contra mí como había hecho con tantos otros.

Sonreí con ironía.

—Neal, ¿qué pretendes? ¿El caso? ¿Lo quieres? Quédatelo. ¿O mi puesto? También puedes quedártelo, maldita sea. Pero sería más fácil para todos si lo dijeras abiertamente.

—Yo no quiero nada, Andy. Solo quiero que las cosas salgan bien.

—Lynn, ¿me echas del caso o piensas apoyarme?

Ella me miró con simpatía, pero me contestó de modo indirecto.

—¿Cuándo no te he apoyado?

Yo asentí, aceptando que eso era verdad. Puse cara de estar dispuesto a empezar de cero.

—Mirad, la escuela acaba de abrir de nuevo hoy, todos los alumnos han vuelto. Esta tarde les interrogaremos. Pronto tendremos algo bueno.

—Bien —dijo Canavan—. Esperémoslo.

Pero Logiudice insistió:

—¿Quién va a interrogar a tu hijo?

—No lo sé.

—Tú no, espero.

—Yo no. Paul Duffy, probablemente.

—¿Quién decide eso?

—Yo. Funciona así, Neal. Decido yo. Y si hay algún error, seré yo quien se enfrentará al jurado para asumir el golpe.

Él le echó una mirada a Canavan... *—¿Lo ves? Te dije que no haría caso...*—, que ella recibió con gesto neutro.

5

Todo el mundo sabe que fuiste tú

Los interrogatorios a los estudiantes empezaron justo después de las clases. Para los chicos había sido un día largo lleno de reuniones de aula y terapia contra el dolor. Detectives de la CPAC de paisano habían ido de clase en clase animando a los alumnos a compartir pistas con los investigadores, de forma anónima si era necesario. Ellos se les quedaban mirando, aburridos.

La McCormick era una escuela secundaria, lo cual en esta ciudad significaba que impartía de sexto a octavo curso. El edificio era simplemente un conjunto de bloques rectangulares. Las paredes del interior estaban pintadas con diversas capas densas de color verde agua. Laurie, que creció en Newton y fue a la McCormick en los setenta, decía que la escuela apenas había cambiado, salvo que cuando recorrías los pasillos tenías la sensación de que la estructura había empequeñecido.

Tal como yo le había dicho a Canavan, esos interrogatorios eran un asunto polémico. Al principio, el director del colegio se negó rotundamente a dejar que «irrumpiéramos» allí y habláramos con cualquier chico que nos viniera en gana. Si el crimen hubiera sucedido en otro sitio —en la urbe, en vez de en los suburbios—, no nos habríamos molestado en pedir permiso. Aquí, la junta escolar e incluso el alcalde hablaron directamente con Lynn Canavan para frenarnos. Al final nos permitieron hablar con los chicos en el recinto escolar, pero solo en determinadas condiciones. Los chicos que no compartían aula con Ben Rifkin quedaban al margen, a menos que tuviéramos un motivo concreto para creer que podían saber algo. Todo estudiante podía contar con la presencia de un padre y/o un abogado, y el interrogatorio podía terminar en cualquier momento, con o sin motivo. Fue fácil acceder a la mayoría de esas cosas. En cualquier caso tenían derecho a casi todas. El motivo real para establecer tantas normas era hacerle llegar un mensaje a la policía: traten a esos chicos con guantes de seda. Lo cual estaba bien, pero perdimos un tiempo precioso con esas negociaciones.

A las dos en punto, Paul y yo nos apropiamos del despacho del director, y juntos empezamos a interrogar a los testigos más prioritarios: los mejores amigos de la víctima, unos cuantos chicos que se sabía que cruzaban Cold Spring Park para ir a la escuela, y aquellos que solicitaron hablar con los investigadores. Estaba previsto que entre los dos lleváramos a cabo dos docenas de entrevistas. Al mismo tiempo otros detectives CPAC se encargarían de otras tantas. Se esperaba que la mayoría fueran breves y no aportaran nada. Estábamos pescando, arrastrábamos la red por el fondo del mar, esperando.

Pero pasó algo raro. Apenas habíamos hecho tres o cuatro entrevistas y Paul y yo ya teníamos la impresión clara de que nos ponían trabas. Al principio pensamos que estábamos ante el repertorio habitual de tics y evasivas adolescentes, los encogimientos de hombros y los *ya sabe, yo qué sé*, las miradas vagas. Ambos éramos padres. Sabíamos que mantener a distancia a los adultos es lo que hacen todos los adolescentes, que eso pretendían con esa actitud. Aquello en sí mismo no tenía nada de sospechoso. Pero a medida que fueron avanzando los interrogatorios, nos dimos cuenta de que allí había algo más evidente y voluntario. Las respuestas de los chicos iban demasiado lejos. No se limitaban a decir que no sabían nada del asesinato; incluso decían que no conocían a la víctima. Se diría que Ben Rifkin no tenía ningún amigo, solo conocidos. Otros chicos nos dijeron que no habían hablado nunca con él y que no tenían ni idea de con quién se relacionaba. Era evidente que eran mentiras. Ben no había sido un marginado. Nosotros ya sabíamos quiénes eran la mayoría de sus amigos. Yo pensé que era una traición que sus colegas le repudiaran tan total y rápidamente.

Y lo peor era que los alumnos de octavo de la McCormick no mentían especialmente bien. Algunos, los más descarados, parecían creer que el mejor modo de que una mentira sonara convincente era exagerarla. De manera que cuando se disponían a contar una especialmente gorda, dejaban de arrastrar los pies y de decir *ya sabe*, y soltaban la trola con absoluta convicción. Era como si hubieran leído un manual de actitudes asociadas a la sinceridad —¡mirad a los ojos!, ¡hablad con rotundidad!—, y estuvieran decididos a adoptarlas todos a la vez, como pavos reales que despliegan el plumaje. De manera que tenían el comportamiento contrario al que uno espera de un adulto: los adolescentes parecían elusivos cuando eran sinceros, y directos cuando mentían, pero ese comportamiento errático hizo que saltaran las alarmas igualmente. Los demás chicos, la mayoría, para empezar, eran demasiado tímidos y mentir solo acentuaba esa característica. Estaban indecisos. La verdad que llevaban dentro les ponía en guardia y obviamente eso tampoco funcionaba. Naturalmente yo habría podido decirles que un virtuoso de la mentira cuela una afirmación falsa entre las verdaderas sin inmutarse lo más mínimo, como el mago que desliza la carta tramposa en mitad del montón. Yo tengo un máster en virtuosismo mentiroso, créanme.

Paul y yo empezamos a intercambiar miradas suspicaces. El ritmo de los interrogatorios se redujo cuando nos enfrentamos a algunas de las mentiras más obvias. Entre una de esas conversaciones, Paul bromeó sobre un posible código de silencio. «Estos chavales son como sicilianos», dijo. Ninguno de los dos sabía qué pensaban en realidad. Cuando un caso se abre y te deja entrar sientes una felicidad de vértigo. La sensación de caer en picado, como si el suelo se hubiera abierto a tus pies.

Por lo visto nos habíamos equivocado; no había otra forma de decirlo. Habíamos considerado la posibilidad de que hubiera un compañero de colegio implicado, pero la habíamos desestimado. No había ninguna prueba en ese sentido. Ningún marginado hostil entre los alumnos, ningún alumno descuidado había dejado un rastro pegajoso que pudiéramos seguir. Tampoco había ningún motivo aparente: ni grandilocuentes fantasías de adolescentes en pos de la gloria del proscrito, ni chavales acosados y humillados en busca de venganza, ni una mezquina rivalidad de clase. Nada. Pero ninguno de los dos necesitaba verbalizar esa vertiginosa sensación que teníamos: aquellos chavales sabían algo.

Una chica entró en el despacho, se dejó caer en una silla frente a nosotros e hizo evidente que no tenía intención de saludarnos.

—¿Sarah Groehl? —dijo Paul.

—Sí.

—Yo soy el teniente de detectives Paul Duffy. Soy de la policía del estado. Este de aquí es Andrew Barber. Es ayudante del fiscal del distrito encargado de este caso.

—Lo sé. —Por fin me miró—. Usted es el padre de Jacob Barber.

—Sí. Tú eres la chica de la sudadera. De esta mañana.

Ella sonrió con timidez.

—Lo siento, debería haberme acordado de ti, Sarah. Estoy teniendo un día duro.

—Sí, ¿por qué?

—Nadie quiere hablar con nosotros. Y dime, ¿eso por qué? ¿Se te ocurre algo?

—Ustedes son polis.

—¿Es por eso?

—Claro. —Hizo una mueca—. ¡Claro!

Yo me quedé callado un momento, esperando algo más. La chica me lanzó una mirada de exquisito aburrimiento.

—¿Tu eres amiga de Jacob?

Ella bajó los ojos, pensando, y se encogió de hombros.

—Supongo.

—¿Cómo es que nunca había oído hablar de ti?

—Pregúntele a Jacob.

—Él nunca me cuenta nada, así que tengo que preguntártelo a ti.

—Nos conocemos. Jacob y yo no somos, esto, amigos. Simplemente nos conocemos.

—¿Y a Ben Rifkin? ¿Le conocías?

—Lo mismo le digo. Le conocía pero no le *conocía* en realidad.

—¿Te caía bien?

—Estaba bien.

—¿Solo bien?

—Era buen chaval, supongo. Ya le he dicho que no éramos íntimos.

—De acuerdo. Pues dejaré de hacer preguntas tontas. ¿Por qué no nos lo cuentas tú, Sarah? Cualquier cosa que pueda ayudarnos, cualquier cosa que creas que debemos saber.

Ella se revolvió en la silla.

—La verdad es que no sé qué... no sé qué decirle.

—Bueno, háblame de este sitio, de la escuela. Empieza por ahí, dime algo sobre McCormick que yo no sepa. ¿Qué tal es ir a esta escuela? ¿Qué tiene de divertido este sitio? ¿Qué tiene de raro?

Ninguna respuesta.

—Sarah, nosotros queremos ayudar, ¿sabes?, pero necesitamos que algunos de vosotros nos ayudéis.

Ella se revolvió en la silla.

—Le debes eso a Ben, ¿no crees? Si era tu amigo...

—No sé. Supongo que no tengo nada que decir. Yo no sé nada.

—Sarah, el que hizo eso sigue por ahí. Eso ya lo sabes, ¿verdad? Si puedes ayudar tienes la responsabilidad de hacerlo. Una responsabilidad real. En caso contrario, lo mismo puede pasarle a cualquier otro chico. Y será culpa tuya. Si no hiciste nada, todo lo que podías para detenerle, el siguiente será culpa tuya, ¿o no? ¿Y cómo te sentirás?

—Está intentando que me sienta culpable. No le saldrá bien. Mi madre hace lo mismo.

—Yo no intento que te sientas culpable. Solo te digo la verdad.

Ninguna respuesta.

¡Pam! Duffy dio un palmetazo en la mesa. Unos cuantos papeles volaron con el golpe de aire que provocó.

—¡Jesús! Esto es una estupidez, Andy. Lo único que tienes que hacer es citar de una vez a estos críos, ¿vale? Llévales ante el tribunal y que presten juramento, y si no quieren decir nada, enciérrales por desacato. Esto es una pérdida de tiempo, ¡por Dios santo!

La chica abrió los ojos como platos.

Duffy cogió el teléfono móvil del cinturón y se lo quedó mirando, aunque no había sonado.

—Tengo que hacer una llamada —anunció—. Ahora mismo vuelvo —y se fue.

La chica dijo:

—¿Se supone que él es el policía malo?

—Sí.

—Pues no lo hace demasiado bien.

—Has pegado un salto. Yo te he visto.

—Porque me sobresaltó. Dio un golpetazo en la mesa.

—Tiene razón, ¿sabes? Si tardáis mucho en empezar a ayudarnos, tendremos que hacer esto de otra manera.

—Yo pensaba que no teníamos que decir nada si no queríamos.

—Es verdad hoy. Mañana, quizás no.

Ella se quedó pensando.

—Sarah, es verdad lo que dijiste antes. Yo soy fiscal del distrito, pero también soy padre, ¿vale? Así que no voy a dejar correr este asunto. Porque no dejo de pensar en el padre de Ben Rifkin. No dejo de pensar qué debe de estar sintiendo. ¿Puedes siquiera imaginar cómo se sentirían tu madre y tu padre si te pasara esto a ti? ¿Lo destrozados que estarían?

—Están separados. Mi padre está al margen de esto. Vivo con mi madre.

—Vaya, lo siento.

—No es para tanto.

—Bien, Sarah, mira, todos sois hijos nuestros, ¿sabes? Todos los chavales de la clase de Jacob, incluso los que no conozco, me importan. Todos los padres sentimos lo mismo.

Ella puso los ojos en blanco.

—¿No te lo crees?

—No. Usted ni siquiera me conoce.

—Eso es verdad. Aun así, me importa lo que te pase. Me importa esta escuela, esta ciudad. No pienso permitir que pasen estas cosas. Esto no va a ninguna parte. ¿Lo entiendes?

—¿Alguien está hablando con Jacob?

—¿Te refieres a mi hijo Jacob?

—Sí.

—Claro.

—Vale.

—¿Por qué dices eso?

—Por nada.

—Ha de ser por algo. ¿Qué, Sarah?

La chica se miró el regazo.

—El poli que vino a nuestra clase dijo que podíamos contarles cosas de forma anónima.

—Es verdad. Hay un teléfono para dar información.

—¿Cómo sabemos que no intentarán, esto, averiguar quién dio la información? Me refiero a que eso es algo que querrían saber, ¿verdad? Quién dijo qué.

—Venga, Sarah. ¿Qué quieres decir?

—¿Cómo sabemos que seguirá siendo anónimo?

—Supongo que tendréis que confiar en nosotros.

—¿Confiar en quién? ¿En usted?

—En mí, en el detective Duffy. Hay mucha gente trabajando en este caso.

—Y si... —Levantó la mirada.

—Mira, no voy a mentirte, Sarah. Si me dices algo aquí, no es anónimo. Mi trabajo es atrapar al tío que hizo eso, pero también llevarle a juicio y para eso necesito testigos. Te mentiría si te dijera otra cosa. Estoy intentando ser sincero contigo.

—Vale —reflexionó—. De verdad que no sé nada.

—¿Estas segura de eso?

—Sí.

Yo la miré a los ojos un momento, solo para hacerle saber que no me había engañado, y luego acepté su mentira. Saqué una tarjeta de la cartera.

—Aquí tienes mi tarjeta. Te escribiré mi número de móvil en la parte de atrás. Mi dirección electrónica particular. —Le pasé la tarjeta por encima de la mesa—. Puedes ponerte en contacto conmigo en cualquier momento, ¿vale? En cualquier momento. Y yo haré lo que pueda para buscarte.

—De acuerdo.

Cogió la tarjeta y se levantó. Se miró las manos, los dedos. Tenía las puntas manchadas de tinta corrida. A todos los alumnos de la escuela les habían tomado las huellas dactilares ese día, «voluntariamente», aunque circulaban bromas sobre las consecuencias de negarse. Sarah frunció el cejo al ver las manchas de tinta, luego cruzó los brazos para esconderlas y en esta postura extraña dijo:

—Oiga, ¿puedo preguntarle una cosa, señor Barber? ¿Usted hace alguna vez de poli malo?

—No, nunca.

—¿Por qué no?

—No es para mí, supongo.

—Entonces, ¿cómo hace su trabajo?

—Tengo una vena maligna, en el fondo. Créeme.

—¿Y simplemente la esconde?

—Simplemente la escondo.

Aquella noche, poco antes de las once, yo estaba solo en la cocina con mi portátil, que había instalado sobre el mostrador. Estaba terminando flecos del trabajo, básicamente contestando correos. Apareció un mensaje en mi bandeja de entrada. En la casilla de asunto decía —gritaba—: «RE: BEN RIFKIN>>> LÉEME>>>. Venía de una dirección Gmail, tylerdurden982@gmail.com. Hora: 22:54:27. El mensaje tenía una sola línea, un hipervínculo: «Mire aquí». Yo cliqué en el vínculo.

El link me llevó a un grupo de Facebook llamado «♥ Amigos de Ben Rifkin ♥». El grupo de Facebook era nuevo. No debía de llevar más de cuatro días operativo; el día del asesinato, la CPAC había buscado en Facebook y no estaba allí.

Habíamos encontrado la página de Facebook del chico (casi todos los chicos de McCormick estaban en Facebook), pero la página de Ben no contenía pistas sobre el asesinato. Por si servía de algo, en su perfil le había apetecido presentarse como un espíritu libre.

Ben Rifkin

Estudia en:	Escuela secundaria McCormick 2007 Newton, MA
Sexo:	Masculino
Intereses:	Mujeres
Estado social:	Soltero
Fecha de nacimiento:	3 de diciembre de 1992
Posturas políticas:	Vulcan*
Creencias religiosas:	Pagano

* Poderoso imperio de *La guerra de las galaxias*.

El resto era el habitual batiburrillo de porquería digital: vídeos de YouTube, juegos, fotos, una sarta de mensajes insulsos y cotilleos. Pero Ben no había sido muy adicto a Facebook, relativamente hablando. La mayoría de la actividad de la página era posterior a su asesinato, cuando los mensajes de los compañeros de clase de Ben aparecieron fantasmagóricamente, hasta que cerraron la página a petición de sus padres.

Por lo visto, a raíz de eso, se abrió la página nueva de «homenaje», para proporcionar a los chicos un lugar donde seguir mandando mensajes en relación con el asesinato. El nombre, «♥ Amigos de Ben Rifkin ♥», parecía usar *amigos* en el sentido de Facebook: de hecho, estaba abierta a cualquiera del curso 2007 en McCormick, hubieran sido o no amigos de Ben en realidad.

En la parte superior de la página había una fotografía de Ben, la misma que él había colgado en su página personal. Presumiblemente, quien había creado ese grupo la había cortado y pegado de la antigua página del chico muerto. En la foto se veía a Ben sonriendo con el torso desnudo, en una playa, aparentemente (detrás se veían la arena y el mar). Hacía ese gesto de «buen rollo» con la mano derecha que popularizaron los surfistas. En la parte inferior derecha de la página había un panel llamado el Muro, lleno de mensajes en orden cronológico inverso.

Jenna Linde (Escuela secundaria McCormick) escrito a las 21.02 del 17 de abril del 2007

Te echo de menos Ben. Recuerdo nuestras conversaciones. Te querré siempre te quiero Te quiero

Christa Dufresne (Escuela secundaria McCormick) escrito a las 20.43 del 17 de abril de 2007

es una cosa muy cruel, la hiciera quien la hiciera. Nunca te olvidaré Ben. Pienso en ti todos los días. ♥♥♥♥♥♥

Es importante destacar que en 2007 Facebook todavía era básicamente un paraíso para jóvenes. Su espectacular expansión entre los adultos tuvo lugar en los dos años posteriores. En nuestro círculo al menos fue así. La mayoría de los padres del colegio McCormick entraban de vez en cuando en Facebook para saber en qué andaban sus hijos, pero nada más. Unos cuantos amigos nuestros entraron, pero raramente lo utilizaban. Aún no había un número de padres suficiente para que valiera la pena. Personalmente yo no tenía ni idea de lo que Jacob y sus amigos veían en Facebook. No podía comprender por qué todo ese revoltijo de información era tan absorbente. La única explicación, en mi opinión, era que Facebook era el sitio al que iban los chicos para alejarse de los adultos, su lugar secreto, donde alardeaban, coqueteaban y hacían el ganso con una chulería de la que eran incapaces en la cafetería de la escuela. Jacob, ciertamente, era mucho más ocurrente y rotundo en la red que en persona, como les pasa a muchos chicos tímidos. Laurie y yo considerábamos que era peligroso permitir que Jacob siguiera adelante con ese secretismo. Insistimos en que nos diera su contraseña para poder controlarle, pero sinceramente fue Laurie la única que alguna vez entró en la página de Facebook de Jacob. Para mí, la conversación de los chicos a través del ordenador era, si cabe, menos interesante que su versión real. Si alguna vez entré en Facebook en aquella época, fue porque una cara determinada aparecía en los archivos de alguno de mis casos. ¿Era un padre negligente? A posteriori, obviamente sí. Pero entonces lo éramos todos, todos los padres de la escuela de Jacob. No sabíamos la importancia de lo que estaba en juego.

En la página «♥ Amigos de Ben Rifkin ♥» ya había centenares de mensajes.

Emily Salzman (Escuela secundaria McCormick) escrito a las 22.12 del 16 de abril de 2007

Sigo totalmente obsesionada. ¿Quién fue? ¿Por qué lo hiciste? ¿Por qué? ¿Para qué? ¿Qué ganaste con eso? Es asqueroso.

Alex Kurzon (Escuela secundaria McCormick) escrito a las 13.14 del 16 de abril de 2007

estoy en cold sprg park. La cinta amarilla sigue aquí. Pero no hay nadie. Ni polis.

Todos los mensajes eran así, indiscretos, elocuentes. La web creaba una sensación de intimidad, consecuencia de la atolondrada inmersión de los chicos en el mundo «virtual». Desgraciadamente estaban a punto de aprender que la red pertenecía a los mayores: yo ya estaba pensando en la citación *duces tecum* —la orden de entregar documentos y grabaciones—, que enviaría a Facebook para conseguir todas esas conversaciones online. Entretanto seguí leyendo con la avidez de un fisgón.

Dylan Feldman (Escuela secundaria McCormick) escrito a las 21.07 del 15 de abril de 2007

Jacob CLB* si no quieres leerlo, vete a otra parte. Precisamente tú. Vete a la mierda él te consideraba un amigo gilipollas.

Mike Canin (Escuela secundaria McCormick) escrito a las 21.01 del 15 de abril de 2007

Has de tenerlo claro Jake. Tú no eres del FBI, y tal como fueron las cosas deberías esconder la cabeza y callarte.

John Marolla (Escuela secundaria McCormick) escrito a las 20.51 del 15 de abril de 2007

QC?** ¿Para qué hablas? Muérete. El mundo sería mejor. Que te jodan & muérete.

Julie Kerschner (Escuela secundaria McCormick) escrito a las 20.48 del 15 de abril de 2007

No mola, Jacob

Jacob Barber (Escuela secundaria McCormick) escrito a las 19.30 del 15 de abril de 2007

A lo mejor no os habéis enterado: Ben está muerto. ¿Por qué seguimos escribiéndole mensajes? ¿Y por qué hay algunas

---

* Cállate la boca.

** ¿Qué coño?

personas que fingen ser sus amigos íntimos cuando nunca lo fueron? ¿No podemos ser francos con este asunto?

Al ver el nombre de Jacob, al darme cuenta de que aquellos últimos mensajes venenosos iban dirigidos a *mi* Jacob, me detuve. No estaba preparado para la auténtica vida de Jacob, ni para la complejidad de sus relaciones, los juicios a los que estaba sometido, la brutalidad del mundo en que vivía. *Muérete. El mundo sería mejor.* ¿Cómo podían haberle dicho algo así a mi hijo y que él nunca se lo contara a su familia? ¿Que no dijera absolutamente nada? No estaba decepcionado con Jacob sino conmigo mismo. ¿Cómo podía haberle dado a mi hijo la impresión de que no me importaban ese tipo de cosas? ¿O estaba siendo débil y reaccionaba de forma exagerada, intoxicado por el lenguaje de Internet?

También me sentí como un idiota, sinceramente. Debería haber imaginado todo eso. Laurie y yo habíamos hablado con Jacob de un modo general, sobre lo que hacía en Internet. Sabíamos que cuando se iba a su habitación por las noches, podía conectarse. Pero habíamos instalado un mecanismo en su ordenador para evitar que entrara en determinadas páginas web, porno básicamente, y creímos que con eso bastaba. Facebook nunca nos pareció especialmente peligroso, la verdad. Y además ninguno de los dos quería espiarle. Como pareja, creíamos que uno educa a su hijo con unos valores y luego le deja espacio, confía en que sea responsable, al menos hasta que te dé motivos de lo contrario. Como padres modernos y progresistas, no habíamos querido ser enemigos de Jake, ni preguntarle por cada movimiento que hacía, ni acosarle. Era una filosofía compartida por la mayoría de los padres de McCormick. ¿Qué otra opción teníamos? Ningún padre puede vigilar a su hijo a todas horas, en la red o fuera de ella. Al final cada chaval lleva su propia vida, en su mayor parte lejos de la mirada de sus padres. Aun así, cuando vi la palabra *Muérete*, me di cuenta de lo ingenuos y bobos que habíamos sido. Jacob no necesitaba tanto nuestra confianza ni nuestro respeto como nuestra protección, y no se la habíamos dado.

Eché un vistazo rápido a los mensajes. Había centenares, todos de una línea o dos. No podía leerlos todos, y no tenía ni idea de qué quería Sarah Groehl que encontrara. A medida que los mensajes eran más antiguos, Jacob iba desapareciendo de la conversación. Los chicos se consolaban unos a otros con frases sensibleras *(nunca jamás volveremos a ser los mismos)* y duras *(muere joven, eternamente guapo)*. Manifestaban lo impresionados que estaban una y otra vez. Las chicas proclamaban su amor y su lealtad, los chicos su rabia. Yo barrí todos aquellos mensajes repetitivos, buscando algún detalle que valiera la pena: *no puedo creerlo..., hemos de permanecer juntos..., el colegio está lleno de polis...*

Finalmente fui a la propia página de Facebook de Jacob, donde seguía cociéndose una conversación más acalorada, en este caso inmediatamente posterior al asesinato. Aquí también, los mensajes aparecían en orden cronológico inverso.

Marlie Kunitz (Escuela secundaria McCormick) escrito
a las 15.29 del 15 de abril de 2007

NO digas cosas así aquí. Esto son COTILLEOS y hay gente que puede salir MAL PARADA. Aunque sea una broma, es una estupidez. Jake, no les hagas ningún caso.

Joe O'Connor (Escuela secundaria McCormick) escrito
a las 15.16 del 15 de abril de 2007

Todos deberíamos cerrar la boca si no sabemos de qué estamos hablando. Eso va por ti Derek, capullo. Esto va en SERIO. No debería salir ni una palabra de esa bocaza tuya.

Mark Spicer (Escuela secundaria McCormick) escrito a las 15.07 del 15 de abril de 2007

CUAlquiera puede decir CUALquier cosa sobre CUALquiera. A lo mejor tú tienes un cuchillo Derek. ¿Qué te parecería que alguien empezara a contar por ahí eso de ti?

Y luego esto:

Derek Yoo (Escuela secundaria McCormick) escrito a las 14.25 del 15 de abril de 2007

Jake, todo el mundo sabe que fuiste tú. Tú tienes un cuchillo. Yo lo he visto.

No podía moverme. No podía apartar la vista del mensaje. Me lo quedé mirando hasta que las letras se descompusieron en píxeles. Derek Yoo era amigo de Jacob, un buen amigo. Había estado en nuestra casa cientos de veces. Los dos habían ido juntos a la guardería. Derek era un buen chico.

Yo lo he visto.

A la mañana siguiente dejé que Laurie y Jacob se marcharan antes que yo. Les dije que tenía una reunión en la comisaría de Newton, y que no quería coger el coche para ir a Cambridge. En cuanto se fueron, fui a registrar la habitación de Jacob.

El registro no duró mucho rato. En el cajón de arriba del escritorio encontré un objeto duro escondido de mala manera en una vieja camiseta blanca. La desenrollé hasta que cayó sobre la mesa un cuchillo plegable con un mango de caucho. Lo cogí con cuidado, agarré el filo con el pulgar y el índice y lo abrí.

—Dios —murmuré.

Podía haber sido un cuchillo militar o un cuchillo de caza, pero me pareció demasiado pequeño. Una vez abierto medía unos veinticinco centímetros. El mango era negro, duro, con un perfil adaptado a cuatro dedos. El filo tenía forma de gancho, con el borde dentado —una hoja desgarradora—, y terminaba en un extremo letal. Las caras planas de la hoja estaban perforadas, seguramente para que pesara menos. Era un cuchillo bonito y siniestro, la forma de la hoja, la curva y el extremo. Era como una de esas preciosas cosas mortales que hay en la naturaleza, la lengua de una llamarada o la zarpa de un gato enorme.

6

Caída

Un año después

TRANSCRIPCIÓN DE LA INVESTIGACIÓN
DEL GRAN JURADO

Sr. Logiudice: Cuando descubrió el cuchillo, ¿qué hizo usted? Supongo que informó inmediatamente.

Testigo: No, no informé.

Sr. Logiudice: ¿No? ¿Descubrió el arma del crimen de una investigación en curso y no se lo dijo a nadie? ¿Por qué no? Con ese discurso tan bonito que hizo esta mañana sobre su fe en el sistema...

Testigo: No informé porque no creí que esa fuera el arma del crimen. No tenía certeza del hecho.

Sr. Logiudice: ¿No tenía certeza del hecho? Bueno, ¿cómo iba a tenerla? ¡Si lo mantuvo escondido! No entregó el cuchillo para el dictamen forense, ni para que sacaran muestras de sangre, ni huellas, ni para compararlo con la herida, etcétera. Ese habría sido el procedimiento ordinario, ¿verdad?

Testigo: Efectivamente lo habría sido, si hubiera sospechado que era el arma.

Sr. Logiudice: Ah. ¿Así que ni siquiera sospechó que esa era el arma?

Testigo: No.

Sr. Logiudice: ¿Nunca se le pasó por la cabeza?

Testigo: Era mi hijo. Un padre no piensa, ni siquiera puede imaginar a su hijo en esos términos.

Sr. Logiudice: ¿De verdad? ¿Ni lo imaginó siquiera?

Testigo: Eso es.

Sr. Logiudice: ¿El chico no tenía antecedentes violentos? ¿Ninguna infracción juvenil?

Testigo: No. Ninguna.

Sr. Logiudice: ¿Algún problema de conducta? ¿Problemas psicológicos?

Testigo: No.

Sr. Logiudice: ¿Se podría decir que nunca había matado ni una mosca?

Testigo: Algo así.

Sr. Logiudice: Y sin embargo usted encuentra el cuchillo y lo oculta. Actuó exactamente como si creyera que era culpable.

Testigo: No fue exactamente así.

Sr. Logiudice: Bueno, no informó.

Testigo: Visto en perspectiva, reconozco que tardé en darme cuenta...

Sr. Logiudice: Sr. Barber, ¿cómo pudo tardar en darse cuenta, cuando llevaba catorce años esperando este momento, desde el día en que nació su hijo?

[El testigo no respondió].

Sr. Logiudice: Usted estaba esperando ese momento. Temiéndolo con terror. Pero imaginándolo.

Testigo: Eso no es verdad.

Sr. Logiudice: ¿Ah, no? Sr. Barber, ¿no es verdad que la violencia es habitual en su familia?

Testigo: Protesto. Esta pregunta es totalmente inapropiada.

Sr. Logiudice: Su protesta quedará anotada.

Testigo: Usted intenta despistar al jurado. Está sugiriendo que Jacob puede haber heredado cierta tendencia a la violencia, como si la violencia fuera como el pelo castaño o las orejas peludas. Eso es falso desde el punto de vista biológico y falso desde el punto de vista legal. En una palabra, es una estupidez. Y usted lo sabe.

Sr. Logiudice: Pero yo no estoy hablando de biología en absoluto. Estoy hablando de su estado mental, de lo que usted creyó cuando encontró ese cuchillo. Ahora bien, si prefiere considerarlo una estupidez, es asunto suyo. Pero lo que usted creyó es absolutamente relevante y perfectamente admisible como prueba. Y lo sabe. Pero por una cuestión de respeto, retiraré la pregunta. Lo abordaremos de otra manera. ¿Ha oído alguna vez la expresión «gen asesino»?

Testigo: Sí.

Sr. Logiudice: ¿Dónde la ha oído?

Testigo: En conversaciones simplemente. Yo mismo la he utilizado hablando con mi mujer. Es una frase hecha, nada más.

Sr. Logiudice: Una frase hecha.

Testigo: No es un término científico. Yo no soy un científico.

Sr. Logiudice: Por supuesto. Aquí ninguno somos expertos. Ahora bien, cuando usted utilizó esta frase hecha, «el gen asesino», ¿a qué se refería?

[El testigo no contestó].

Sr. Logiudice: Oh, venga, Andy, no tiene por qué ser tímido. Todo esto consta en documentos públicos. Usted ha vivido una vida muy angustiosa, ¿verdad?

Testigo: Hace mucho tiempo. Cuando era niño. Ahora ya no.

Sr. Logiudice: Hace mucho tiempo, de acuerdo. Hace mucho tiempo, cuando era niño, estaba preocupado por su propia historia, por su propia familia, ¿verdad?

[El testigo no respondió].

Sr. Logiudice: Es justo decir que desciende usted de una larga saga de hombres violentos, ¿verdad, Sr. Barber?

[El testigo no respondió].

Sr. Logiudice: Es justo decirlo, ¿o no?

Testigo: [Inaudible].

Sr. Logiudice: Lo siento, no le he oído. Usted desciende de una larga saga de hombres violentos, ¿verdad, Sr. Barber?

La violencia era cosa de familia. Podías seguirla como un rastro que llegaba tres generaciones atrás. Probablemente más. Probablemente el rastro llegaba hasta Caín, pero yo nunca tuve ganas de averiguarlo. Hasta mí habían llegado unas cuantas historias, espeluznantes, la mayoría imposibles de comprobar, y otras tantas fotografías, y eso ya era bastante desgracia. De niño yo quería olvidar totalmente esas historias. Solía preguntarme qué pasaría si por arte de magia tuviera una amnesia que me borrara completamente la mente, dejando solo el cuerpo y una especie de ser en blanco, solo potencial, solo arcilla blanda. Pero naturalmente, por mucho que intentara olvidar, la historia de mis antepasados permanecía en lo más profundo de mi memoria, siempre dispuesta a asomarse a la consciencia. Aprendí a vivir con ello. Más adelante, por Jake, aprendí a tragármelo entero, sin dejar nada a la vista de nadie, nada que «compartir». Laurie tenía mucha fe en compartir, en el poder curativo de la palabra, pero yo nunca tuve intención de curarme a mí mismo. Nunca creí que tal cosa fuera posible. Eso es lo que Laurie no entendió nunca. Ella sabía que el fantasma de mi padre me angustiaba, pero no el motivo. Suponía que era porque nunca le conocí, y que en mi vida siempre habría un vacío con forma de padre. Yo nunca le conté nada más, aunque ella se empeñaba en abrirme como si fuera una ostra. El padre de Laurie era loquero y, antes de que naciera Jacob, ella daba clases de inglés de quinto y sexto curso en la escuela secundaria Gavin del sur de Boston. En base a esa experiencia, Laurie creía comprender a los chicos sin padre. Me decía: «Nunca podrás superarlo si no hablas de ello». ¡Ay, Laurie, nunca lo entendiste! Yo nunca pretendí «superarlo». Yo pretendía interrumpirlo en seco. Me refiero a interrumpir toda aquella sórdida saga criminal, absorbiéndola en mi interior. Me quedaría plantado y lo pararía, como a una bala. Simplemente me negaba a pasárselo a Jake. De modo que escogí no saber demasiado. No investigar mi historia ni analizar sus causas y efectos. Me declaré voluntariamente huérfano de toda aquella tropa de matones. Por lo que sabía —según lo que había querido saber—, el rastro llegaba hasta mi bisabuelo, un camorrista de ojos rasgados llamado James Burkett, que llegó de Dakota del Norte, llevando en la sangre un instinto salvaje y vil para la violencia que salió a la luz una y otra vez, en el propio Burkett, en su hijo y de un modo más espectacular en su nieto, mi padre.

James Burkett nació en las afueras de Minot, Dakota del Norte, hacia 1890. Las circunstancias de su infancia, sus padres, si recibió algún tipo de educación, de todo eso no sé nada. Solo que creció en las planicies altas de Dakota en los años posteriores a Little Big Horn, cuando se creó la frontera. La primera constancia que tuve de aquel hombre fue una fotografía sepia sobre una cartulina gruesa, hecha en el estudio de H. W. Harrison de la calle Fulton de Nueva York, el 23 de agosto de 1911. La fecha estaba cuidadosamente anotada a lápiz en el dorso de la fotografía junto a su nuevo nombre, «James Barber». La historia de ese viaje también era turbia. Según me contaron —mi madre, que se la había oído al padre de mi padre—, Burkett se largó de Dakota del Norte huyendo de una acusación de robo a mano armada. Pasó una temporada escondido en la orilla sur del lago Superior trabajando en barcos de pesca y malviviendo, y luego se fue a Nueva York con un nombre nuevo. Nadie sabía por qué cambió de nombre —si fue para evitar una orden de detención o únicamente para empezar de cero en el este con una identidad nueva, o por alguna otra razón—. Tampoco el motivo por el que mi bisabuelo cambió su apellido por el de Barber. La única prueba evidente que yo tenía de ese período era esa fotografía. Es la única imagen de James Burkett-Barber que vi jamás. Debía de tener veinte o veintiún años cuando se la hicieron. Se le ve de cuerpo entero. Delgado y enjuto, patizambo, con un abrigo prestado y un sombrero hongo que sostiene en la parte interior del codo. Mira a la cámara con los ojos entornados y tuerce la comisura de la boca con una sonrisita de suficiencia barriobajera.

Yo deduje que probablemente la acusación de Dakota del Norte era por algo más grave que un robo a mano armada. Burkett-Barber no solo se tomó muchas molestias para escapar de aquello —un hombre que huía de una acusación menor no necesitaba viajar hasta tan lejos, ni transformarse asimismo completamente—, sino que en cuanto llegó a Nueva York demostró de forma casi inmediata aptitudes para la violencia. Sin aprendizaje. No se abrió camino a base de delitos menores, como hacen los criminales novatos; él irrumpió en escena como un gánster de primera. Su ficha policial en Nueva York incluía asalto a mano armada, intento de robo, intento de asesinato, mutilación, tenencia de explosivos, posesión de armas sin licencia, violación e intento de homicidio. Entre la primera vez que le detuvieron en el estado de Nueva York en 1912 y su muerte en 1941, James Barber pasó casi media vida en la cárcel o detenido a la espera de juicio. Solo por la suma de dos acusaciones de violación y asesinato cumplió catorce años

Era la ficha de un profesional del crimen tal y como traslucía la descripción del tipo que constaba en los archivos. En 1916 le acusaron de intento de asesinato, que generó una apelación de rutina que constaba en los informes policiales de Nueva York de 1918. El juez Barton describió los hechos en su sentencia, resumidos en unas pocas frases:

> El acusado se enzarzó en una pelea con la víctima, un hombre llamado Payton, en un bar de Brooklyn. La discusión estaba relacionada con una deuda que Payton tenía o con el propio acusado (según este) o con otra persona para la cual el acusado trabajaba como «hostigador», o cobrador (según el estado). En el transcurso de la pelea, el acusado, en un arrebato de ira, atacó a la víctima con una botella. Siguió golpeándole incluso cuando se rompió dicha botella, después de que la reyerta se hubiera trasladado del bar a la calle, y después de que la víctima sufriera heridas graves en el ojo izquierdo y la práctica amputación de la oreja izquierda. Finalmente la agresión terminó cuando varios transeúntes, que conocían a la víctima,

intervinieron para aplastar al acusado y retenerle con mucho esfuerzo, hasta que llegó la policía.

Había otro detalle notable en esa decisión judicial. El juez señaló: «Payton conocía perfectamente la fama de persona violenta del acusado, algo que efectivamente era cosa sabida».

James Barber tuvo como mínimo un hijo, mi abuelo Russell, a quien llamaban Rusty. Rusty Barber murió en 1971. Yo le conocí muy poco, cuando era muy pequeño. Casi todo lo que sé de él proviene de las historias que le contó a mi madre y que posteriormente me llegaron a mí.

Rusty no conoció a su padre y por tanto nunca le echó en falta. Nunca se paró un segundo a pensar en él. Rusty creció en Meriden, Connecticut, donde su madre tenía familia y adonde volvió embarazada desde Nueva York para criarle. Ella le habló al chico de su padre y también de sus crímenes. No se anduvo con rodeos, pero ni ella ni el chico hicieron un drama de eso ni lo vivieron como una carga. En aquella época había gente con historias mucho peores. A nadie se le ocurrió que el padre de Rusty pudiera afectar el futuro del chico en algún sentido. Todo lo contrario, a Rusty básicamente le criaron con las mismas expectativas que a sus vecinos. Era un estudiante mediocre y un poco salvaje, pero terminó el instituto en Meriden. En 1933 entró en West Point, pero lo dejó después del curso preparatorio, que pasó básicamente encerrado y haciendo guardias de castigo. Volvió a Meriden, hizo todo tipo de trabajillos, sin rumbo. Se vio implicado en una escaramuza y acabó detenido por agredir a un oficial de policía, aunque en realidad no había hecho nada, de verdad. Simplemente no le gustó que aquel tipo le pusiera las manos encima.

Fue la guerra lo que dio la vuelta a las cosas para Rusty Barber. Se alistó en el ejército como soldado raso y participó en la invasión el Día D con la Primera División de Infantería. Cuando terminó la guerra era teniente de la Tercera Brigada, tenía la Medalla al Valor y dos Estrellas de Plata, era un héroe reconocido. Durante la batalla de Núremberg, en abril de 1945, inutilizó sin ayuda de nadie un nido de ametralladoras alemanas. Cuando volvió a Meriden le recibieron con un desfile. Se paseó en la parte de atrás de un descapotable y saludó a las chicas. Más tarde se casó con una de ellas.

Después de la guerra tuvo tres hijos, se compró una casita de madera en Meriden. Pero no estaba en absoluto bien preparado para los tiempos de paz. Fracasó en una serie de negocios: seguros, inmobiliarias, un restaurante. Finalmente encontró trabajo como viajante de comercio. Representaba una serie de líneas de ropa y calzado, y se pasó casi toda la vida viajando por Nueva Inglaterra con el maletero del coche cargado de muestrarios, que enseñaba a los tenderos en un despacho destartalado tras otro. Durante ese período de su vida, mi abuelo debió de hacer considerables esfuerzos para no meterse en líos. Rusty Barber tenía el don para la violencia de su padre, que la guerra alentó y condecoró, pero no tenía ningún talento especial en ningún otro terreno. Aun así, podía haberlo conseguido. Podía haber transcurrido pacíficamente por la vida, con cierta torpeza. Pero era una situación precaria y los acontecimientos conspiraron en su contra.

El 11 de mayo de 1950 fue a Lowell, Massachusetts, para visitar la tienda de ropa Birke's y enseñarles la nueva línea de anoraks Mighty Mac para el otoño. Se paró a comer en un local de perritos calientes llamado Elliot's. Cuando salió de Elliot's hubo un accidente. Un coche dio un golpe en la parte delantera del Buick Special de Rusty cuando él salía despacio del aparcamiento. Hubo una discusión. Un empujón. El otro hombre sacó un cuchillo. Cuando aquello terminó había un hombre tendido en la calle, y Rusty se fue caminando como si no hubiera pasado nada. El hombre se puso de pie apretándose el vientre con las manos. La sangre le manaba a través de los dedos. Se abrió la camisa un momento pero sin levantar las manos del estómago, como si le doliera. Cuando finalmente apartó las manos, le cayó de las entrañas una resbaladiza espiral de intestino. Tenía un corte vertical que le dividía el estómago desde la pelvis hasta la base de las costillas. El hombre volvió a meterse el intestino en el cuerpo con sus propias manos, lo retuvo allí y entró para llamar a la policía.

La justicia cayó sobre Rusty: agresión con intento de asesinato, mutilación, ataque con arma mortal. En el juicio él adujo defensa propia pero confesó, fatalmente, que no se acordaba de ninguna de las cosas de las que le acusaban, incluyendo quitarle el cuchillo al hombre y rebanarle las vísceras con él. La memoria le fallaba justo en el momento en que aquel hombre le sacó el cuchillo. La condena fue de siete a diez años, cumplió tres. Cuando volvió a Meriden, su hijo William —mi padre, Billy Barber— tenía catorce años y ya era demasiado salvaje para cualquier control paterno, incluido uno tan imponente como el de Rusty.

Y aquí llegamos a la parte de la historia en que el tejido se deshilacha y desaparece. Ya que yo no tengo verdaderos recuerdos de mi propio padre, solo fragmentos...

Un tatuaje borroso verde azulado en la muñeca derecha, con forma de cruz o de puñal, que le hicieron en una cárcel de no sé dónde...

Sus manos, nudillos rosados y huesudos como garras, bastante fiables como instrumentos mortales...

Su boca llena de dientes largos y amarillos...

Un cuchillo curvo con mango de nácar que siempre llevaba cogido al cinturón en la base de la espalda, que embutía allí mecánicamente cada mañana, igual que otro hombre se guarda la cartera en el bolsillo de atrás.

Pero, aparte de esas imágenes fugaces, no le recuerdo. Y la verdad es que en realidad tampoco me fío de esos esbozos; he tenido años para retocarlos. La última vez que vi a mi padre fue en 1961. Yo tenía cinco años, él veintiséis. Cuando era pequeño traté durante mucho tiempo de conservar los recuerdos que tenía de él para impedir que desapareciera. Eso fue antes de que comprendiera realmente lo que era. En cualquier caso, se fue desmaterializando con el paso del tiempo. A los diez años más o menos, ya no conservaba ningún recuerdo suyo, salvo ese puñado de piezas sueltas de rompecabezas. Poco después dejé de pensar en él, por conveniencia. Viví como si no hubiera tenido padre, como si hubiera llegado al mundo sin padre, y nunca me cuestioné esa actitud porque no hubiera sacado nada bueno de ello.

Conservé una imagen, si bien imperfecta. En algún momento de aquel último verano de 1961, mi madre me llevó a visitarle a la prisión de Whalley Avenue. Nos sentamos en una de las mesas de madera carcomida de una sala de visitas abarrotada. Los presos, todos con los pantalones y las camisas holgadas de la cárcel, parecían esos hombres planos y cuadrados de colorines que mis amigos y yo solíamos dibujar. Aquel día debí de comportarme con timidez —había que ir con cuidado con él— porque mi padre insistió: «Ven aquí, deja que te vea». Me sujetó del brazo con fuerza y me acercó a él. «Ven aquí. Has venido desde muy lejos para verme, acércate». Pasan los años y sigo notando aquella garra en el brazo, retorciéndomelo un poco, como uno retuerce la pata de un pollo para arrancarla.

Él había hecho algo terrible. Yo lo sabía. Ningún adulto me dijo qué era exactamente. Tenía que ver con una chica y con una de las casas adosadas tapiadas y vacías de Congress

Avenue. Y con el cuchillo con mango de nácar. Esa era la parte que los mayores callaban.

Mi infancia terminó aquel verano. Aprendí la palabra *asesinato.* Pero no basta con que te digan una palabra tan contundente como esa. Has de vivir con ella, ir por ahí cargado con ella. Tienes que rodearla varias veces, verla desde distintos ángulos, en diferentes momentos del día, con distinta luz, hasta que la entiendes, hasta que te penetra. Tienes que guardarla en secreto en tu interior durante años, como la semilla podrida de un melocotón.

¿Qué sabía Laurie de eso? Nada en absoluto. En el momento en que la vi supe que era una buena niña judía de una buena familia judía que no me miraría a la cara si supiera la verdad. De modo que, en términos vagos y románticos, le conté que mi padre tenía mala fama pero que yo no le conocí. Yo era el producto de una historia de amor breve e infeliz. Así quedaron las cosas durante los siguientes treinta y cinco años. Para Laurie esencialmente yo no tenía padre. Nunca la contradije porque en el interior de mi propia mente esencialmente yo *no tenía* padre. Desde luego no era hijo del sanguinario Billy Barber. Aquello no tuvo nada de dramático. Cuando le conté a mi novia, que se convirtió en mi mujer, que no sabía quién era mi padre, simplemente estaba diciendo en voz alta lo que llevaba años repitiéndome a mí mismo. No estaba engañándola en absoluto. Si una vez había sido el hijo de Billy Barber, cuando conocí a Laurie hacía tiempo que ya no lo era, salvo en términos estrictamente biológicos. Lo que le conté a Laurie se parecía más a la verdad que los hechos. Ustedes dirán: *De acuerdo, pero seguramente durante todos estos años ha habido un momento en el que podría habérselo contado.* Pero la verdad es que, a medida que pasó el tiempo, lo que le había contado a Laurie se convirtió cada vez más en la verdad. A medida que me adentré en la edad adulta, fui cada vez menos el hijo de Billy. Aquello solo era una historia. Ni siquiera pensaba demasiado en ello, sinceramente. En un momento dado los adultos dejamos de ser los hijos de nuestros padres, para pasar a ser los padres de nuestros hijos. Y lo más importante, yo tenía a la chica, tenía a Laurie y éramos felices. Nuestro matrimonio se acomodó a un ritmo, creíamos conocernos el uno al otro, y a ambos nos hacía felices esa idea de nuestra pareja. ¿Por qué estropear todo eso? ¿Por qué arriesgar ese inusual matrimonio feliz —cada vez son más escasos los matrimonios por amor duraderos— por algo tan vulgar y tan tóxico como una imprudente sinceridad transparente y total? ¿A quién beneficiaría si se lo contaba? ¿A mí? En absoluto. Yo estaba hecho de acero, se lo prometo. Y también hay una explicación más insustancial: simplemente no surgió nunca. Resulta que en el día a día no hay un buen momento para comunicarle a tu mujer que eres hijo de un asesino.

7

Negación

Logiudice tenía parte de razón: en aquel momento sospeché de Jacob, pero no por el asesinato. La situación que Logiudice estaba tratando de venderle al tribunal —que a causa de mi historial familiar y del cuchillo, supe inmediatamente que Jacob era un psicópata y le encubrí— era una estupidez total. No culpo a Logiudice por pintar el caso de esa manera. Los jurados son duros de oído por naturaleza, y más cuando en este caso había circunstancias que esencialmente les obligaban a taparse las orejas. Logiudice no tenía más remedio que gritar. Pero el hecho es que no sucedió nada tan dramático. La hipótesis de que Jacob fuera un asesino era simplemente una locura; nunca se me ocurrió. Lo que pensé, en cambio, era que algo pasaba. Jacob sabía algo más de lo que decía. Dios sabe que eso ya era bastante perturbador. Una vez que la sospecha se coló en mis pensamientos hizo que lo experimentara todo por partida doble: como investigador fiscal y como padre angustiado, uno buscaba la verdad, al otro le aterrorizaba. Y si no confesé todo eso exactamente ante el gran jurado, bueno, yo también sabía cómo desdibujar el caso.

El día que descubrí el cuchillo, Jacob volvió del colegio hacia las dos y media. Desde la cocina, Laurie y yo le oímos irrumpir ruidosamente en la entrada, cerrar la puerta con el talón, y después quitarse la mochila y la chaqueta en el vestíbulo. Intercambiamos una mirada inquieta mientras, como responsables del sónar, interpretábamos esos ruidos.

—Jacob —le llamó Laurie—, ¿puedes venir a la cocina, por favor?

Hubo un momento de silencio, pasó un segundo antes de que él dijera:

—Vale.

Laurie hizo un gesto de optimismo para tranquilizarme.

Jacob entró con recelo arrastrando los pies. Desde mi puesto levanté la vista para mirarle, y me impresionó cómo había crecido aquel niño con cuerpo de hombre.

—¿Qué haces en casa, papá?

—Hemos de hablar de una cosa, Jake.

Él avanzó un poco y vio el cuchillo en la mesa, entre nosotros dos. Con el filo metido en el mango había perdido su carácter amenazador. Solo era una herramienta.

Yo dije, con el tono más neutro del que fui capaz:

—¿Quieres contarnos qué es esto?

—Mmmm, ¿un cuchillo?

—No hagas el tonto, Jacob.

—Siéntate, Jacob —le sugirió su madre—. Siéntate.

Se sentó.

—¿Habéis registrado mi cuarto?

—Tu madre no, he sido yo.

—¿Tú lo registraste?

—Pues sí.

—¿Has oído hablar de la privacidad?

—Jacob —dijo Laurie—, tu padre estaba preocupado por ti.

Él puso los ojos en blanco.

Laurie continuó:

—Los dos lo estábamos. ¿Por qué no nos cuentas simplemente de qué va todo esto?

—Jacob, me has puesto en una situación difícil, ¿sabes? La mitad de los policías del estado están buscando este cuchillo.

—¿*Este* cuchillo?

—No *este* cuchillo; *un* cuchillo. Ya sabes lo que quiero decir. Un cuchillo como este. Simplemente no entiendo qué hace un crío como tú con un cuchillo como este. ¿Para qué lo necesitas, Jake?

—No lo necesito. Es algo que tengo y ya está.

—¿Por qué?

—No lo sé.

—¿Lo tienes pero no sabes por qué?

—Es que, no sé, lo quería. Porque sí. No significa nada.

—Entonces, ¿por qué lo escondiste?

—Probablemente porque sabía que os daría un ataque.

—Bien, pues en eso como mínimo tenías razón. ¿Por qué necesitabas un cuchillo?

—Te lo acabo de decir. Pensé que molaba simplemente. Me gustó y me apetecía, ya está.

—¿Tienes problemas con otros chicos?

—No.

—¿Hay algo que te da miedo?

—No. Ya te lo he dicho, lo vi, pensé que molaba y me lo compré. —Se encogió de hombros.

—¿Dónde?

—En esa tienda militar de la ciudad. Son fáciles de conseguir.

—¿Tienes recibo de esa venta? ¿Usaste una tarjeta de crédito?

—No, efectivo.

Yo entorné los ojos.

—No es tan raro, por Dios, papá. La gente paga con dinero, ya lo sabes.

—¿Para qué lo utilizas?

—Para nada. Solo lo miro, lo sujeto, lo palpo.

—¿Lo llevas encima?

—No. Normalmente, no.

—¿A veces?

—No. Bueno, casi nunca.

—¿Lo llevas al colegio?

—No. Solo una vez. Se lo enseñé a unos cuantos.

—¿A quién?

—Derek, Dylan. A un par más quizás.

—¿Por qué?

—Porque pensé que era guay eso de decir: «Eh, mira lo que tengo».

—¿Lo has usado alguna vez para algo?

—¿Como qué?

—No sé, para lo que se usan los cuchillos: para cortar.

—¿Quieres decir si he apuñalado a alguien en Cold Spring Park con él?

—No, quiero decir si lo has usado alguna vez.

—No, nunca. Claro que no.

—¿Así que solo lo compraste y lo guardaste en tu cajón?

—Pues sí, eso.

—No tiene sentido.

—Bueno, pues es la verdad.

—¿Para qué...?

—Andy —interrumpió su madre—, porque es un adolescente. Por eso.

—Laurie, no necesita que le ayuden.

Laurie explicó:

—A veces los adolescentes hacen tonterías. —Se dirigió a Jacob—: Incluso los adolescentes *listos* hacen tonterías.

—Jacob, tengo que preguntártelo, por mi propia tranquilidad mental: ¿este es el cuchillo que están buscando?

—¡No! ¿Estás loco?

—¿Sabes algo sobre lo que le pasó a Ben Rifkin? ¿Algo que oíste decir a tus amigos? ¿Cualquier cosa que puedas contarme?

—No. Claro que no. —Me miró a los ojos, sin alterarse. Solo duró un momento pero era un reto evidente; era esa mirada de *jódete* que te lanza un testigo desafiante en el estrado. En cuanto me hubo manifestado ese descaro, en cuanto lo dejó claro, volvió a ser un chico petulante—. No puedo creer que me preguntes estas cosas, papá. O sea que vuelvo del colegio y de repente me caen todas estas preguntas. Es increíble. No puedo creer que de verdad pienses eso de mí.

—Yo no pienso nada de ti, Jacob. Lo único que sé es que trajiste ese cuchillo a mi casa y me gustaría saber por qué.

—¿Quién te dijo que lo buscaras?

—Eso no importa.

—Uno de los chicos de la escuela, está claro. Uno de los que interrogaste ayer. Dime quién.

—No importa quién. Esto no tiene nada que ver con lo que hicieron otros chicos. Tú no eres la víctima aquí.

—Andy —me advirtió Laurie. Me había dicho que le planteara preguntas, que cotejara sus respuestas, no que le acusara. *Simplemente habla con él. Somos una familia. Aquí las cosas se hablan.*

Yo desvié la mirada. Respiré profundamente.

—Jacob, si me quedo con el cuchillo para examinarlo, para buscar restos de sangre o cualquier otra prueba, ¿te opondrías?

—No. Venga, haz todas las pruebas que quieras. No me importa.

Yo reflexioné un momento.

—De acuerdo. Te creo. Te creo.

—¿Puedo recuperar mi cuchillo?

—En absoluto.

—Es mi cuchillo. No tienes derecho a quedártelo.

—Soy tu padre. Eso me da derecho.

—También trabajas con la poli.

—¿Te preocupa la poli por algún motivo, Jacob?

—No.

—Entonces, ¿por qué hablas de tus derechos?

—¿Y si no dejo que te lo quedes?

—Inténtalo.

Se levantó y observó el cuchillo encima de la mesa y a mí, sopesando el riesgo y la recompensa.

—Esto es *muy* injusto —dijo y frunció el ceño.

—Jake, tu padre solo hace lo que cree que es mejor porque te quiere.

—¿Y qué pasa con lo que *yo* creo que es mejor? Eso no importa, supongo.

—No —dije yo—. No importa.

Cuando llegué a la comisaría de policía de Newton aquella misma tarde, ya habían llevado a Patz a la sala de interrogatorios, donde estaba sentado y quieto como un busto de piedra, mirando a la cámara oculta en la esfera de un reloj de pared. Patz sabía que la cámara estaba allí. Los detectives estaban obligados a informarle y a pedirle autorización para grabar el interrogatorio. De todos modos, la cámara se escondía con la esperanza de que los sospechosos se olvidasen de ella.

La imagen de Patz se enviaba a la pantalla de un pequeño ordenador del despacho del detective, justo al lado de la sala de interrogatorios, donde había media docena de inspectores de policía de Newton y la CPAC mirando. Hasta el momento no había pasado gran cosa, por lo visto. Los agentes estaban impertérritos, ni veían nada, ni esperaban ver nada.

Entré en el despacho y me uní a ellos.

—¿Dice algo?

—Nada. Es sordo, ciego y mudo.

Patz llenaba la imagen en pantalla. Estaba sentado en la cabecera de una mesa larga de madera. Detrás tenía una pared blanca, desnuda. Patz era un tipo grande. Según el oficial de la provisional, medía metro noventa y pesaba ciento cuatro kilos. Incluso sentado detrás de esa mesa parecía enorme. Pero tenía el cuerpo fofo. Llevaba un polo negro que no conseguía tapar la carne que le colgaba por los costados, el vientre y los pechos, como si le hubieran tirado dentro de un saco negro y se lo hubieran atado por arriba, a la altura del cuello.

—Jesús —dije yo—, a ese tío le convendría hacer un poco de ejercicio.

Uno de los tipos de la CPAC dijo:

—¿Qué tal una paja con porno infantil?

Todos nos reímos por lo bajo.

En la sala de interrogatorios, Patz tenía a un lado a Paul Duffy de la CPAC y al otro a Nils Peterson, un detective de Newton. Los polis aparecían en pantalla solo de vez en cuando, cuando se inclinaban hacia el objetivo de la cámara.

Duffy dirigía las preguntas y las respuestas.

—Vale, cuéntamelo otra vez. Dime qué recuerdas de aquella mañana.

—Ya se lo he contado.

—Una vez más. Te sorprenderían las cosas que le vienen a la cabeza a la gente cuando repasa una historia.

—Ya no quiero hablar más. Estoy cansado.

—Oye, Lenny, hazte un favor a ti mismo, ¿vale? Intento excluirte de este asunto. Ya te lo he dicho: estoy intentando *descartarte.* Esto va en beneficio tuyo.

—Me llamo Leonard.

—Un testigo te vio aquella mañana en Cold Spring Park.

Aquello era una trola.

En pantalla, Duffy dijo:

—Ya sabes que tengo que comprobar eso. Con tu historial, las cosas son así. No estaría cumpliendo con mi deber si no lo hiciera.

Patz suspiró.

—Solo una vez más, Lenny. No quiero atrapar al tipo que no es.

—Me llamo Leonard. —Se frotó los ojos—. Vale. Estaba en el parque. Paseo por allí todas las mañanas. Pero no estuve en ningún momento cerca de donde mataron a ese chico. Nunca voy por allí, nunca paseo por esa zona. No vi nada, no oí nada. —Empezó a llevar la cuenta con los dedos—. No conozco a ese chico, nunca le había visto, nunca oí hablar de él.

—Vale, tranquilo, Lenny.

—Estoy tranquilo. —Un vistazo a la cámara.

—¿Y no te vio nadie esa mañana?

—No.

—¿Nadie te vio salir o volver a tu piso?

—¿Cómo quiere que lo sepa?

—¿No viste a nadie en el parque que te pareciera sospechoso, alguien que no fuera de allí, de quien deberíamos estar informados?

—No.

—Muy bien, hagamos un pequeño descanso, ¿vale? Tú quédate aquí. Nosotros volveremos enseguida. Te haremos unas cuantas preguntas más y ya está.

—¿Y mi abogado?

—De momento no sabemos nada de él.

—¿Me avisarán en cuanto llegue?

—Claro, Lenny.

Los dos detectives se levantaron para salir.

—Yo nunca le he hecho daño a nadie —dijo Patz—. Recuérdenlo. Nunca he hecho daño a nadie. Nunca.

—Vale —le tranquilizó Duffy—. Yo te creo.

Los detectives cruzaron por delante de la cámara y pasaron a través de la puerta directamente a la sala, donde no habían sido más que imágenes distantes en el monitor del ordenador.

Duffy movió la cabeza.

—No tengo nada. Está acostumbrado a tratar con policías. No tengo nada para dudar de él. Me gustaría dejarle ahí sentado un buen rato y refrescarme, pero no creo que tengamos tiempo. ¿Qué quieres hacer, Andy?

—¿Cuánto rato llevas con esto?

—Un par de horas, creo. Algo así.

—¿Y solo eso? ¿Negativas, negativas, negativas?

—Sí. No sirve para nada.

—Hazlo otra vez.

—¿Hazlo otra vez? ¿Estás de broma? ¿Cuánto rato llevas mirando?

—Acabo de llegar, Duff, pero ¿qué más podemos hacer?

Es nuestro único sospechoso. Hay un crío muerto; a ese tipo le gustan los críos. Ya te ha reconocido que estaba en el parque esa mañana, así que conoce las costumbres y sabe que los chicos pasan por esos bosques todas las mañanas. Está claro que es lo suficientemente corpulento para poder con la víctima. Eso es motivo, medios, oportunidad. De manera que yo digo que sigas hasta que te dé algo.

Duffy echó un vistazo al resto de los policías de la sala y después volvió a mirarme.

—De todas formas, su abogado está a punto de terminar con todo esto, Andy.

—Pues entonces no hay tiempo que perder, ¿verdad? Vuelve ahí. Consígueme una confesión y yo la presentaré al gran jurado esta tarde.

—¿Que te consiga una confesión? ¿Así, sin más?

—Para eso te pagan tanta pasta, colega.

—¿Y qué pasa con los chavales de la escuela? Creía que íbamos a ir por ahí.

—Seguiremos investigando, Duff, pero en realidad ¿qué tenemos? ¿Una panda de chicos asustados que se van de la lengua en Facebook? ¿Y qué? Mira a ese tío. Mírale. Dime si hay un sospechoso mejor. Consígueme cualquier cosa. Necesitamos algo.

—Vale, pues. —Duffy miró con aire resolutivo al detective de Newton que colaboraba con él en este caso—. Lo haremos otra vez. Como dice este.

El policía dudaba y le preguntó a Duffy con la mirada. *¿Para qué perder el tiempo?*

—Lo haremos otra vez —repitió Duffy—. Como dice este tío.

Sr. Logiudice: Nunca tuvieron oportunidad, ¿verdad? Los detectives no volvieron a la sala para interrogar a Leonard Patz aquel día.

Testigo: No, no volvieron. Ni ese día ni ningún otro.

Sr. Logiudice: ¿Y a usted que le pareció eso?

Testigo: Pensé que era un error. En base a lo que sabíamos en aquel momento, era un error desechar a Patz como sospechoso tan al principio de la investigación. Era nuestro mejor sospechoso con diferencia.

Sr. Logiudice: ¿Sigue pensando lo mismo?

Testigo: Sin la menor duda. Deberíamos haber seguido con Patz.

Sr. Logiudice: ¿Por qué?

Testigo: Porque así lo indicaban las pruebas.

Sr. Logiudice: No todas las pruebas.

Testigo: ¿Todas? Las pruebas nunca indican todas lo mismo y menos en un caso difícil como este. Ese es precisamente el problema. No tienes suficiente información, ni todos los datos. No hay un esquema claro, ni una respuesta obvia. De manera que los detectives hacen lo que todo el mundo: elaboran una historia en su mente, una teoría, y luego buscan información sobre pruebas que la corroboren. Primero escogen un sospechoso y después buscan pruebas que le incriminen. Y dejan de tener en cuenta las pruebas que apuntan hacia otros sospechosos.

Sr. Logiudice: Como Leonard Patz.

Testigo: Como Leonard Patz.

Sr. Logiudice: ¿Está sugiriendo que eso fue lo que pasó en este caso?

Testigo: Estoy sugiriendo que se cometieron errores, sí, desde luego.

Sr. Logiudice: ¿Y qué se supone que debe hacer un detective en esa situación?

Testigo: Tiene que procurar no ceñirse a un solo sospechoso demasiado pronto. Porque si su suposición es errónea, pasará por alto pruebas que le conducirían a la solución correcta. Pasará por alto incluso cosas obvias.

Sr. Logiudice: Pero un detective tiene que desarrollar teorías. Tiene que centrarse en sospechosos. Normalmente antes de tener pruebas claras contra ellos. ¿Qué otra cosa puede hacer?

Testigo: Este es el dilema. Siempre empiezas con una suposición. Y a veces la suposición es equivocada.

Sr. Logiudice: ¿Alguien hizo una suposición equivocada en este caso?

Testigos: No lo sabíamos. Sencillamente no lo sabíamos.

Sr. Logiudice: Muy bien, continúe con su historia. ¿Por qué los detectives no siguieron interrogando a Patz?

Un hombre avejentado, con un maletín de abogado maltrecho, entró en el despacho del detective. Se llamaba Jonathan Klein. Era bajo y delgado, e iba un poco encorvado. Llevaba un traje gris y un jersey negro de cuello alto. Tenía una melena escandalosamente blanca peinada hacia atrás, que le cubría el cuello. Y una perilla blanca.

—Hola, Andy —dijo con voz queda.

—Jonathan.

Nos estrechamos la mano con afecto sincero. Yo siempre aprecié y respeté a Jonathan Klein. Aficionado a los libros y vagamente bohemio, era muy distinto a mí. (Yo soy tan convencional como el pan blanco). Pero no mentía ni sermoneaba, lo cual le diferenciaba de sus colegas de la defensa —a quienes la verdad les importaba poco—, y era verdaderamente inteligente y conocía la ley. Era —no hay otra palabra para decirlo— sabio. También he de decir que yo sentía una atracción infantil por los hombres de la generación de mi padre, como si incluso a mi edad siguiera albergando la leve esperanza de no sentirme huérfano.

Klein dijo:

—Me gustaría ver a mi cliente ahora.

Tenía la voz suave —suave de forma natural, no era algo forzado ni una táctica—, de manera que la sala tendía a quedarse en silencio cuando él estaba presente. De repente te dabas cuenta de que te inclinabas para acercarte a él y oír qué estaba diciendo.

—No sabía que representabas a este tipo, Jonathan. Es un caso de poca categoría para ti, ¿no? ¿Un pedófilo infeliz que agarra a la gente de los huevos? Esto perjudicará tu reputación.

—¿Reputación? ¡Somos abogados! En cualquier caso, él no está aquí porque sea un pedófilo. Y eso lo sabemos. Hay demasiados policías para que sea cuestión de agarrar de los huevos.

Yo me hice a un lado.

—Muy bien. Está aquí. Entra.

—¿Apagaréis la cámara y los micrófonos?

—Sí. ¿Quieres usar otra sala?

—No, claro. —Sonrió conciliador—. Me fío de ti, Andy.

—¿Lo suficiente como para dejar que tu hombre siga hablando?

—No. No tanto.

Y ahí se acabaron las preguntas y las respuestas de Patz.

Nueve y media de la noche.

Laurie estaba tumbada en el sofá, con un libro sobre el estómago, mirándome. Llevaba una camiseta marrón con cuello de pico ribeteada con un bordado, y sus gafas para leer de concha. Con el paso de los años había encontrado la forma de llegar a la mediana edad sin renunciar a su estilo juvenil; había cambiado los vaqueros ajados y las blusas bordadas de campesina, de sus años de amante del funk, por una versión mejor, más prolija y elegante, sin cambiar de aspecto.

—¿Quieres que lo hablemos? —dijo.

—¿Hablar de qué?

—De Jacob.

—Ya hemos hablado.

—Lo sé, pero sigues dándole vueltas.

—No le doy vueltas. Estoy viendo la tele.

—¿El Canal Cocina? —Sonrió con escepticismo.

—No hay otra cosa. Y además a mí me gusta cocinar.

—No, no te gusta.

—Me gusta *ver* cocinar.

—Vale, Andy. Si no estás preparado no tienes por qué hacerlo.

—No es eso. Es que no hay nada que decir.

—¿Puedo hacerte una pregunta?

Yo puse los ojos en blanco: *¿Sirve de algo si digo que no?*

Cogió el mando a distancia, que estaba en la mesita, y apagó la televisión.

—Cuando hoy hablamos con Jacob, dijiste que no creías que hubiera hecho nada, pero después cambiaste de opinión y le interrogaste.

—No. No le interrogué.

—Sí. No llegaste a acusarle de nada directamente, pero el tono era... acusador.

—¿Ah, sí?

—Un poco.

—No era mi intención. Ya me disculparé.

—No hace falta que te disculpes.

—Si di esa impresión, sí.

—Yo solo pregunto por qué. ¿Hay algo que no me hayas dicho?

—¿Como qué?

—Algo que te hiciera ir a por él de ese modo.

—Yo no fui a por él. Pero en cualquier caso no, solo me preocupaba el cuchillo. Y lo que Derek escribió en Facebook.

—Porque Jacob ha tenido una conducta...

—Por Dios, Laurie, venga. Seamos serios. Esto no son más que cotilleos de críos. Ojalá pudiera coger por banda a Derek. Fue una estupidez que escribiera eso. Sinceramente, a veces pienso que ese chaval no está bien de la cabeza.

—Derek no es mal chico.

—¿Dirás lo mismo cuando llamen a la puerta preguntando por Jacob?

—¿Es una posibilidad real?

—No. Claro que no.

—¿Nosotros somos responsables de algo?

—¿Quieres decir si es culpa nuestra?

—¿Culpa? No. Quiero decir si tenemos la obligación de comunicarlo.

—No, por Dios, no. No hay nada que comunicar. Tener un cuchillo no es un delito. Ser un adolescente estúpido no es delito..., gracias a Dios, o tendríamos que meter a la mitad en la trena.

Laurie asintió sin alterarse.

—Pero ellos le han acusado y ahora tú lo sabes. Y la policía lo averiguará de todos modos. Está en Facebook.

—No es una acusación creíble, Laurie. No hay razón para que el mundo entero caiga sobre Jacob. Todo esto es una ridiculez.

—¿Esto es lo que tú crees realmente, Andy?

—¡Sí! Claro. ¿Tú no?

Me examinó la cara.

—De acuerdo. Pues ¿qué es lo que te molesta?

—Ya te lo he dicho: no me molesta nada.

—¿De verdad?

—De verdad.

—¿Qué hiciste con el cuchillo?

—Lo quité de en medio.

—¿Lo quitaste de en medio dónde?

—Lo tiré. No aquí. En un contenedor, por ahí.

—Le encubriste.

—No. Solo quería sacar el cuchillo de mi casa. Y no quería que nadie lo utilizara para que Jacob pareciera culpable cuando no lo es. Nada más.

—¿Y eso en qué se diferencia de encubrirle?

—No se puede *encubrir* a alguien que no ha hecho nada malo.

Ella me lanzó una mirada inquisitiva.

—Vale. Me voy a la cama. ¿Vienes?

—Dentro de un momento.

Se levantó, se acercó, me pasó la mano por el pelo y me besó la frente.

—No te acuestes tarde, cariño, o mañana no podrás levantarte.

—Laurie, no has contestado a mi pregunta. Te he preguntado qué piensas *tú*. ¿Estás de acuerdo en que es una ridiculez pensar que Jacob hiciera eso?

—Creo que cuesta mucho imaginarlo, sí.

—Pero *¿tú eres capaz* de imaginarlo?

—No sé. ¿Quieres decir que tú no eres capaz, Andy? ¿No puedes ni imaginarlo?

—No, no puedo. Estamos hablando de nuestro hijo.

Ella se apartó de mí ostensiblemente, con cautela.

—No sé. Supongo que yo tampoco soy capaz de imaginarlo. Pero también pienso que esta mañana al levantarme tampoco era capaz de imaginarme ese cuchillo.

8

Fin

Domingo 22 de abril de 2007:
diez días después del asesinato

Una mañana lluviosa y gris cientos de voluntarios se congregaron para peinar Cold Spring Park en busca del cuchillo perdido. Eran una muestra representativa de la ciudad. Alumnos del McCormick, alguno de los cuales había sido amigo de Ben Rifkin, otros que claramente pertenecían a otras tribus de la escuela: atletas, pazguatos, chicas buenas y coquetas. Había muchas madres y padres jóvenes. Unos pocos *organizadores* de actividades, que constantemente coordinaban los esfuerzos de la comunidad en un sentido u otro. Todos se reunieron bajo la humedad matutina, atendieron a las instrucciones de Paul Duffy sobre cómo funcionaría la búsqueda y luego, por equipos, pisotearon el terreno húmedo y esponjado para registrar las zonas del bosque asignadas, en busca del cuchillo. Una atmósfera de determinación dominaba toda aquella aventura. Todo el mundo se sentía aliviado de hacer algo por fin, de que les dejaran formar parte de la investigación. Estaban seguros de que todo aquel asunto se resolvería pronto. Era la espera, la incertidumbre lo que les estaba agobiando. El cuchillo acabaría con todo eso. Obtendrían huellas o sangre o cualquier otro dato que solucionaría el misterio, y la ciudad podría respirar por fin.

Sr. Logiudice: Usted no tomó parte en la búsqueda, ¿verdad?

Testigo: No.

Sr. Logiudice: Porque sabía que era una tarea sin sentido. El cuchillo que buscaban ya lo había encontrado en un cajón del escritorio de Jacob. Y usted ya se había ocupado de tirarlo.

Testigo: No. Yo sabía que ese no era el cuchillo que estaban buscando. No tenía ni la menor duda. En absoluto.

Sr. Logiudice: Entonces, ¿por qué no participó en la búsqueda?

Testigo: Un fiscal nunca participa en sus propias investigaciones. No podía arriesgarme a pasar a ser un testigo de mi propio caso. Piénselo: si yo hubiera encontrado el arma del crimen, me habría convertido en un testigo esencial. Me habría visto obligado a cruzar la sala del tribunal y subir al estrado. Habría tenido que abandonar el caso. Ese es el motivo por el que un buen fiscal siempre se mantiene al margen. Espera en la comisaría o en la calle mientras se lleva a cabo el registro, observa desde la habitación de al lado mientras un detective realiza el interrogatorio. Esa es la primera norma del fiscal, Neal. Es el procedimiento habitual. Esto es exactamente lo que yo le enseñé, hace cierto tiempo. Quizás no atendía.

Sr. Logiudice: ¿Así que fue por motivos técnicos?

Testigo: Neal, nadie quería que la búsqueda fuera un éxito más que yo. Yo quería que se demostrara que mi hijo era inocente. Y si encontraban el verdadero cuchillo lo habría conseguido.

Sr. Logiudice: ¿No le preocupa lo más mínimo el modo como se deshizo del cuchillo de Jacob? ¿Ni siquiera ahora, sabiendo lo que pasó?

Testigo: Hice lo que creí que debía hacer. Jake era inocente. Aquel no era el cuchillo.

Sr. Logiudice: Naturalmente usted no estaba dispuesto a demostrar esa teoría, ¿verdad? No entregó el cuchillo para que lo examinara el forense, para que buscara huellas o sangre u otras pistas, como amenazó a Jacob que quizás haría.

Testigo: Ese no era el cuchillo. No necesitaba una prueba que me lo confirmara.

Sr. Logiudice: Usted ya lo sabía.

Testigo: Yo ya lo sabía.

Sr. Logiudice: ¿Y por qué estaba tan seguro?

Testigo: Conocía a mi hijo.

Sr. Logiudice: ¿Y nada más? ¿Porque conocía a su hijo?

Testigo: Hice lo que cualquiera hubiera hecho. Intenté protegerle de su propia estupidez.

Sr. Logiudice: De acuerdo. Lo dejaremos aquí. Muy bien. Así que aquella mañana, mientras los demás registraban Cold Spring Park, ¿dónde esperaba usted?

Testigo: En el aparcamiento, a la entrada del parque.

Sr. Logiudice: Y en un momento dado apareció el Sr. Rifkin, el padre de la víctima.

Testigo: Sí. Le vi cuando venía del bosque. En la entrada del parque, hay campos de juego, de fútbol, de béisbol. Aquella mañana estaban vacíos. Solo era una gran extensión de hierba. Y él la estaba cruzando en dirección hacia mí.

Esa es la imagen que siempre recordaré de Dan Rifkin, solo con su desgracia: una pequeña figura deambulando a través de aquella enorme extensión de hierba, con la cabeza baja, y las manos metidas hasta el fondo de los bolsillos de la chaqueta. Las ráfagas de viento le apartaban del camino a cada momento, y él zigzagueaba como un barquito que vira contra el viento.

Fui hacia los campos para encontrarme con él, pero estábamos a cierta distancia y tardé un poco. Hubo un intervalo incómodo en el que nos observamos mientras nos íbamos acercando. ¿Qué aspecto debíamos de tener desde arriba? Dos figuritas que se acercaban a través de un campo de hierba desierto hasta encontrarse en algún punto intermedio.

Cuando le tuve un poco más cerca, le saludé. Pero Rifkin no contestó a mi gesto. Pensé que le habría afectado encontrarse accidentalmente con la batida, y pensé en recordarlo para echarle una bronca a la abogada de la víctima, que se había olvidado de avisar a Rifkin de que no se acercara al parque ese día.

—Hola, Dan —dije con cierta cautela.

Llevaba gafas de sol de aviador aunque el día era gris, y a través de esos lentes se le veía la mirada apagada. Se me quedó mirando con unos ojos tan grandes e inexpresivos como los de una mosca. Enfadado, aparentemente.

—¿Te encuentras bien, Dan? ¿Qué estás haciendo aquí?

—Me sorprende *verte* aquí.

—¿Ah, sí? ¿Por qué? ¿Dónde iba a estar?

Resopló.

—¿Qué pasa, Dan?

—¿Sabes? —dijo en un tono cada vez más filosófico—, últimamente he tenido una sensación extrañísima, como si estuviera en un escenario y todas las personas que me rodean fueran actores. Toda la gente del mundo, todo el que pasa con prisas a mi lado, camina mirando hacia arriba como si no hubiera pasado nada, y yo soy el único que sabe la verdad. Yo soy el único que sabe que Todo Ha Cambiado.

Yo asentí, benévolo, dispuesto a comprenderle.

—Son *falsos.* ¿Tú sabes lo que quiero decir, Andy? Fingen.

—Imagino lo que debes de sentir, Dan.

—Me parece que tú también eres un actor.

—¿Por qué dices eso?

—Me parece que eres falso. —Rifkin se quitó las gafas, las dobló con cuidado, y se las metió en un bolsillo interior de la chaqueta. Las bolsas que tenía bajo los ojos eran más oscuras que la última vez que le vi. El tono oliva de su piel se había convertido en palidez grisácea—. Me han dicho que te han apartado del caso.

—¿Qué? ¿Quién te ha dicho eso?

—No importa quién. Solo quiero que lo sepas: yo quiero otro fiscal.

—De acuerdo, bien, podemos hablar de eso, claro.

—No hay nada de que hablar. Ya está hecho. Ve a llamar a tu jefe. Has de hablar con tu gente. Ya te lo he dicho, quiero otro fiscal. Alguien que no entorpezca la investigación.

—¿Que no entorpezca la investigación? ¿De qué demonios estás hablando, Dan?

—Dijiste que se estaba haciendo todo lo posible. ¿Qué se está haciendo, exactamente?

—Mira, el caso está siendo difícil, lo reconozco...

—No, es más que eso y tú lo sabes. ¿Por qué no has presionado a esos chicos aún? ¿Nada a día de hoy? Me refiero a atornillarles de verdad. Eso es lo que quiero saber.

—*He* hablado con ellos.

—¿Incluido tu propio hijo, Andy?

Me quedé con la boca abierta. Extendí la mano hacia él, para tocarle el brazo, para conectar, pero él levantó la mano como si quisiera soltarme un revés.

—Me has estado mintiendo, Andy. Has estado mintiendo desde el principio.

Miró hacia los árboles.

—¿Sabes lo que me angustia, Andy? ¿De estar aquí, en este sitio? Pues que durante un rato, durante unos minutos o quizás unos segundos, no sé cuánto tiempo, pero durante un rato, mi hijo estuvo vivo aquí. Estuvo ahí tumbado sobre unas hojas húmedas de mierda, desangrándose hasta morir. Y yo no estaba con él. Yo debía haber estado allí para ayudarle. Eso es lo que hace un padre. Pero yo no lo sabía. Estaba por ahí, en cualquier parte, en el coche, en mi despacho, hablando por teléfono, o lo que sea que estuviera haciendo. ¿Lo entiendes, Andy? ¿Tienes idea de lo que supone? ¿Puedes imaginarlo siquiera? Yo le vi nacer, le vi dar los primeros pasos y... le enseñé a ir en bicicleta. Le acompañé al colegio el primer día. Pero no estaba allí para ayudarle cuando murió. ¿Puedes imaginar lo que es sentir eso?

—Dan —sugerí con delicadeza—. ¿Qué te parece si pido un coche y te llevo a casa? No creo que te convenga estar aquí. Deberías estar con tu familia.

—¡La cuestión, Andy, es que no puedo estar con mi familia, joder! Mi familia está muerta.

—Está bien. —Bajé la mirada al suelo, a sus deportivas blancas manchadas de barro y con hojas de pino pegadas.

—Y quiero que sepas una cosa —añadió Rifkin—. No importa lo que me pase a mí ahora. Puedo convertirme en un... drogadicto o en un ladrón o en un vagabundo. No me importa en absoluto lo que me pase a partir de ahora. ¿Para qué? ¿Por qué debería importarme?

Lo dijo con un gruñido amargo.

—Telefonea a tu oficina, Andy. —Un golpe bajo—. Vamos, llama. Se acabó. Te han echado.

Yo cogí mi teléfono móvil y llamé directamente a Lynn Canavan al suyo. Sonó tres veces y la imaginé leyendo el identificador de llamada, preparándose para contestar.

—Estoy en el despacho —dijo—. ¿Por qué no vienes ahora mismo?

Yo le contesté, mientras Rifkin me miraba satisfecho, que si tenía algo que decirme podía hacerlo en ese momento y ahorrarme el viaje.

—No —insistió—. Ven al despacho, Andy. Quiero hablar contigo cara a cara.

Colgué sin más. Quería decirle algo a Rifkin, adiós o buena suerte o alguna despedida estúpida, ¿quién sabe? Algo me decía que él tenía razón y que aquello era un adiós. Pero él no quería oírlo. Su actitud así lo indicaba. Ya me había asignado el papel de malo. En cualquier caso, seguramente sabía más que yo.

Le dejé en aquel campo verde y crucé el río en coche hasta Cambridge pensando en mi derrota. Resignado al hecho de que me apartarían del caso; aunque no tenía sentido que Rifkin hubiera llegado a esa conclusión por su cuenta. Alguien se lo había soplado, probablemente Logiudice, que con susurros dignos de Yago al oído de la fiscal del distrito finalmente había tenido éxito. De acuerdo pues. Me apartarían por un conflicto de intereses, un tecnicismo. Superado por la estrategia, nada más. Era politiqueo de despacho y yo era un tipo apolítico, siempre lo había sido. Así que Logiudice tendría su caso de categoría, y a mí me asignarían el siguiente expediente, el siguiente cadáver, el siguiente caso para que el mecanismo siguiera funcionando. Yo seguía creyendo todo eso, por absurdo, ilusorio o excesivamente racional que fuera. No vi lo que se venía encima. Había tan pocas pruebas que apuntaran a Jacob... —una colegiala con un secreto, unos chavales que cotillean en Facebook, ni siquiera el cuchillo—. Como pruebas no eran nada. Cualquier abogado defensor mediocre las eliminaría de un plumazo, como si fueran telarañas.

En la puerta de entrada del palacio de justicia había como mínimo cuatro policías estatales de paisano para recibirme. Les reconocí a todos, eran miembros de la CPAC, pero solo conocía bien a uno, un detective llamado Moynihan. Me escoltaron como una guardia pretoriana a través del vestíbulo del juzgado hacia el despacho del fiscal del distrito y, entre cubículos y pasillos desiertos, hasta el imponente despacho de Lynn Canavan.

Allí había tres personas, sentadas en la mesa de reuniones: Canavan, Logiudice y un tipo de la prensa llamado Larry Siff, cuya constante presencia al lado de Canavan, durante el último año más o menos, había sido un descorazonador signo de campaña permanente. Yo no tenía nada personal contra Siff, pero me parecía despreciable que se entrometiera en un proceso sagrado al cual yo había dedicado mi vida. La mayoría de las veces no tenía que hablar siquiera; su mera presencia aseguraba que se tendrían en cuenta las implicaciones políticas.

La fiscal del distrito Canavan dijo:

—Siéntate, Andy.

—¿De verdad crees que era necesario todo esto, Lynn? ¿Qué te creías que haría? ¿Saltar por la ventana?

—Es por tu propio bien. Ya sabes cómo va.

—¿Cómo va? Tengo la impresión de estar detenido.

—No. Solo hemos de ser cuidadosos. La gente se altera. Reacciona de forma imprevisible. No queremos ningún espectáculo. Tú hubieras hecho lo mismo.

—No es verdad. —Me senté—. ¿Y yo por qué voy a alterarme?

—Andy —dijo—, tenemos malas noticias. ¿El caso Rifkin? ¿La huella en la sudadera de la víctima? Es de tu hijo Jacob. —Me acercó un informe sujeto con grapas.

Yo le eché una ojeada. Era del laboratorio criminal de la policía del estado. El informe identificaba una docena de puntos similares entre la huella hallada en el lugar del crimen y una de las obtenidas de la tarjeta de identificación de Jacob. Eran muchos más de los ocho puntos requeridos habitualmente para establecer una coincidencia. Era el pulgar derecho: Jacob se había acercado y había agarrado a la víctima de la sudadera desabrochada y había dejado la huella en la etiqueta interior.

—Estoy convencido de que hay una explicación —dije, apabullado.

—Seguro que sí.

—Van al mismo colegio. Jacob está en su clase. Se conocían, Lynn.

—Sí.

—Esto no significa...

—Lo sabemos, Andy.

Me miraron con lástima. Todos, salvo los policías estatales jóvenes que ahora estaban junto a la ventana, que no me conocían, y podían seguir despreciándome como harían con cualquiera de los malos.

—Te concederemos una excedencia con sueldo. En parte es culpa mía: fue un error desde el principio dejar que llevaras el caso. Estos chicos —señaló a los agentes estatales— te acompañarán a tu oficina. Puedes llevarte tus pertenencias personales. Ni documentos ni archivos. No toques el ordenador. El fruto de tu trabajo es propiedad de esta oficina.

—¿Quién llevará el caso?

—Neal.

Sonreí. *Naturalmente.*

—Andy, ¿te opones a que Neal lleve el caso por algún motivo?

—¿Importa lo que yo piense, Lynn?

—Quizás, si puedes argumentarlo.

Moví la cabeza.

—No. Que lo lleve él. Insisto.

Logiudice desvió la vista, evitó mirarme.

—Lynn, ¿has detenido a mi hijo?

—No.

—¿Le detendrás?

Logiudice intervino.

—Eso no tenemos obligación de decírtelo.

Canavan levantó la mano para acallarle.

—Sí. No tenemos otra opción, dadas las circunstancias.

—¿Las circunstancias? ¿Qué circunstancias? ¿Crees que huirá a Costa Rica?

Ella se encogió de hombros.

—¿Ya tienes la orden?

—Sí.

—Se entregará él, Lynn. Te doy mi palabra. No hace falta que le detengas. No tiene por qué estar en la cárcel, ni siquiera una noche. No hay riesgo de fuga, eso ya lo sabes. Es mi hijo. Es mi hijo, Lynn. No quiero ver cómo le detienen.

—Andy —me sugirió la fiscal del distrito, desoyendo mi petición con un gesto, como si fuera humo—, probablemente sería lo mejor para todos que no te acercaras al palacio de justicia durante una temporada. Deja que las cosas se calmen, ¿de acuerdo?

—Lynn, te lo pido como amigo, como un favor personal: por favor, no le detengas.

—No tengo margen de actuación, Andy.

—¿Por qué? No lo entiendo. ¿Por una huella dactilar? ¿Una huella dactilar de mierda? ¿Solo por eso? Has de tener algo más. Dime qué más tienes.

—Andy, te aconsejo que busques un abogado.

—¿Que busque un abogado? Yo *soy* abogado. Dime por qué le haces esto a mi hijo. Estás destruyendo mi familia. Tengo derecho a saber por qué.

—Simplemente actúo de acuerdo con las pruebas que hay, nada más.

—Las pruebas acusan a Patz. Ya te lo he dicho.

—Hay más cosas que tú no sabes, Andy. Muchas más.

Tardé un momento en comprender lo que implicaba aquello. Pero solo un momento. Me guardé las cartas y decidí que, a partir de entonces, no les enseñaría ninguna.

Me puse de pie.

—Vale. Vamos.

—¿Así, sin más?

—¿Queríais decirme algo más? ¿Tú, Neal?

Canavan dijo:

—¿Sabes?, seguimos preocupados por ti. Haya hecho lo que haya hecho tu hijo..., él no eres tú. Tú y yo nos conocemos desde hace tiempo, Andy, y yo eso no lo olvido.

Noté que endurecía el gesto, como si estuviera intentando mirar a través de los agujeros de los ojos de una máscara de piedra. Miraba solo a Canavan, mi vieja amiga a quien aún quería y en quien, a pesar de todo, confiaba. No me atreví a mirar a Logiudice. Sentí que una fuerza salvaje me recorría el brazo derecho. En aquel momento sentí que si seguía mirándole se me dispararía la mano, le agarraría del cuello y lo estrujaría.

—¿Ya hemos terminado?

—Sí.

—Bien. Tengo que irme. He de reunir a mi familia ahora mismo.

—¿Estás bien para conducir, Andy? —La cara de la fiscal del distrito expresaba preocupación.

—Estoy bien.

—De acuerdo. Estos chicos te acompañarán a tu oficina.

Entré en mi despacho y tiré unas cuantas cosas en una caja de cartón: papeles y material de oficina, descolgué fotos de la pared, pequeños recuerdos de años de trabajo. El mango de un hacha, una prueba de un caso que nunca conseguí que llegara a los tribunales. Todo cupo en la caja de cartón, todos los años, el trabajo, las amistades, el respeto que había acumulado a pequeñas dosis, un caso tras otro. Ahora todo había desaparecido, al margen de cómo acabara la acusación contra Jacob. Porque, aunque fuera exculpado, ya nunca me desharía del estigma de esa acusación. Un jurado podía declarar que mi hijo era no culpable, pero jamás «inocente». Nunca nos libraríamos de esa mancha. No creía que volviera a entrar en una sala de juicios en calidad de abogado. Pero las cosas estaban yendo muy deprisa para perder el tiempo meditando sobre el pasado o el futuro. Solo existía el ahora.

Curiosamente no estaba aterrorizado. Nunca perdí los nervios. La acusación de homicidio contra Jacob era una granada —que inevitablemente nos destruiría; solo quedaban por definir los detalles—, pero me invadió una extraña necesidad de calma. Seguramente los portadores de la orden de registro ya iban camino de mi casa. Puede que ese fuera el motivo por el que la fiscal del distrito me había hecho ir allí: para alejarme de esa casa antes de que empezara el registro. Era exactamente lo que yo hubiera hecho.

Salí corriendo de la oficina.

Llamé al móvil de Laurie desde el coche. No contestó. «Laurie, esto es muy, muy importante. Llámame enseguida, en cuanto oigas este mensaje».

Llamé al móvil de Jacob. Sin respuesta.

Llegué a casa demasiado tarde: ya había cuatro coches de la policía de Newton aparcados fuera, vigilando, bloqueando la casa mientras esperaban que llegara la orden. Di la vuelta a la manzana y aparqué.

Mi casa está pegada a una estación del tren interurbano. Una valla de dos metros y medio separa la plataforma de mi jardín de atrás. Salté por encima sin problemas. Tenía tal subidón de adrenalina que habría podido escalar el monte Rushmore.

Una vez en el linde de mi terreno, me colé a través del emparrado. Las hojas me golpearon y me pincharon cuando pasé entre los arbustos.

Crucé corriendo el jardín de atrás. Mi vecino estaba en el suyo, regando. Me saludó por puro reflejo vecinal y yo le devolví el gesto mientras aceleraba el paso.

Una vez dentro, llamé a Jacob en voz baja. Para prepararle para lo que iba a pasar. No había nadie en casa.

Subí la escalera a toda prisa, entré en la habitación de Jacob y abrí de golpe los cajones, el armario, tiré las pilas de ropa limpia al suelo, buscando desesperadamente algo que le implicara remotamente y deshacerme de ello.

¿Les parece espantoso? Oigo la vocecita de sus cerebros: ¡destrucción de pruebas! ¡Obstrucción a la justicia! Son ustedes unos ingenuos. Dan por sentado que los tribunales son fiables, que las resoluciones erróneas son poco frecuentes, y que por lo tanto yo debía haber confiado en el sistema. *Si creyera realmente que Jacob era inocente* —están pensando—, *simplemente habría dejado que la policía registrara y se llevara lo que quisiera.* Les diré un secreto un poco turbio: el porcentaje de error en los veredictos criminales es mucho más elevado de lo que piensa la gente. No hablo solo de falsos negativos, de criminales culpables que quedan impunes —esos «errores» los reconocemos y los aceptamos—. Son el predecible resultado de inclinar la balanza a favor de los acusados tal como nosotros hacemos. Lo verdaderamente sorprendente es la cantidad de falsos positivos, de hombres inocentes declarados culpables. Ese porcentaje de error no lo admitimos —ni siquiera pensamos en ello— porque pone en cuestión demasiadas cosas. El hecho es que lo que llamamos pruebas es tan falible como los testigos que las proporcionan, todos ellos seres humanos. La memoria falla, las identificaciones oculares de los testigos son notoriamente poco fiables, incluso los policías más bien intencionados están sujetos a errores de criterio y memoria. El factor humano de cualquier sistema siempre tiende al error. ¿Por qué iban a ser distintos los tribunales? No lo son. Nuestra fe ciega en el sistema es producto de la ignorancia y de creer en la magia, y no había forma humana de que yo pusiera el destino de mi hijo en manos de eso. No porque creyera que fuese culpable, se lo aseguro, sino justamente porque era inocente. Estaba haciendo lo poco que podía para asegurar un veredicto correcto, un veredicto justo. Si no me creen, vayan un rato al palacio de justicia más cercano, y después pregúntense si realmente creen que allí no se cometen errores. Pregúntense a sí mismos si le confiarían a *su* hijo.

En cualquier caso, no encontré nada ni remotamente preocupante en el dormitorio de Jake, aparte de los usuales cachivaches de adolescente, ropa sucia, zapatillas de deporte adaptadas a la forma de sus pies, libros de texto, revistas de videojuegos, cables para cargar sus diversos aparatos electrónicos. La verdad es que no sé qué esperaba encontrar. El problema era que no sabía qué tenía ya la fiscalía, por qué estaban tan ansiosos por incriminar a Jacob, y aquello hacía que me volviera loco preguntándome cuál podía ser la pieza que faltaba.

Seguía poniendo patas arriba la habitación cuando sonó mi móvil. Era Laurie. Le dije que viniera inmediatamente —estaba a veinte minutos, en casa de una amiga en Brookline— pero no le conté nada más. Laurie era demasiado emotiva. No sabía cómo iba a reaccionar y no tenía tiempo de discutir con ella. *Ayuda a Jacob ahora, arréglatelas con Laurie luego.* «¿Dónde está Jacob?», pregunté. Ella no lo sabía. Colgué el teléfono.

Di un último vistazo a la habitación. Estuve tentado de esconder el portátil de Jacob. Solo Dios sabía qué podía haber en el disco duro. Pero me preocupaba que ocultar el ordenador le perjudicara de todas formas: si el portátil desaparecía se consideraría sospechoso, vista la presencia de Jacob en la red, y por otro lado, si lo encontraban, podía contener pruebas devastadoras. Al final lo dejé allí; quizás fuera una imprudencia, pero no tenía tiempo para pensar. Jacob sabía que había sido acusado públicamente en Facebook; seguramente, en caso de ser necesario, había sido listo y había borrado el disco duro.

Llamaron a la puerta. Se acabó el juego. Yo seguía respirando entrecortadamente.

En la puerta Paul Duffy, nada menos, me entregó la orden de registro.

—Lo siento, Andy —dijo.

Le miré fijamente. Los agentes estatales con sus cazadoras, los coches de policía con los intermitentes puestos, mi viejo amigo que me tendía la orden doblada: simplemente no supe cómo reaccionar, así que apenas reaccioné. Me quedé allí, mudo, y él me puso el papel en la mano.

—Andy, tengo que pedirte que esperes fuera. Ya conoces la rutina.

Tardé unos segundos en recuperarme, en volver a la realidad y aceptar que aquello estaba pasando realmente. Pero estaba decidido a no cometer el error del aficionado, a no atolondrarme. Nada de declaraciones tontas hechas bajo presión en los primeros instantes críticos del caso. Esa es la equivocación que lleva a la gente a la cárcel.

—¿Jacob está aquí, Andy?

—No.

—¿Sabes dónde está?

—Ni idea.

—Vale, venga, colega; sal, por favor. —Me puso la mano con cuidado en el brazo para animarme a hacerlo, pero no me empujó fuera de casa. Parecía dispuesto a esperar a que estuviera preparado. Se acercó y me dijo en confianza—: Hagámoslo bien.

—No pasa nada, Paul.

—Lo siento.

—Tú haz tu trabajo, ¿vale? No la cagues.

—Vale.

—Hasta el mínimo detalle o Logiudice te echará a las fieras. Te hará quedar como un tonto en el juicio, acuérdate de lo que te digo. Él hará lo que tenga que hacer. No te protegerá como haría yo.

—De acuerdo, Andy, está bien. Sal fuera.

Esperé en la acera frente a la casa. Al otro lado de la calle se congregaban los curiosos, atraídos por los coches de policía aparcados delante. Yo habría preferido esperar en el jardín de atrás, lejos de las miradas, pero tenía que estar allí cuando

Laurie o Jacob llegaran a casa, para consolarles y... para adiestrarles.

Laurie llegó cinco minutos después de que empezara el registro. Al oír la noticia se puso a temblar. Yo la tranquilicé y le susurré al oído que no dijera nada, que no mostrara la menor emoción, ni miedo, ni tristeza. Que no les diera nada. Ella chasqueó la lengua con desdén y se echó a llorar. Eran sollozos auténticos, desinhibidos, como si no hubiera nadie mirando. No le importaba lo que pensara la gente, porque nadie había pensado nunca mal de ella en toda su vida, ni por un segundo. Pero yo sabía cómo funcionaban las cosas. Nos quedamos de pie, juntos delante de la casa, y yo la rodeé con el brazo con actitud protectora, posesiva.

Cuando había pasado más de una hora desde que empezó el registro, nos refugiamos en la parte de atrás de la casa y nos sentamos en la terraza. Allí Laurie lloró en silencio, se recompuso, volvió a llorar.

En un momento dado el detective Duffy dio la vuelta hasta la parte de atrás y subió las escaleras de la terraza.

—Andy, solo para que lo sepas, esta mañana hemos encontrado un cuchillo en el parque. Cerca de un lago, entre la mugre.

—Lo sabía. Sabía que aparecería. ¿Hay alguna huella, sangre, algo?

—Nada evidente. Está en el laboratorio. Estaba cubierto de algas secas, como un polvo, un polvo verde.

—Es de Patz.

—No lo sé. Puede.

—¿Qué tipo de cuchillo era?

—Uno normal, de cocina.

Laurie dijo:

—¿Un cuchillo de *cocina*?

—Sí. ¿Vosotros habéis perdido alguno?

Yo dije:

—Venga ya, Duff. Seamos serios. ¿Por qué haces una pregunta como ésta?

—Vale. Perdona. Mi trabajo es preguntar.

Laurie le miró fijamente.

—¿Habéis sabido algo de Jacob ya, Andy?

—No. No le encontramos. Hemos telefoneado a todo el mundo.

Duffy disimuló un gesto de escepticismo.

—Es un crío —dije yo—, a veces desaparece. Cuando llegue, Paul, no quiero que nadie hable con él. Nada de preguntas. Es menor de edad. Tiene derecho a que esté presente un padre o un tutor. No intentes sonsacarle nada.

—Jesús, Andy, nadie va a *sonsacar* nada. Pero nos gustaría hablar con él obviamente.

—Olvídalo.

—Andy, eso podría ayudarle.

—Olvídalo. No tiene nada que decir. Ni una palabra.

Algo nos llamó la atención en mitad del patio, y los tres nos dimos la vuelta. Un conejo, gris oscuro, olisqueó el aire e inclinó la cabeza, alerta, tranquilo. Dio un par de saltitos, se detuvo. Inmóvil allí, en la penumbra, se confundía con la hierba. Casi le perdí de vista hasta que dio un par de saltos más, como un bucle gris.

Duffy se volvió a mirar a Laurie. Hacía un par de sábados, habíamos ido juntos a cenar a un restaurante, Duffy, su mujer, Laurie y yo. Parecía otra vida.

—Casi hemos terminado, Laurie. Pronto nos iremos.

Ella asintió, demasiado enfadada, desconsolada y defraudada para decirle está bien.

—Paul —dije yo—. No fue él. Quiero decírtelo ahora por si no tengo otra oportunidad. Tú y yo estaremos una temporada sin hablar probablemente, así que quiero que me lo oigas decir a mí directamente, ¿vale? No fue él. No fue él.

—Vale. Ya te he oído. —Se dio la vuelta para marcharse.

—Es inocente. Tan inocente como tu hijo.

—De acuerdo —dijo, y se fue.

Al otro lado del emparrado, el conejo, encorvado, mordisqueaba.

Esperamos a Jacob hasta que anocheció, hasta que todos los policías y los mirones se fueron. No vino.

Llevaba escondido varias horas, básicamente en los bosques de Cold Spring Park, en patios traseros, y en la zona de juegos detrás de la escuela primaria a la que había asistido en otra época, que es donde los agentes le encontraron hacia las ocho de la mañana.

Según el informe policial, permitió que le pusieran las esposas sin protestar. No huyó. Cuando vio al poli dijo: «Yo soy el que están buscando» y «No fui yo». Cuando el agente le dijo despectivamente: «Entonces, ¿por qué había una huella dactilar tuya en el cadáver?, Jacob replicó —astuta o tontamente, todavía no estoy seguro—: «Yo le encontré. Ya estaba tirado allí. Intenté levantarle para ayudarle. Entonces vi que estaba muerto, me asusté y eché a correr». Esa fue la única declaración que Jacob hizo a la policía. Debió de haberse dado cuenta, tarde, de que era arriesgado hacer confesiones como esa, y nunca dijo ni una palabra más. Jacob conocía perfectamente, como pocos críos, la validez de la quinta enmienda. Más adelante se especuló sobre por qué Jacob hizo aquella afirmación en particular, lo completa y favorable que le resultaba. Se sospechó que tenía la declaración preparada de antemano y que la había dejado caer convenientemente, que estaba influyendo en el caso, construyendo su defensa lo más pronto posible. Lo que yo sé seguro es que Jacob nunca fue tan listo ni tan astuto como le describían los medios.

En cualquier caso, después de aquello, lo único que Jacob le dijo a la policía una y otra vez fue: «Quiero que venga mi padre».

Aquella noche no pudo salir bajo fianza. Estuvo retenido en el calabozo de Newton, apenas a tres o cuatro kilómetros de nuestra casa.

A Laurie y a mí solo nos permitieron verle un momento, en una salita de visitas sin ventanas.

Obviamente Jacob estaba alterado. Tenía los ojos llorosos y enrojecidos y la cara colorada: tenía una sola franja roja que le cruzaba cada mejilla, como una pintura de guerra. Obviamente estaba cagado de miedo. Y al mismo tiempo intentaba mantener la compostura. Sus gestos eran contenidos, rígidos, mecánicos. Un chaval fingiendo hombría o como mínimo la idea que un adolescente tiene de la hombría. Creo que fue eso lo que me partió el corazón, el modo como se esforzaba por controlarlo todo, por reprimir la tormenta emocional —pánico, ira, tristeza— que albergaba en su interior. Pensé que no sería capaz de aguantar mucho más tiempo. Estaba a punto de estallar.

—Jacob —dijo Laurie con la voz temblorosa—, ¿estás bien?

—¡No! Está claro que *no.* —Señaló con un gesto el cuarto en el que estaba, la situación en la que se encontraba e hizo una mueca sardónica—. Estoy muerto.

—Jake...

—¿Dicen que *yo* maté a Ben? Para nada. Para *nada.* No puedo creer que esté pasando esto. No puedo *creerlo.*

Yo dije:

—Mira, Jake, esto es una equivocación. Una especie de malentendido horrible. Lo solucionaremos, ¿vale? No quiero que desesperes. Esto es solo el principio del proceso. Queda mucho trecho.

—No puedo creerlo. No puedo creerlo. Estoy, no sé... —imitó el sonido de una explosión y dibujó con las manos el hongo nuclear—, ¿sabes?, es como, es como, ¿cómo era ese tío..., el de esa historia?

—Kafka.

—No, ese tío de..., ¿cómo es? La película.

—No lo sé, Jake.

—Esa en la que el tío, esto, descubre que el mundo en realidad no es el mundo. Y es como un sueño, una simulación. Todo creado por ordenador. Y luego consigue ver el mundo real. Es, esto, una película antigua.

—Creo que no lo sé.

—*¡Matrix!*

—*Matrix*, ¿eso es antiguo?

—¿Keanu Reeves, papá? Por favor.

Yo miré a Laurie.

Ella se encogió de hombros.

Era asombroso que Jake pudiera hacer tonterías incluso entonces. Pero las hacía. En realidad era el mismo crío bobo que había sido unas horas antes, que había sido siempre.

—Papá, ¿qué se supone que tengo que hacer?

—Vamos a luchar. Lucharemos contra todos los obstáculos que encontremos.

—No, no me refiero... en general. *Ahora.* ¿Qué pasará ahora?

—Mañana por la mañana habrá una comparecencia. Leerán la acusación, pagaremos la fianza y te irás a casa.

—¿Cuánto es la fianza?

—Mañana lo sabremos.

—¿Y si no podemos pagarla? ¿Qué me pasará a mí?

—Ya nos arreglaremos, no te preocupes. Tenemos algo de dinero ahorrado. Tenemos la casa.

Él dio un respingo. Me había oído quejarme del dinero miles de veces.

—Lo siento mucho. Juro que no fui yo. Ya sé que no soy, bueno, un hijo perfecto, ¿vale? Pero esto no lo hice.

—Te creo.

Laurie añadió:

—Eres perfecto, Jacob.

—Yo ni siquiera *conocía* a Ben. Solo era como..., un chaval del colegio. ¿Por qué iba a hacerlo, eh? Vale, ¿por qué dicen que fui yo?

—No lo sé, Jake.

—¡Tu te ocupas del caso! ¿Qué quieres decir con que no lo sabes?

—Pues no lo sé.

—O sea que no quieres decírmelo.

—No. No digas eso, Jake. ¿Crees que te estaba investigando a *ti*? ¿De verdad?

Él meneó la cabeza.

—Así que sin tener ningún motivo, sin ningún motivo, ¿yo maté a Ben Rifkin? Esto es... es. No sé lo que es. Es de locos. Todo esto es de locos.

—Jacob, a nosotros no tienes que convencernos. Estamos contigo. Siempre. Pase lo que pase.

—Jesús. —Se pasó los dedos por el pelo—. La culpa es de Derek. Fue él. Lo *sé*.

—¿Derek? ¿Por qué Derek?

—Es..., está..., pierde el control por cosas, ¿sabes? Como cositas pequeñas que le hacen perder el control. Cuando salga, voy a joderle. Lo juro.

—Jake, no creo que Derek haya podido hacer esto.

—Fue él. Ya lo verás. Ese chaval.

Laurie y yo nos miramos desconcertados.

—Jake, vamos a sacarte de aquí. Pagaremos la fianza cueste lo que cueste. Conseguiremos el dinero. No te dejaremos tirado en esta celda. Pero esta noche tendrás que quedarte aquí, solo hasta la comparecencia de mañana. Nos veremos en el tribunal a primera hora. Vendremos con un abogado. Estarás en casa mañana a la hora de cenar. Mañana dormirás en tu cama, te lo prometo.

—Yo no quiero un abogado. Te quiero a ti. Que tú seas mi abogado. ¿Quién lo haría mejor?

—Yo no puedo.

—¿Por qué no? Yo te quiero a ti. Ahora te necesito.

—No es buena idea, Jacob. Necesitas un abogado defensor. En cualquier caso, ya está todo organizado. He llamado a mi amigo Jonathan Klein. Es muy, muy bueno, te lo prometo.

Él frunció el ceño, decepcionado.

—De todas maneras, tú no puedes hacerlo. Tú trabajas en la fiscalía del distrito.

—Ya no.

—¿Te han despedido?

—Todavía no. Tengo una excedencia. Seguramente me despedirán más adelante.

—¿Por mí?

—No, por ti no. *Tú* no has hecho nada. Es que las cosas son así.

—¿Y qué vas a hacer? O sea, para ganar dinero. Necesitas un trabajo.

—Tú no te preocupes por el dinero. Deja que yo me preocupe por el dinero.

Un policía, un jovenzuelo a quien no conocía, llamó a la puerta y dijo:

—Es la hora.

Laurie le dijo a Jacob:

—Te queremos. Te queremos *muchísimo.*

—Vale, mamá.

Le rodeó con sus brazos. Él se quedó inmóvil un segundo y Laurie se quedó allí abrazándole como si abrazara un árbol o el pilar de un edificio. Al final él cedió y le dio una palmadita en la espalda.

—¿Lo sabes, Jake? ¿Sabes cuánto te queremos?

Él, por encima del hombro de Laurie, puso los ojos en blanco.

—Sí, mamá.

—Vale. —Ella se contuvo, se apartó y se secó las lágrimas de los ojos—. Vale, pues.

Jacob temblaba y parecía estar a punto de echarse a llorar, también.

Yo le di un abrazo. Le atraje hacia mí, le apreté y después di un paso atrás. Le miré de arriba abajo. Tenía restos de barro en las rodilleras de los vaqueros porque se había pasado varias horas escondido en Cold Spring Park en un lluvioso mes de abril.

—Sé fuerte, ¿vale?

—Tú también —dijo. Sonrió, por lo visto se dio cuenta de que había contestado una bobada.

Le dejamos allí.

Pero la noche todavía no había terminado.

A las dos de la madrugada yo estaba repantigado en el sofá de la sala. Me sentía abandonado, incapaz de transportar mi cuerpo hasta el dormitorio o de quedarme dormido donde estaba.

Laurie bajó las escaleras descalza, con pantalones de pijama y una camiseta turquesa que le encantaba y que ya estaba tan gastada que solo servía para dormir. Debajo se veían sus pechos caídos, vencidos por la edad y la gravedad. Tenía el pelo alborotado y los ojos medio cerrados. Al verla casi se me saltaron las lágrimas.

—Andy, ven a la cama —dijo desde el tercer escalón—. Esta noche ya no podemos hacer nada más.

—Enseguida voy.

—No enseguida, ahora. Ven.

—Laurie, ven tú aquí. Hemos de hablar de una cosa.

Cruzó el vestíbulo arrastrando los pies para reunirse conmigo en la salita, y fue como si aquellos doce pasos le bastaran para despejarse del todo. Yo no era de los que pedían ayuda a menudo, y cuando lo hacía, la alarmaba.

—¿Qué pasa, cariño?

—Siéntate. Tengo que decirte una cosa. Algo que se sabrá pronto.

—¿Sobre Jacob?

—Sobre mí.

Se lo conté todo, todo lo que sabía sobre mi ascendencia. Sobre James Burkett, el primer Barber sanguinario, que llegó al este procedente de la frontera como un pionero pero al revés: él trajo su salvajismo a Nueva York. Y Rusty Barber, mi abuelo héroe de guerra, que acabó destripando a un hombre en una pelea por un accidente de tráfico en Lowell, Massachusetts. Y mi propio padre, el sanguinario Billy Barber, cuya imprecisa orgía de violencia implicaba a una muchacha y un cuchillo y un edificio abandonado. Después de haber esperado treinta y cuatro años, solo tardé cinco o diez minutos en contarlo. En cuanto lo saqué, me pareció penoso haberlo considerado una carga tan pesada durante tanto tiempo y, en resumen, estaba seguro de que Laurie lo vería también de ese modo.

—De ahí es de donde vengo yo.

Ella asintió, impertérrita, aturdida por la decepción, por mí, por mi historia, por mi falta de honestidad.

—Andy, ¿por qué no me lo has contado antes?

—Porque no tenía importancia. Porque yo nunca he sido así. Yo no soy como ellos.

—Pero no confiabas en que yo lo entendiera así.

—No. Laurie, no es eso.

—¿Es porque no salió nunca el tema?

—No. Al principio yo no quería que me asociaras con eso. Conforme fue pasando el tiempo, cada vez parecía menos importante. Éramos tan... felices...

—Hasta ahora, cuando *has tenido* que decírmelo, cuando no tenías alternativa.

—Laurie, quiero que lo sepas porque es probable que salga a la luz; no porque tenga realmente nada que ver con esto, sino porque mierda como ésta siempre acaba saliendo. Esto no tiene nada que ver con Jacob. Ni conmigo.

—¿Estás convencido de eso?

—Sí.

Ella reflexionó un momento.

—Vale, pues.

—*Vale*, ¿qué quiere decir? ¿Quieres preguntarme algo? ¿Quieres que hablemos?

Ella me miró con reproche: ¿*yo* le preguntaba a ella si quería hablar? ¿A las dos de la madrugada? ¿Precisamente de *esa* madrugada?

—Laurie, no ha cambiado nada. Esto no cambia nada. Soy la misma persona que conoces desde que teníamos diecisiete años.

—Vale. —Dirigió la mirada a su regazo, donde sus manos forcejeaban—. Lo único que puedo decir ahora es que deberías habérmelo dicho antes. Yo tenía derecho a saberlo. Tenía derecho a saber con quién me casaba, con quién iba a tener un hijo.

—Lo sabías. Te casaste *conmigo.* Todo lo demás solo es historia. No tiene nada que ver con nosotros.

—Deberías habérmelo dicho y ya está. Tenía derecho a saberlo.

—Si te lo hubiera dicho, no te habrías casado conmigo. Para empezar, no habrías salido conmigo.

—Eso no lo sabes. Nunca me diste esa oportunidad.

—Oh, venga. ¿Si te hubiera pedido salir y lo hubieras sabido?

—No sé lo que habría dicho.

—Yo sí.

—¿Por qué?

—Porque las chicas como tú... no se fijan en chicos así. Mira, olvidémoslo.

—¿Cómo lo sabes, Andy? ¿Cómo sabes lo que yo habría decidido?

—Tienes razón. Tienes razón, no lo sé. Perdona.

Hubo una pausa, y todavía podía haber ido todo bien. En aquel momento todavía hubiéramos podido sobrevivir y seguir adelante.

Me arrodillé delante de ella, apoyé los brazos en su regazo, en sus piernas cálidas.

—Laurie, perdona. Siento realmente no habértelo dicho. Pero eso ahora ya no tiene remedio. Lo importante es que necesito saber que lo entiendes: mi padre, mi abuelo..., yo no soy ellos. Necesito saber que piensas eso.

—Lo pienso. Me refiero a que supongo que..., *claro* que

lo pienso. No sé, Andy, es tarde. Tengo que dormir un poco. Ahora no puedo. Estoy demasiado cansada.

—Laurie, tú me conoces. Mírame. Tú me conoces.

Me observó la cara.

Me sorprendió descubrir que desde tan cerca parecía bastante mayor y agotada, y pensé que había sido egoísta por mi parte y un poco cruel cargarla con aquello ahora, en plena noche, después del peor día de su vida, solo por descargarme, para apaciguar mi mente. Y la recordé. Recordé a esa chica con las piernas morenas, sentada en una toalla de playa el primer curso de Old Campus, esa chica tan fuera de mi alcance con la que en realidad me fue fácil hablar porque no tenía nada que perder. A los diecisiete años lo supe: toda mi infancia había sido un preludio para esa chica. Yo nunca había sentido nada parecido, ni lo he sentido hasta ahora. Me sentí transformado por ella, físicamente. No sexualmente, aunque practicábamos el sexo en todas partes, como conejos, en los pasillos de la biblioteca, en un aula vacía, en su coche, en la casa de la playa de su familia, incluso en un cementerio. Era algo más: yo mismo me convertí en una persona diferente, en la persona que soy ahora. Y todo lo que vino después..., mi familia, mi casa, toda nuestra vida juntos..., fue un regalo que ella me dio. El conjuro duró treinta y cuatro años. Ahora, a los cincuenta y uno, por fin la veía como era realmente. Apareció como una sorpresa. Ya no era una chica resplandeciente; después de todo, no era más que una mujer.

Segunda parte

«La idea de que el asesinato pueda concernir en algún sentido al estado es relativamente moderna. Durante la mayor parte de la historia de la humanidad, el homicidio ha sido algo puramente privado. En las sociedades tradicionales, un crimen era simplemente una ocasión de disputa entre dos clanes. Se esperaba de la familia o la tribu del asesino que solucionara dicha disputa equitativamente, con una especie de ofrenda a la familia o tribu de la víctima. Dicha restitución variaba de sociedad en sociedad. Podía implicar cualquier cosa, desde una multa a la muerte del asesino (o de un sustituto). Si los parientes de la víctima no quedaban satisfechos, podía traer como consecuencia una enemistad sangrienta. Ese modelo pervivió varios siglos y en diversas sociedades... A pesar de la práctica actual, el asesinato ha sido durante mucho tiempo un asunto estrictamente familiar».

JOSEPH EISEN
Murder: A History (1949)

9

Comparecencia

A la mañana siguiente, Jonathan Klein permaneció con Laurie y conmigo bajo la penumbra del garaje de Thorndike Street, mientras nos blindábamos contra los reporteros congregados en la puerta del tribunal, justo al final de la calle. Klein llevaba un traje gris con su habitual cuello alto negro. Nada de corbata, ni siquiera para el palacio de justicia. El traje, especialmente los pantalones, le quedaban muy anchos. Debía de ser la pesadilla de todos los sastres, con ese cuerpo delgado y sin trasero. Llevaba las gafas colgadas al cuello con una sarta de abalorios hindúes. Cargaba con su antiguo maletín de cuero, tan desgastado como una silla de montar vieja. A cualquiera que no fuera de ese mundo, Klein sin duda le habría parecido inapropiado para aquel trabajo. Demasiado pequeño, demasiado manso. Pero tenía algo. Yo pensaba que su pelo canoso peinado hacia atrás, su perilla blanca y esa sonrisa benevolente le conferían cierta magia. Transmitía una sensación de calma y Dios sabe que la necesitábamos.

Klein echó una mirada al final de la calle donde los periodistas ganduleaban y charlaban, como una manada de lobos husmeando, en busca de algo que hacer.

—Bien —dijo—. Andy, tú ya has pasado por esto, pero nunca desde este bando. Laurie, todo esto será nuevo para ti. De manera que voy a leeros la cartilla a los dos.

Extendió la mano para tocar la manga de Laurie. Se diría que el sobresalto doble del día anterior, la detención de Jacob y la maldición Barber, la había dejado destrozada. Habíamos hablado muy poco esa mañana mientras desayunábamos, nos vestíamos y nos preparábamos para el tribunal. Por primera vez me pasó por la cabeza que nos encaminábamos al divorcio. Pasara lo que pasara con el juicio, Laurie me dejaría cuando terminara. Me di cuenta de que estaba observándome, tomando una decisión. ¿Qué significaba descubrir que se había casado conmigo engañada? ¿Debía sentirse traicionada? ¿O reconocía que ese nerviosismo significaba que yo tenía razón, que las chicas como ella no se casan con chicos como yo? En cualquier caso, me pareció que la caricia de Jonathan la calmaba. Consiguió dedicarle una sonrisita fugaz, y después volvió a su expresión llorosa.

Klein:

—A partir de ahora, desde el momento en que lleguemos al tribunal hasta que volváis esta noche a casa y cerréis la puerta, no quiero que expreséis nada. Ninguna emoción. Siempre cara de póquer. ¿Entendido?

Laurie no contestó. Parecía aturdida.

—Yo tieso como un muerto —le aseguré.

—Bien. Porque cualquier expresión, cualquier reacción, cualquier destello de emoción será interpretado en contra vuestra. Si reís dirán que no os tomáis en serio el proceso. Si ponéis mala cara, dirán que sois hoscos, que no os arrepentís y que os ofende que os lleven a juicio. Si lloráis dirán que fingís.

Miró a Laurie.

—Vale —dijo ella, menos segura de sí misma, especialmente de aquella última parte.

—No contestéis ninguna pregunta. No tenéis por qué. En televisión solo importan las imágenes; es imposible saber si habéis oído una pregunta que os han planteado a gritos. Lo más importante, y hablaré con Jacob de esto cuando le vea en el calabozo: ninguna muestra de enfado, por parte de Jacob en particular; eso confirmaría las peores sospechas de la gente. Debéis recordar que desde su punto de vista, a los ojos de *todo el mundo*, Jacob es culpable. *Todos* lo sois. Lo único que buscan es algo que confirme lo que ya saben. Cualquier insignificancia lo hará.

Laurie dijo:

—Es un poco tarde para preocuparnos por nuestra imagen pública, ¿verdad?

Aquella mañana el *Globe* había publicado este titular en primera página: EL HIJO ADOLESCENTE DE UN FISCAL ACUSADO DEL CRIMEN DE NEWTON. El *Herald* era sensacionalista, pero hay que reconocer que era directo. En la portada del tabloide aparecía una vista general de lo que parecía ser el lugar del crimen, un barranco desierto en un bosque, con una fotografía de Jacob que debían de haber sacado de la web, y la palabra MONSTRUO. El pie de foto era un juego de palabras: «Fiscal en el banquillo acusado de encubrimiento mientras desenmascaran a su propio hijo adolescente por un apuñalamiento mortal en Newton».

Laurie tenía parte de razón: después de aquello, poner cara de póquer al entrar en el tribunal parecía un tanto inadecuado.

Pero Klein se limitó a encogerse de hombros. Las normas eran incuestionables. Era como si las hubiera escrito el dedo de Dios en una tabla de piedra. Klein dijo con su pose tranquila y sensata:

—Haremos lo que podamos con lo que tenemos.

De manera que hicimos lo que nos dijo. Seguimos andando a través de la turba de representantes de la prensa que nos esperaba frente al tribunal. No mostramos la menor emoción, no contestamos preguntas, fingimos no oír las que nos gritaron a poca distancia. Ellos siguieron vociferándolas de todos modos. Los micrófonos se erizaban a nuestro alrededor y nos increpaban. «¿Cómo están?». «¿Qué le dice a la gente que confió en usted?». «¿Algo que decir a la familia de la víctima?». «¿Jacob es el responsable?». «Lo único que queremos es oír su versión». «¿Declarará él?». Uno, intentando provocar, dijo: «Señor Barber, ¿qué siente al estar en el otro bando?».

Cogí a Laurie de la mano y cruzamos el vestíbulo. Sorprendentemente, en el interior el ambiente estaba tranquilo, incluso normal. Aquí la prensa estaba prohibida. En el control de seguridad del vestíbulo, la gente se apartó para dejarnos pasar. Los alguaciles que solían saludarme con una sonrisa hicieron ahora un gesto displicente, y examinaron las monedas que llevaba en el bolsillo.

En el ascensor volvimos a quedarnos solos brevemente. Mientras subíamos al sexto piso, donde estaba la sala de la audiencia, cogí la mano de Laurie, separando sus dedos a tientas para acoplarla a la mía. Mi mujer era bastante más baja que yo, de manera que para cogerle la mano tuve que levantársela a la altura de mi cadera. Con lo cual ella tenía que doblar el codo, como si estuviera consultando el reloj. En su cara apareció una expresión de desagrado; pestañeó y apretó los labios. Fue algo casi imperceptible, un micromovimiento, pero yo lo noté y le solté la mano. Las puertas del ascensor temblaron mientras la caja subía. Klein, discreto, no apartó la vista del panel de botones.

Las puertas traquetearon cuando se abrireron y nosotros avanzamos a través del abarrotado pasillo hasta la sala 6B, y esperamos en el banco que había en el centro, hasta que se viera nuestro caso.

Hubo una pausa incómoda hasta que el juez se sentó en el estrado. Nos habían dicho que nuestro caso se vería a las diez en punto de la mañana, para que el tribunal pudiera ocuparse de nosotros —y del circo de periodistas y mirones—, y volver inmediatamente a sus cosas. Nosotros llegamos a la sala hacia menos cuarto. El tiempo de espera se hizo eterno. Como si pasaran mucho más de quince minutos. Un montón de abogados, la mayoría de los cuales yo conocía de sobra, se quedaron detrás, creando una especie de campo magnético alrededor nuestro.

Paul Duffy estaba allí, apoyado en la pared junto a Logiudice y un par de tipos de la CPAC. Duffy —que era prácticamente el tío de Jacob— me echó una mirada cuando nos sentamos y se dio la vuelta. Yo no me ofendí. No me sentí rechazado. Aquellas cosas tenían su protocolo, simplemente. Duffy tenía que apoyar al equipo local. Era su trabajo. Cuando exculparan a Jacob, puede que volviéramos a ser amigos o puede que no. De momento la amistad quedaba en suspenso. Sin rencor, como tenía que ser. Yo sabía que Laurie no estaba tan conforme con los desaires de Duffy o de cualquiera. Para ella era espantoso que se rompieran las amistades. Nosotros éramos las mismas personas *después* que *antes*, y como no habíamos cambiado era fácil que ella olvidara que los demás nos veían —a todos, no solo a Jacob— de una forma totalmente nueva. Laurie sentía que, como mínimo, la gente tenía que darse cuenta de que, al margen de lo que podía haber hecho Jacob, ella y yo éramos claramente inocentes. Yo jamás compartí esa fantasía.

La sala de audiencias 6B tenía una tribuna extra para dar cabida a jurados numerosos, y aquella mañana habían instalado en dicha tribuna una cámara de televisión para filmar el vídeo que compartirían todas las cadenas locales. Mientras esperábamos, el cámara mantuvo el objetivo apuntando hacia nosotros. Nosotros permanecimos con las máscaras inexpresivas propias de los acusados, no nos dijimos nada, apenas pestañeamos. No es fácil que te observen durante tanto rato, y yo empecé a fijarme en pequeños detalles, como hace uno durante las pausas largas. Examiné mis propias manos, que eran grandes y pálidas, con nudillos ásperos y prominentes. No eran las manos de un abogado, pensé. Era raro verlas junto a las mangas de mi propia chaqueta. Aquel cuarto de hora de espera, mientras nos observaban en la sala del tribunal —una sala que había sido mi sitio, una estancia en la que me sentía tan cómodo como en mi propia cocina—, fue casi peor que lo que vino a continuación.

A las diez irrumpió con su toga negra la jueza de la primera comparecencia. La jueza Rivera era una jueza terrible pero a nosotros nos convenía. Para que lo entiendan. La sala de audiencias 6B, el tribunal de primera instancia, era un destino difícil para los jueces, que rotaban cada pocos meses. El deber del juez de primera instancia era hacer que los trenes circularan a su hora: asignar casos a otros tribunales, de manera que la carga de trabajo se repartiera equitativamente, reducir la lista de casos, engatusando a acusados y fiscales reticentes para que pactaran, y resolver la carga burocrática cotidiana de los casos con la mayor eficiencia posible. Era un trabajo agotador: delegar, rechazar, aplazar. Lourdes Rivera pasaba de los cincuenta, parecía exhausta, y espectacularmente inapropiada como jueza responsable de que los trenes fueran puntuales. Ella apenas conseguía llegar puntual al juzgado con la toga bien puesta y el móvil desconectado. Los abogados la despreciaban. Se quejaban de que seguramente había conseguido el puesto porque era guapa y se había casado en el momento oportuno con un abogado con contactos políticos, o porque aumentaba la cuota de latinos en la judicatura. La llamaban Rivera Culo-Gordo. Pero para nosotros no podía haber un juez mejor aquella mañana. La jueza Rivera llevaba menos de cinco años en el tribunal del condado, pero ya tenía cierta fama como jueza procesal en la oficina del fiscal del distrito. La mayoría de los jueces de Cambridge tenían la misma fama: blandos, poco realistas, liberales. Ahora a nosotros todo eso nos parecía de lo más adecuado, para que nos sonriera la fortuna. Por lo visto un liberal es un conservador que ha sido acusado.

Cuando el funcionario del juzgado anunció la vista de Jacob —«sumario número cero ocho guión cuatro cuatro cero siete, el condado contra Jacob Michael Barber, por una acusación de homicidio en primer grado»—, dos funcionarios del tribunal hicieron entrar a mi hijo desde el calabozo, y se quedó de pie en el centro de la sala, frente a la tribuna del jurado. Echó un vistazo al gentío, nos vio e inmediatamente bajó los ojos al suelo. Avergonzado e incómodo, empezó a toquetearse la chaqueta y la corbata que había escogido Laurie y que Klein le había llevado. Jacob no estaba acostumbrado a llevar chaqueta y parecía sentirse elegante y constreñido a la vez. La chaqueta ya le quedaba pequeña. Laurie solía decir en broma que se hacía mayor tan aprisa que de noche, cuando la casa estaba en silencio, oía cómo le crecían los huesos. En aquel momento no paraba de moverse para que la chaqueta se le asentara en los hombros, pero la tela no daba para tanto. Más adelante, los periodistas atribuirían todos aquellos movimientos a la vanidad de Jacob, diciendo que incluso disfrutaba siendo el centro de atención, una calumnia que oiríamos una y otra vez cuando empezó el juicio de verdad. Lo cierto es que era un chico torpe y que estaba tan aterrado que no sabía qué hacer con las manos. Lo sorprendente es que consiguió estar allí de pie manteniendo cierta compostura.

Jonathan entró a través de la puerta batiente del tribunal, dejó el maletín en la mesa de la defensa y ocupó su sitio al lado de Jacob. Le puso la mano en la espalda, no por Jacob sino para lanzar un mensaje: *Este chico no es un monstruo, no me da miedo tocarle.* Aún más: *Yo no soy un simple profesional que cobra por defender a un cliente desagradable. Yo creo en este chico. Soy su amigo.*

Rivera Culo-Gordo dijo:

—Representante del estado, su turno.

Logiudice se puso de pie frente a la mesa del demandante. Se pasó la palma de la mano a lo largo de la corbata y después se la llevó a la espalda para darle un tironcito al dobladillo de la chaqueta. «Señoría —empezó con pesar—, este es un caso atroz». Pronunció *a-trooz*, y yo comprendí que la verdadera razón por la que las salas de juicio no suelen tener ventanas es para evitar que las partes lancen por ahí a los abogados. Logiudice expuso los hechos del caso, que ya conocía todo el mundo porque lo habían emitido en los noticiarios durante las últimas veinticuatro horas, repetidos y mínimamente embellecidos ahora para una multitud cargada con horcas y antorchas al otro lado de la cámara. Habló incluso con cierta cantinela, como si todos hubiéramos oído esos hechos tantas veces que ya nos aburrían.

Pero cuando Logiudice abordó el tema de la fianza, su tono se volvió lúgubre:

—Señoría, todos conocemos y apreciamos al padre del acusado, que hoy está presente en la sala. Yo conozco personalmente a este hombre. Le he respetado y admirado. Siento mucho afecto y lástima por este hombre, como todos, estoy seguro. Siempre fue el más listo de todos. Las cosas le resultaban muy fáciles. Sin embargo... Sin embargo...

—Protesto.

—Ha lugar.

Logiudice se volvió para mirarme sin girar el cuerpo, solo torció el cuello por encima del hombro.

Las cosas le resultaban muy fáciles. ¿De verdad pensaba eso Logiudice?

—Señor Logiudice —dijo Culo-Gordo—, imagino que sabe que a *Andrew* Barber no se le acusa de nada.

Logiudice volvió a mirar al frente.

—Sí, Señoría.

—Pasemos a la fianza, pues.

—Señoría, el estado solicita una fianza muy alta: cinco mil dólares en efectivo, cinco millones de aval. El estado considera que, dadas las inusuales circunstancias de su situación familiar, este acusado presenta un especial riesgo de fuga dado el salvajismo del crimen, la abrumadora probabilidad de una condena, y la inhabitual experiencia de este acusado, que ha crecido en una familia cuyo negocio es la legislación criminal.

Logiudice continuó con esas gilipolleces durante unos minutos. Parecía que se había aprendido de memoria las frases que ahora exponía sin especial emoción.

Yo seguía repitiéndome mentalmente el comentario que había hecho sobre mí, como si fuera un estribillo. *Siento mucho afecto y lástima por este hombre. Siempre fue el más listo de todos. Las cosas le resultaban muy fáciles.* Parecía que la sala del tribunal había recibido aquello casi como un lapsus, un pequeño homenaje lacrimógeno dicho sin pensar. Estaban conmovidos. Ya habían visto esa escena otras veces: el joven aprendiz desencantado ve a su mentor convertido en un hombre corriente o, peor aún, degradado, caer del pedestal ante sus ojos, etc. Estupideces. Logiudice no era de los que hacían discursos extemporáneos, y menos delante de una cámara. Supuse que había ensayado esa frase frente al espejo. La única pregunta era qué esperaba ganar con eso, cómo pretendía clavarle el cuchillo a Jacob exactamente.

Al final a Culo-Gordo Rivera no le afectó el argumento de la fianza de Logiudice. Fijó la misma cantidad que el día que le arrestaron, unos míseros diez mil dólares, una cifra simbólica que reflejaba el hecho de que Jacob no tenía adónde huir, y que al fin y al cabo la corte conocía bien a su familia.

Logiudice encogió los hombros ante la derrota. Su argumentación sobre la fianza solo había sido de cara a la galería.

—Señoría —dijo inmediatamente—, el estado querría también oponerse a que se admita que el señor Klein comparezca como defensor en este caso. El señor Klein fue contratado anteriormente como abogado por otro sospechoso de este homicidio, un hombre cuyo nombre no mencionaré en audiencia pública. Representar a un segundo acusado en el mismo caso supone un claro conflicto de intereses. El abogado defensor seguramente dispone de información confidencial proporcionada por ese otro sospechoso, que podría repercutir en la defensa de este caso. Deduzco que el acusado está preparando el terreno para una apelación basada en asistencia letrada ineficaz si le declaran culpable.

Esa insinuación de estrategia solapada puso en pie a Jonathan. Era extraordinariamente inusual que un letrado atacara al otro tan abiertamente. Incluso en mitad de un pleito agrio, en la sala siempre se observaba una corrección formal y caballeresca. Jonathan tenía motivos para ofenderse.

—Señoría, si el estado hubiera dedicado tiempo a averiguar los hechos reales, nunca habría lanzado esa acusación. El hecho es que el otro sospechoso en este caso nunca me contrató, ni tuve jamás una conversación con él sobre este tema. Se trata de un cliente que representé hace años, en un asunto totalmente independiente, un cliente que me llamó de pronto para que acudiera a la comisaría de policía de Newton donde le estaban interrogando. Mi única relación con él en este caso fue aconsejarle que no contestara a ninguna pregunta. Nunca volví a hablar con él, ya que no llegaron a acusarle. No me proporcionó ninguna información, ni confidencial ni de otro tipo, ni ahora, ni en ninguna circunstancia anterior que afecte siquiera remotamente a este caso. No hay conflicto de intereses en absoluto.

—Señoría —dijo Logiudice encogiendo los hombros de forma teatral—, mi deber como funcionario del juzgado es informar de una cuestión como esta. Si el señor Klein se ha ofendido...

—¿Su deber es negarle al acusado el abogado que ha escogido? ¿O calificar a este de mentiroso antes de que empiece el juicio siquiera?

—Basta —dijo Culo-Gordo—, los dos. Señor Logiudice, queda constancia de la objeción del estado a admitir la comparecencia del señor Klein como abogado, que se desestima. —Levantó la vista de sus papeles y le echó una mirada por encima del estrado—. No exagere.

Logiudice se limitó a responder con un gesto de disconformidad —inclinó la cabeza, arqueó las cejas—, para no provocar a la jueza. Pero en el juicio paralelo de la opinión pública, probablemente se había marcado un tanto. En los periódicos del día siguiente, en las tertulias de radio, en los chats de Internet que diseccionaban el caso, se debatiría si Jacob Barber intentaba hacer trampas. En cualquier caso, Logiudice nunca tuvo la pretensión de caer bien.

—Asignaré este caso al juez French —concluyó Culo-Gordo Rivera. Le entregó los documentos al secretario del juzgado—. Haremos un descanso de diez minutos. —Frunció el ceño a los cámaras y periodistas del fondo y, tal como había imaginado, a Logiudice.

Rápidamente gestionamos la fianza y nos entregaron a Jacob. Salimos juntos del palacio de justicia entre el acoso de los periodistas, que aparentemente habían aumentado desde que llegamos. Y también se habían vuelto más agresivos: en Thorndike Street intentaron detenernos cortándonos el paso. Alguien —puede que fuera un periodista aunque nadie le vio— le dio un empujón en el pecho a Jacob y le obligó a dar un par de pasos hacia atrás, le provocó para que contestara. Jacob no dijo nada. Mantuvo una cara inexpresiva en todo momento. Incluso los más educados utilizaron una táctica discutible para conseguir que nos paráramos y habláramos. Preguntaban: «¿Pueden simplemente explicarnos qué ha pasado ahí dentro?», como si no lo supieran, como si sus colegas no les hubieran mantenido al tanto de todo el asunto con vídeos editados y mensajes de texto.

Cuando conseguimos doblar la esquina para irnos en coche a casa, estábamos agotados. Laurie en particular parecía exhausta. Se le había empezado a encrespar el pelo por la humedad. Estaba demacrada. No había dejado de perder peso desde la catástrofe y su encantadora cara en forma de corazón estaba ajada. Cuando giré el coche y enfilé el camino de entrada, Laurie gimió: «Oh, Dios mío», y se tapó la boca con la mano.

En la fachada de la casa había un grafiti, escrito con un grueso rotulador negro.

ASESINO
TE ODIAMOS
PÚDRETE EN EL INFIERNO

En letras grandes, mayúsculas y claras, escritas sin ninguna prisa especial. Nuestra casa tenía un revestimiento dividido en piezas y en los bordes de dichas piezas el rotulador se había corrido. Aparte de eso lo habían escrito con pulcritud, a plena luz del día, mientras no estábamos. El grafiti no estaba allí cuando salimos por la mañana, de eso estoy seguro.

Miré arriba y abajo de la calle. Las aceras estaban vacías. Al final de la manzana había aparcado un camión de una brigada de jardineros, y los cortacéspedes y las máquinas para recoger las hojas hacían mucho ruido. Ni rastro de vecinos. Nadie en absoluto. Solo césped verde y cuidado, rododendros con flores rosas y moradas, y a lo largo de la manzana una hilera de arces viejos y enormes que daban sombra a la calle.

Laurie bajó de un salto y corrió hacia la casa, mientras Jacob y yo nos quedábamos mirando el grafiti.

—No dejes que te impresionen, Jake. Solo intentan asustarte.

—Ya lo sé.

—Esto es cosa de algún idiota. Con un idiota solo basta. No es todo el mundo. No es lo que piensa la gente.

—Sí que lo piensan.

—No todo el mundo.

—Claro que sí. No pasa nada, papá. La verdad es que no me importa.

Yo me giré hacia el asiento de atrás para mirarle.

—¿En serio? ¿No te molesta?

—No. —Estaba sentado con los brazos cruzados, los ojos entornados y los labios prietos.

—Si te molestara me lo dirías, ¿verdad?

—Supongo.

—Porque es muy normal sentirse... dolido. ¿Sabes?

Él hizo una mueca de desdén y meneó la cabeza, como un emperador que se niega a conceder una gracia. *No son capaces de herirme.*

—Pues dime qué sientes por dentro ahora mismo, Jake.

—Nada.

—¿Nada? Eso es imposible.

—Como tú dices, esto es cosa de algún gilipollas. Un idiota, lo que sea. Quiero decir que no es que los chicos no hayan dicho nada malo de mí, papá. Pero me lo dicen a la cara. ¿Qué te crees que pasa en el colegio? Esto —apuntó con la barbilla hacia el grafiti—, el método es distinto, simplemente.

Yo le observé un momento. No se movió, solo desvió la mirada hacia la ventanilla del copiloto. Le di una palmadita en la rodilla, aunque me costó llegar y lo único que conseguí fue darle un golpecito en el hueso de la rótula. Entonces pensé que la noche anterior le había aconsejado mal cuando le había dicho que fuera fuerte. Lo que le estaba diciendo con todo aquello era que fuera como yo. Pero ahora que veía que se había tomado mis palabras tan a pecho y se había envuelto en una dureza impostada, como una versión adolescente de Clint Eastwood, lamenté aquel comentario. Yo quería que el otro Jacob, mi hijo bobalicón y torpe, volviera a asomar la cara. Pero era demasiado tarde. En cualquier caso, curiosamente, aquel tipo duro de pacotilla me conmovía.

—Eres muy buen chico, Jake. Estoy orgulloso de ti. Me refiero a cómo aguantaste antes y ahora esto. Eres un buen chico.

Él resopló.

—Sí, vale, papá.

Al entrar, encontré a Laurie a cuatro patas revolviendo entre los productos de limpieza del armario bajo el fregadero de la cocina. Seguía vestida con el traje azul marino que había llevado al tribunal.

—Déjalo, Laurie. Ya lo haré yo. Vete a descansar.

—¿Lo harás tú?, ¿cuándo?

—Cuando quieras.

—Tú dices que harás cosas y luego no las haces. Yo no quiero eso en mi casa. Ni un segundo. No pienso dejarlo ahí.

—He dicho que me ocuparé yo de ello. Por favor. Vete a descansar.

—¿Cómo voy a descansar con esa cosa, Andy? Francamente. ¿Has visto lo que han escrito? ¡En nuestra casa! En nuestra *casa*, Andy, ¿y tú quieres que me vaya a descansar sin más? Fantástico, es fantástico. Vienen hasta aquí y pintan eso en nuestra casa y nadie dice nada, nadie levanta un dedo, ninguno de nuestros jodidos vecinos. —Pronunció todas las letras del improperio, hasta el final, como hace la gente que no está acostumbrada a decir palabrotas—. Deberíamos llamar a la policía. Esto es un delito. ¿O no? Sé que es un delito. Es vandalismo. ¿No vamos a llamar a la policía?

—No. No llamaremos a la policía.

—No. Claro que no.

Encontró una botella de disolvente, después cogió un trapo y lo empapó bajo el grifo.

—Laurie, por favor, deja que lo haga yo. Deja que te ayude, al menos.

—¿Quieres parar? He dicho que lo haré yo.

Se había quitado los zapatos y salió así, descalza y con medias, y fregó y fregó y fregó.

Yo salí con ella, pero no podía hacer otra cosa más que mirar.

Laurie movía el brazo enérgicamente y su pelo rebotaba. Tenía los ojos llorosos y estaba congestionada.

—¿Puedo ayudar, Laurie?

—No. Lo haré yo.

Al final me cansé de mirar y volví dentro. La oí trastear en la fachada de casa durante mucho rato. Consiguió borrar las palabras, pero la tinta dejó un cerco gris en la pintura. Hoy en día sigue ahí.

10

Leopardos

El despacho de Jonathan era un laberinto de cuartitos abarrotados, en un centenario edificio victoriano cerca de Harvard Square. El bufete estaba básicamente en manos de una sola persona. Tenía una socia, una joven llamada Ellen Curtice recién salida de la Facultad de Derecho de Suffolk. Pero la utilizaba solo como suplente, cuando él no podía ir al tribunal (normalmente porque tenía otro juicio en otra parte), y para que se encargara de investigar la jurisprudencia. Por lo visto se sobrentendía que Ellen se iría cuando estuviera preparada para abrir su propio bufete. Por el momento su presencia en el despacho creaba cierto desconcierto. Observaba con sus ojos oscuros y casi siempre en silencio a los clientes que iban y venían: asesinos, violadores, ladrones, pederastas, evasores de impuestos, y todas sus atribuladas familias. Tenía cierto aire de Northampton, un leve radicalismo ortodoxo de universitaria. Yo supuse que juzgaría duramente a Jacob —el chico de barrio rico que desaprovecha todas las ventajas que le han tocado en suerte, o algo así—, pero su actitud no dejó entrever nada. Ellen nos trató con esmerada cortesía. Insistió en llamarme señor Barber y se ofreció a guardarme el abrigo cada vez que fui, como si la menor muestra de cercanía perjudicara su neutralidad.

El único miembro restante del equipo de Jonathan era la señora Wurtz, que llevaba la contabilidad, contestaba al teléfono y, cuando ya no podía soportar el desorden, fregaba de mala gana la cocina y el baño murmurando por lo bajo. Tenía un inquietante parecido con mi madre.

El mejor sitio del despacho era la biblioteca. Había una chimenea de ladrillo rojo y estanterías repletas de libros de leyes antiguos que me eran familiares: informes de los casos federales de Massachusetts, encuadernados en un precioso color verde aceituna. Informes de apelaciones, en el color burdeos del viejo Massachusetts. El historial del bufete.

Fue en ese confortable cubil donde nos reunimos a primera hora de la tarde, poco después de la comparecencia de Jacob, para hablar del caso. Los tres Barber nos sentamos en círculo alrededor de una vieja mesa de roble con Jonathan. Ellen también estaba presente, tomando notas en un cuaderno.

Jacob llevaba una sudadera burdeos con capucha y la silueta de un rinoceronte en el pecho, el logo de la marca de ropa. Cuando empezó la reunión se dejó caer en la silla con la capucha en la cabeza, tenebroso como un druida. Yo le dije: «Jacob, quítate la capucha. No seas maleducado». Él puso mala cara, la apartó de un manotazo, y se quedó ahí sentado con expresión ausente, como si la reunión fuera un asunto de los mayores que a él le interesaba poco.

Laurie, con sus gafas sexis de maestra rural y un jersey de lana ligero, era como miles de madres de familia de las afueras, salvo por la expresión gélida de sus ojos. Pidió un cuaderno para ella, dispuesta a tomar notas como Ellen sin amilanarse. Laurie parecía decidida a conservar la calma, a pensar en el modo de salir del laberinto, a mantener la cabeza clara y activa, incluso durante aquel sueño surrealista. Sinceramente, habría sido más fácil para ella si no se hubiera implicado tanto. Las personas estúpidas y beligerantes lo tienen más fácil en estas situaciones, simplemente son capaces de dejar de pensar y prepararse para la batalla, de confiar en los expertos y en el destino, insistiendo en que al final todo acabará bien. Laurie no era ni estúpida ni beligerante, y al final pagó un precio espantoso, pero me estoy adelantando. Por el momento, verla con su cuaderno y su bolígrafo me recordó inevitablemente nuestra época en la universidad, cuando Laurie era un poco empollona, al menos comparada conmigo. Raramente asistíamos a las mismas clases. No nos interesaban las mismas cosas —a mí me atraía historia, a Laurie psicología, inglés y cine—; en cualquier caso, no queríamos convertirnos en una de esas nauseabundas parejas inseparables que se paseaban por el campus siempre juntos como siameses. La única clase que compartimos en cuatro años fue Introducción a los primeros años de la historia americana de Edmund Morgan, que cursamos en primero cuando acabábamos de empezar a salir. Yo solía robar el cuaderno de notas de Laurie antes de los exámenes, para ponerme al día de las lecciones que me había saltado. Recuerdo que leía boquiabierto sus apuntes de clase, páginas y páginas escritas con una pulida caligrafía. Ella apuntaba literalmente frases largas de las lecciones, resumía el contenido en esquemas que relacionaban conceptos y subconceptos, añadía las ideas propias que se le ocurrían. No había tantos garabatos, tachaduras y flechas en zigzag como los que llenaban mis apuntes de clase caóticos, descuidados y ridículos. De hecho, aquel cuaderno de apuntes de las clases de Edmund Morgan fue uno de los elementos que configuraron la revelación que experimenté al conocer a Laurie. Lo que me impresionó, probablemente, no fue solo que era más inteligente que yo. Yo venía de una ciudad pequeña —Watertown, Nueva York— y ya estaba preparado para eso. Daba absolutamente por sentado que en Yale estaría rodeado de chicos listos y sofisticados como Laurie Gold. Los había estudiado leyendo los relatos de Salinger y viendo *Love Story* y *Vida de un estudiante.* No, la revelación que experimenté con los apuntes de Laurie no fue que era inteligente sino que no podías conocerla. Era tan compleja como yo. De niño, yo siempre había creído que ser Andy Barber tenía un componente dramático, pero la experiencia interna de ser Laurie Gold debía de haber estado también llena de secretos y penas. Ella siempre sería un misterio, como lo son todas las personas. Por mucho que intentara penetrar en ella, hablándole, besándola, clavándome a mí mismo en su interior, lo máximo que conseguí fue conocerla solo un poquito. Reconozco que como conclusión es un poco infantil —no puedes conocer a nadie que valga la pena conocer, no es posible poseer a alguien que valga la pena poseer—, pero al fin y al cabo éramos todos unos críos.

—Bien —dijo Jonathan, levantando la vista de sus papeles—, esto es solo el material inicial que ha mandado Neal Logiudice. Lo único que tengo es la acusación y algunos informes policiales, así que obviamente aún no tenemos todas las pruebas procesales. Pero disponemos de una impresión general de los cargos contra Jacob. Al menos podemos empezar a hablar e intentar hacernos una imagen de cómo será el juicio. Podemos empezar concluyendo qué tenemos que hacer desde ahora hasta ese momento.

»Jacob, antes de que empecemos, hay un par de cosas en particular que quiero decirte.

—Vale.

—Primero, aquí tú eres el cliente. Eso quiere decir que, en la medida de lo posible, decides tú. Ni tus padres, ni yo, ni ninguna otra persona. Este es *tu* caso. *Tú* lo controlas todo, siempre. No pasará nada con lo que no estés de acuerdo. ¿Vale?

—Vale.

—Salvo que quieras dejar las decisiones en manos de tu padre o de tu madre o en las mías, algo perfectamente comprensible. Pero no debes pensar que no tienes nada que decir en tu propio caso. La ley te trata como a un adulto. Para bien o para mal, la ley de Massachusetts establece que cualquier chico de tu edad acusado de homicidio reciba el mismo trato que un adulto. De manera que yo haré todo lo posible para tratarte también como a un adulto. ¿De acuerdo?

—Vale —dijo Jacob.

Sin malgastar ni una sílaba. Si Jonathan esperaba un torrente de gratitud, se había equivocado de chaval.

—La otra cosa es que no quiero que te agobies. Quiero que estés avisado: en todos los casos como este, siempre hay un momento tipo «oh, mierda». Cuando analizas el caso que tienes delante, ves todas las pruebas, toda esa gente del equipo del fiscal del distrito, oyes todas esas cosas que el fiscal del distrito está diciendo en el tribunal y te entra el pánico. Te desesperas. Hay una vocecita en tu interior que dice: «¡Oh, mierda!». Quiero que entiendas que eso pasa siempre. Si todavía no te ha pasado a ti, te pasará. Y lo que quiero que recuerdes, cuando tengas esa sensación de «oh, mierda», es que aquí mismo, en esta habitación, tenemos recursos suficientes para ganar. No hay razón para el pánico. No importa lo potente que sea el equipo del fiscal del distrito, ni lo sólida que parezca la acusación, ni la confianza que aparente Logiudice. Nosotros no estamos desarmados. Hemos de conservar la calma. Y si lo hacemos, tenemos todo lo que necesitamos para ganar. Ahora contéstame, ¿te lo crees?

—No sé. No mucho, me parece.

—Bien, pues lo que te digo es verdad.

Jacob bajó la mirada.

Un microgesto, un mohín de decepción, apareció en la cara de Jonathan.

Fin de la arenga.

Y para pasar a otra cosa se colocó las gafas de lectura y hojeó los documentos que tenía delante, en su mayoría fotocopias de informes policiales y la «exposición de la acusación» presentada por Logiudice, que detallaba los puntos esenciales de las pruebas del fiscal. Sin la chaqueta, con el mismo jersey de cuello alto que había llevado en el juicio, los hombros de Jonathan se veían huesudos y endebles.

—La teoría —dijo—, por lo visto, es que Ben Rifkin te acosaba y que por lo tanto tú cogiste un cuchillo y en cuanto se te presentó la ocasión, o quizás cuando la víctima se excedió en su acoso, te vengaste. No parece que haya ningún testigo presencial. Una mujer que paseaba por Cold Spring Park te sitúa en esa zona aquella mañana. Otra persona que estaba en el parque oyó gritar a la víctima: «Para, me haces daño», pero no vio nada. Y un compañero de clase —Logiudice usa esta expresión, *un compañero de clase*— dice que tú tenías un cuchillo. El nombre de ese compañero de clase no aparece en los informes que tengo aquí. ¿Tienes idea de quién puede ser, Jacob?

—Es Derek. Derek Yoo.

—¿Por qué lo dices?

—Dijo lo mismo en Facebook. Lleva tiempo diciéndolo.

Jonathan asintió, pero no formuló la pregunta obvia: ¿es verdad?

—Bien —dijo—, es una acusación muy circunstancial. Está la huella dactilar, de la cual quiero que hablemos. Pero las huellas dactilares son un tipo de prueba muy limitado. No hay forma de saber exactamente cuándo o cómo apareció la huella allí. A menudo la explicación es de lo más inocente.

Dejó caer ese comentario como si nada, sin levantar la mirada.

Yo me estaba consumiendo.

Laurie dijo:

—Hay otra cosa.

Hubo una sensación curiosa en la sala. Una sacudida.

Laurie echó una mirada de recelo alrededor de la mesa. De pronto tenía la voz ronca, tomada.

—¿Y si dicen que Jacob ha heredado algo, una especie de enfermedad?

—No entiendo. ¿Heredado qué?

—Violencia.

Jacob:

—¿Qué?

—No sé si mi marido te lo ha contado. Nuestra familia tiene un historial de violencia. Por lo visto.

Me fijé en que había dicho *nuestra familia*, en plural. Me agarré a eso para no caerme por un precipicio.

Jonathan reclinó la espalda, se quitó las gafas, las dejó colgando del cordón, y la miró con desconcierto.

—No Andy y yo —dijo Laurie—. El abuelo de Jacob, su bisabuelo, su tatarabuelo, etcétera.

Jacob:

—Mamá, ¿de qué hablas?

—Es que... me pregunto si podrían decir que Jacob tiene una... una tendencia. Una... tendencia genética.

—¿Qué clase de tendencia?

—A la violencia.

—¿Una tendencia *genética* a la violencia? No. Claro que no. —Jonathan meneó la cabeza y después le picó la curiosidad—. ¿Del padre y abuelo de quién estamos hablando?

—De los míos.

Yo noté que enrojecía, noté el calor que me subía por las mejillas, por las orejas. Estaba avergonzado y avergonzado de estar avergonzado, de mi falta de autocontrol. Y avergonzado, también, porque Jonathan estaba viendo cómo mi hijo se enteraba de aquello allí mismo, y yo quedaba como un mentiroso, un mal padre. Y solo en último término, me sentía avergonzado ante mi hijo.

Jonathan desvió la mirada de forma ostensible para darme tiempo a recuperarme.

—No, Laurie, este tipo de prueba no sería en absoluto admisible. De todas maneras y por lo que yo sé, eso de la tendencia genética a la violencia no existe. Y aunque en el pasado familiar de Andy haya violencia, su vida personal y su buen carácter demuestran que esa tendencia no existe. —Me miró para asegurarse de que había captado la confianza que emanaba de su voz.

—Yo no dudo de Andy. Dudo de Logiudice, el fiscal. ¿Y si lo averigua? Esta mañana lo he buscado en Google, y ha habido casos en los que se ha utilizado este tipo de pruebas de ADN. Dicen que influye en la agresividad del acusado. Lo llaman «el gen homicida».

—Esto es una ridiculez. ¡El gen homicida! Seguro que no encontraste ningún caso de esos en Massachusetts.

—No.

Yo intervine:

—Jonathan, está ofuscada. No habíamos hablado de esto hasta anoche. La culpa es mía. No debería haberla agobiado con esto ahora.

Laurie se irguió para demostrar lo equivocado que estaba yo: mantenía el control, no se dejaba llevar por las emociones.

Jonathan dijo con tono conciliador:

—Laurie, lo único que puedo decirte es que si intentan utilizar ese argumento, lucharemos con uñas y dientes. No tiene ningún sentido. —Resopló y movió la cabeza, lo cual para un tipo pausado como él era como un arrebato de cierta violencia.

E incluso ahora, al recordar aquel momento en que la idea del «gen homicida» surgió por primera vez, en boca de Laurie nada menos, noto que se me tensa la espalda, noto cómo la ira sube por mi columna vertebral. El gen homicida no solo era una idea despreciable o una calumnia, aunque obviamente era ambas cosas. También me ofendía como abogado. Vi inmediatamente el atraso cultural que había en ello, la forma como manipulaba la verdadera ciencia del ADN y los componentes genéticos del comportamiento, y la revestía con ciencia barata de picapleitos sórdidos, un lenguaje cínico y seudocientífico, cuyo verdadero objetivo era manipular jurados, confundirles con una pátina de certeza científica. El gen homicida era una mentira. Una treta de abogado tramposo.

También era una idea profundamente subversiva. Menoscaba la premisa principal de la legislación criminal. En un juicio lo que se castiga es la intención criminal —la *mens rea*, la mente culpable—. Existe una antigua ley: *Actus non facit reum nisi mens sit rea* («el acto no genera la culpa a menos que la mente sea también culpable»). Esa es la razón por la que no condenamos ni a niños, ni a borrachos, ni a esquizofrénicos:

porque son incapaces de *decidir* cometer un crimen con un conocimiento real del significado de sus actos. El libre albedrío es tan importante para la ley como lo es para la religión o para cualquier otro código moral. No castigamos al leopardo por ser salvaje. ¿Logiudice tendría las narices de utilizar de todos modos el argumento de la «maldad innata»? Yo estaba convencido de que lo intentaría. Fuera o no cierto científica o legalmente, lo susurraría al oído del jurado como un cotilla que cuenta un secreto. Encontraría la manera.

Al final Laurie tenía razón, claro: el gen homicida nos perseguiría, aunque no exactamente como ella esperaba. Pero en aquella primera reunión, Jonathan y yo, formados en la tradición humanista de la ley, lo rechazamos instintivamente. Nos reímos de aquello. Pero la idea había calado en la mente de Laurie y en la de Jacob también.

Mi hijo estaba con la boca abierta, literalmente.

—¿Alguno de vosotros piensa decirme de qué estáis hablando?

—Jake —empecé, pero no me salían las palabras.

—¡Qué! ¡Que alguien me lo cuente!

—Mi padre está en la cárcel. Lleva allí bastante tiempo.

—Pero si tú no conociste a tu padre.

—Eso no es del todo verdad.

—Pero tú lo *decías.* Siempre lo has dicho.

—Sí, lo dije. Y lo siento. Es verdad que no le conocí *realmente*. Pero sabía quién era.

—¿Me mentiste?

—No te dije toda la verdad.

—Me mentiste.

Meneé la cabeza. Todos los motivos, todas las cosas que había sentido de niño, en este momento me parecían ridículos e inadecuados.

—No sé.

—Caray. ¿Y qué hizo?

Suspiro profundo.

—Mató a una chica.

—¿Cómo? ¿Por qué? ¿Qué pasó?

—La verdad es que no tengo ganas de hablar de eso.

—¿No tienes ganas de hablar de eso? ¡Una mierda no quieres hablar de eso!

—Era una mala persona, Jacob, y ya está. Dejémoslo así.

—¿Y por qué no me lo habías contado nunca?

—Jacob —intervino Laurie en voz baja—, yo tampoco lo sabía. Me enteré anoche. —Apoyó una mano en la del chico y le acarició—. No pasa nada. Todavía estamos intentando digerir todo esto. Intenta no perder la calma, ¿vale?

—Es que... No puede ser verdad. ¿Cómo es que nunca me lo contaste? Es mi... ¿qué?... ¿Mi abuelo? ¿Cómo pudiste esconderme eso? ¿Quién te crees que eres?

—Jacob. Vigila cómo le hablas a tu padre.

—No, no importa, Laurie. Jacob tiene derecho a estar enfadado.

—¡*Estoy* enfadado!

—Jacob, no te lo conté, —no se lo conté a nadie—, porque me daba miedo que la gente me mirara de forma distinta. Y ahora lo que me da miedo es cómo la gente te mirará a ti. Yo no quería que pasara esto. Un día, quizás muy pronto, lo entenderás.

Me miró atónito, insatisfecho.

—No pretendía que las cosas fueran así. Quería... quería olvidar el pasado.

—Pero papá, se trata de quién soy yo.

—Yo no lo veía así.

—Yo tenía derecho a saberlo.

—Yo no lo veía así, Jake.

—¿Yo *no tenía* derecho a saberlo? ¿De mi propia familia?

—Tenías derecho a *no* saberlo. Tenías derecho a empezar de cero, a ser lo que quisieras ser, como cualquier otro crío.

—Pero yo *no era* como cualquier otro crío.

—Claro que lo eras.

Laurie desvió la mirada.

Jacob se echó hacia atrás en la silla. Parecía más sorprendido que ofendido. Las preguntas, las quejas, solo eran un modo de canalizar sus sentimientos. Estuvo allí sentado un rato, sumido en sus pensamientos.

—No me lo *creo* —dijo, apabullado—. No me lo creo. No me creo que *hicieras* eso.

—Mira, Jacob, si quieres enfadarte conmigo por haber mentido, vale. Pero mis intenciones eran buenas. Es algo que hice por ti, incluso antes de que nacieras. Lo hice por ti.

—Venga ya. Lo hiciste por ti mismo.

—Lo hice por mí mismo, sí, y por mi hijo, por el hijo que esperaba tener algún día, para facilitarle un poco las cosas a él. Por *ti*.

—Pues no funcionó demasiado bien, ¿eh?

—Yo creo que sí. Creo que tu vida ha sido más fácil de lo que habría sido. Eso espero, sinceramente. Para mí ha sido más fácil, eso seguro.

—Papá, mira dónde estamos.

—¿Y?

No dijo nada.

Laurie apuntó con voz melosa:

—Jacob, hemos de ir con cuidado con cómo hablamos unos con otros, ¿vale? Intenta entender la posición de tu padre aunque no estés de acuerdo. Ponte en su lugar.

—Mamá, lo has dicho tú: tengo el gen homicida.

—Yo no dije eso, Jacob.

—¡Implícitamente, claro que lo dijiste!

—Jacob, sabes que no dije eso. Ni siquiera creo que eso exista. Yo hablaba de otros juicios sobre los que leí.

—No pasa nada, mamá. Es un *hecho*. Si no te hubiera preocupado no lo habrías buscado en Google.

—¿Un hecho? ¿Cómo es que ahora de repente sabes que es un hecho?

—Deja que te pregunte una cosa, mamá: ¿por qué la gente solo quiere hablar de heredar cosas buenas? Si un atleta tiene un hijo que es bueno en deportes, nadie tiene ningún problema en decir que el chaval ha heredado sus cualidades. Cuando un músico tiene un hijo con dotes musicales, o un profesor con un hijo inteligente, lo que sea. ¿Por qué esto es diferente?

—No lo sé, Jacob. Es diferente.

Jonathan —que llevaba tanto rato sin hablar que yo casi había olvidado que estaba presente— dijo con calma:

—La diferencia es que tener dotes para el deporte o la música, o ser inteligente no es un crimen. Hemos de ser muy cuidadosos y no etiquetar a la gente por lo que *son* en lugar de por lo que *hacen*. La historia está llena de situaciones muy desagradables provocadas por ese tipo de cosas.

—¿Y qué hago si resulta que esto es lo que yo *soy?*

Yo:

—Jacob, ¿qué estás diciendo, exactamente?

—¿Y si yo tengo esa cosa dentro y no puedo evitarlo?

—Tú no tienes nada dentro.

Él meneó la cabeza.

Hubo un silencio muy largo, de unos diez segundos más o menos, que parecieron muchos más.

—Jacob —dije yo—, eso del «gen homicida» solo es una expresión. Es una metáfora, lo entiendes, ¿verdad?

Encogió los hombros.

—No sé.

—Jacob, estás equivocado, ¿vale? Aunque un asesino tuviera un hijo que también fuera un asesino, para encontrar una explicación no habría que recurrir a la genética.

—¿Y *tú* cómo lo sabes?

—Oh, pues porque he pensado en eso, créeme, Jacob. Te aseguro que he pensado en eso. Pero es que no puede ser. Piénsalo un momento: si Yo-Yo Ma tuviera un hijo, ese niño no nacería sabiendo tocar el violoncelo. Tendría que aprender a tocar ese instrumento igual que cualquiera. Lo máximo que puedes heredar es la aptitud, potencial. Lo que hagas con eso, en lo que te conviertas, es cosa tuya.

—¿Tú heredaste el talento de tu padre?

—No.

—¿Cómo lo sabes?

—Mírame. Mira mi vida, como dice Jonathan. Tú me conoces. Has vivido catorce años conmigo. ¿He sido alguna vez violento? ¿Una sola vez?

Él volvió a encogerse de hombros, impertérrito.

—A lo mejor es que nunca aprendiste a tocar el violoncelo, simplemente. Eso no quiere decir que no tengas talento.

—¿Qué quieres que diga, Jacob? Es imposible demostrar una cosa así.

—Ya lo sé. Ese es mi problema, también. ¿Cómo sé lo que tengo dentro?

—No tienes nada dentro.

—Te diré una cosa, papá: creo que tú sabes perfectamente cómo me siento ahora mismo. Sé exactamente por qué estuviste tanto tiempo sin contarle a nadie todo esto. No era por lo que *ellos* pudieran pensar sobre ti.

Jacob se inclinó hacia atrás y puso las manos juntas sobre

el estómago, dando por terminado el tema. Se había aferrado a la idea del gen asesino y a partir de ese momento ya no la soltó. Yo también dejé correr el tema. No tenía sentido soltarle un sermón sobre la ausencia de límites del potencial humano. Como todos los de su generación, Jacob prefería por instinto las explicaciones científicas a las verdades eternas. Sabía lo que pasaba cuando la ciencia choca contra creencias sobrenaturales.

11

Correr

Yo no soy un buen corredor. Tengo las piernas demasiado pesadas, soy demasiado grande y robusto. Tengo la constitución de un matarife. Y sinceramente, no disfruto demasiado corriendo. Lo hago porque tengo que hacerlo. Si no, engordo; es una desgraciada tendencia que heredé de mi familia materna, toda una estirpe de fornidos campesinos de Europa del Este, Escocia y otros lugares ignotos. Así que casi todas las mañanas, hacia las seis o seis y media, yo trotaba por las calles y por los caminos para corredores de Cold Spring Park, hasta haberme machacado durante cinco kilómetros diarios.

Estaba decidido a seguir haciéndolo cuando acusaron a Jacob. Sin duda los vecinos habrían preferido que los Barber no asomáramos la cara, especialmente en Cold Spring Park. Y en cierta forma les complací. Corría a primera hora de la mañana. Me mantenía a distancia de los demás, bajaba la cabeza como un fugitivo cuando me cruzaba con un corredor que iba en dirección contraria. Y naturalmente nunca corría cerca del lugar del crimen. Pero desde el principio decidí, por mi propio bien, que conservaría esa faceta de mi vida anterior.

A la mañana siguiente de nuestra primera reunión con Jonathan, experimenté ese oxímoron, esa cosa elusiva llamada «una buena carrera». Me sentía rápido y ligero. Por una vez, correr no consistía en subir y bajar dando saltitos, sino que era —y no pretendo ponerme poético— como volar. Sentía mi cuerpo propulsado hacia delante con una especie de facilidad natural, y ávido de velocidad, como si siempre hubiera estado destinado a sentirme así. No sé exactamente por qué pasó, aunque sospecho que la ansiedad del caso impregnó de adrenalina mi sistema nervioso. Recorrí Cold Spring Park, húmedo y frío, a toda velocidad, a lo largo de las curvas que dibujan el perímetro del parque, saltando por encima de raíces, piedras y charcos de agua de lluvia, y chapoteando sobre las extensiones de lodo que salpican el parque en primavera. De hecho me sentía tan bien que me pasé mi salida habitual y me adentré un poco más en el bosque hasta el principio del parque. Y desde allí, con solo una vaga intención y apenas un plan en la cabeza, pero con la convicción —progresivamente convertida en certeza— de que Leonard Patz era el hombre, salí al aparcamiento de los apartamentos Windsor.

Anduve un poco por el aparcamiento. No tenía ni la menor idea de cuál era el apartamento de Patz. Los edificios eran simples bloques de ladrillo rojo de tres pisos.

Encontré el coche de Patz, un Ford Probe oxidado de los años noventa de color morado, cuya descripción recordaba de su expediente, entre otros detalles que Duffy había empezado a reunir. Era exactamente el tipo de coche que debía conducir un pederasta. La encarnación del vehículo de un pedófilo es precisamente un Ford Probe morado de finales de los noventa.

Era como llevar la bandera de la NAMBLA* atada a la antena, era el coche ideal para aquel hombre. Patz había decorado su pedomóvil con una serie de pegatinas encantadoras: «Enseñar a los niños» en una placa de matrícula de Massachusetts personalizada, adhesivos de los Red Sox y de la World Wildlife Fund, con su adorable panda como logotipo. Ambas puertas estaban cerradas. Me apoyé en la ventanilla del conductor y ahuequé las manos para poder echar un vistazo. El interior estaba deteriorado pero impecable.

En la entrada del edificio de apartamentos más cercano localicé el timbre de su piso, «PATZ, L».

Empezaba a haber movimiento en el complejo residencial. Unos cuantos inquilinos salían para coger el coche o para dar un breve paseo hasta el Dunkin' Donuts del final de la calle. La mayoría iban vestidos para ir al trabajo. Una mujer que salió del edificio de Patz mantuvo la puerta abierta educadamente para dejarme pasar —en las zonas residenciales no hay mejor disfraz para un acosador que tener rasgos caucásicos, ir bien afeitado y llevar ropa para ir a correr—, pero yo lo decliné con gesto de agradecimiento. ¿Qué iba a hacer dentro del edificio? ¿Llamar a la puerta de Patz? No. Todavía no, al menos.

Se me estaba empezando a ocurrir la idea de que el enfoque de Jonathan era demasiado discreto. Pensaba demasiado como un abogado defensor y se contentaba con que el estado cargara con su responsabilidad, con salir airoso de los contrainterrogatorios, con abrir varias brechas en la acusación de Logiudice y argumentar después ante el jurado que sí, había algunas pruebas contra Jacob, pero no eran suficientes. Yo pre-

* North American Man/Boy Love Association (NAMBLA), asociación que lucha para derogar las leyes que establecen un límite de edad para las relaciones sexuales consentidas.

fería atacar siempre. A decir verdad, eso era interpretar erróneamente lo que Jonathan había dicho e infravalorarle. Pero yo sabía —como Jonathan seguramente— que la mejor estrategia es ofrecerle al jurado una versión alternativa. Los miembros del jurado querrían saber, lógicamente, si no fue Jacob, ¿quién fue? Nosotros teníamos que ofrecerles una historia que satisficiera esa ansia. A nosotros los humanos nos convencen más las historias que los conceptos abstractos tipo «carga de la prueba» o «presunción de inocencia». Somos animales que necesitan que la historia se adecue a una forma, y lo hemos sido desde que empezamos a dibujar en las cuevas. Patz sería nuestra historia. Soy consciente de que esto suena calculador y poco honesto, como si todo fuera una cuestión de trucos jurídicos, de manera que déjenme añadir que en este caso la versión alternativa resultó ser cierta: realmente fue Patz. Solo era cuestión de mostrarle la verdad al jurado. Eso fue lo único que yo pretendí respecto a Patz: examinar las pruebas y jugar limpio, como siempre hice. Dirán que me defiendo en exceso, que creo una imagen demasiado virtuosa de mí mismo, que defiendo mi postura ante un jurado. Bien, reconozco que es ilógico: fue Patz porque no fue Jacob. Pero en aquel momento a mí no me parecía ilógico. Yo era el padre del chico. Y el hecho es que tenía razón en sospechar de Patz.

12

Confesiones

Llamar a un psiquiatra fue idea de Jonathan. Nos dijo que era el procedimiento habitual contar con una «valoración de la responsabilidad criminal». Pero una rápida búsqueda en Google reveló que la loquera que escogió era una autoridad en el rol de la herencia genética en la conducta. Pese a lo que había dicho sobre que lo del «gen asesino» era absurdo, Jonathan se estaba preparando para combatir ese extremo por si fuera necesario. Yo estaba convencido de que, al margen del valor científico de la teoría, a Logiudice nunca le permitirían defenderla ante el jurado. El argumento era falaz, un simple lavado de cara con un toque científico de un viejo truco de tribunales, que los abogados llaman «tendencia probada»: el acusado tiende a hacer cosas de ese tipo, así que probablemente en este caso también lo hizo, aunque la acusación no pueda probarlo. Es sencillo: el acusado es un atracador de bancos, aquí ha habido un robo a un banco, todos sabemos qué ha pasado. Es un modo de que la acusación tiente al jurado a condenar, con un guiño y un codazo, aunque sus argumentos sean débiles. Ningún juez permitiría que Logiudice llevara a cabo algo así. E igualmente importante era que la ciencia que estudia la influencia genética en el comportamiento no estaba lo suficientemente madura como para que la admitiera un tribunal. Era un campo nuevo, y la ley va por detrás de la ciencia, voluntariamente. Los tribunales no pueden permitirse el lujo de cometer errores fiándose de teorías punteras que pueden resultar falsas. Yo no culpé a Jonathan por prepararse para desafiar la teoría del gen asesino. Para preparar realmente bien un juicio hay que estar más que preparado; Jonathan tenía que estar listo para cualquier cosa, incluso para la improbable eventualidad de que el juez pudiera admitir como prueba el gen asesino. Lo que me molestó fue que no me contara lo que estaba planeando. No confiaba en mí. Yo me había engañado a mí mismo haciéndome creer que trabajaríamos en equipo, como abogados, colegas de profesión. Pero para Jonathan yo solo era un cliente. Algo peor, era un cliente trastornado y poco fiable, a quien había que despistar.

Nuestras reuniones con la loquera tuvieron lugar en el campus del hospital McLean, la institución psiquiátrica donde la doctora Elizabeth Vogel tenía la consulta. Nos veíamos en una habitación casi vacía, sin libros. Con un mobiliario escaso, consistente en una serie de sillas y unas mesas bajas. Con máscaras africanas colgadas en las paredes.

La doctora Vogel era una mujer grande. No gordinflona, todo lo contrario, ni con la palidez blandengue de una académica, aunque lo fuera. (Daba clases e investigaba en la Facultad de Medicina Harvard además de en McLean). La doctora Vogel tenía las espaldas anchas y una cabeza grande de formas cuadradas. La piel olivácea y en mayo ya estaba muy morena. El cabello corto y muy canoso. Iba sin maquillar y en un lóbulo bronceado llevaba una constelación formada por tres diamantes en hilera. La imaginé los fines de semana escalando montañas bañadas por el sol o luchando por mantenerse de pie contra las olas en la playa de Truro. También era grande porque era una eminencia, una persona importante, y eso hacía que impusiera todavía más. Yo no tenía claro por qué una mujer como esa había escogido el trabajo callado y paciente del psiquiatra. Su actitud traslucía escasa tolerancia ante las tonterías que debía de haber escuchado en gran número. Ella no se limitaba a estar sentada y asentir, como se supone que hacen los psiquiatras. Ella se echaba hacia delante, inclinaba la cabeza como para oírte mejor, como si ansiara una charla sincera, la verdadera historia.

Laurie se lo contó todo de buena gana, sin problemas. Sintió que tenía una aliada natural en aquella figura maternal, en esa experta que explicaría los problemas de Jacob. Como si la doctora estuviera a favor nuestro. Laurie intentó sacar provecho de la experiencia de la doctora Vogel, durante dilatadas sesiones de preguntas y respuestas. La interrogaba: ¿Cómo entender a Jacob? ¿Cómo ayudarle? Ella no tenía ni el vocabulario ni los conocimientos específicos. Quería sacarle esas cosas a la doctora Vogel. Parecía ignorar, o a lo mejor simplemente no le importaba, que quizás la doctora Vogel también le estuviera sacando cosas a ella. Para que quede claro, yo no culpo a Laurie. Ella quería a su hijo y creía en la psiquiatría, en el poder de la conversación. Y por supuesto estaba afectada. Después de varias semanas conviviendo con el hecho de que hubieran acusado a Jacob, la tensión empezaba a asomar y, ante una oyente comprensiva como la doctora Vogel, Laurie era vulnerable. Pero precisamente por todo eso yo no podía limitarme a estar ahí sentado y dejar que sucediera eso. Laurie estaba tan decidida a ayudar a Jacob que casi le ahorcó.

En nuestra primera reunión con la psiquiatra, Laurie hizo la siguiente confesión, francamente alarmante:

—Cuando Jacob era muy pequeño yo casi siempre sabía si estaba de mal humor por su forma de gatear. Ya sé que parece una extravagancia, pero es verdad. Iba como un loco a cuatro patas por el pasillo y yo lo sabía.

—¿Qué sabía?

—Que tenía el día. Que se pondría como una fiera. Que tiraría cosas, que chillaría. Yo no podía hacer nada. Simplemente le metía en la cuna o en el parque y me iba. Le dejaba gritando y revolcándose hasta que se calmaba.

—Todos los niños gritan y se revuelcan, Laurie, ¿o no?

—Así no. De esa manera, no.

Yo dije:

—Eso es una tontería. Era un bebé. Los bebés lloran.

—Andy —apuntó la doctora en voz baja—, déjela hablar. Ya le llegará el turno. Continúe, Laurie.

—Sí, continúa Laurie. Cuéntale que Jacob les arrancaba las alas a las moscas.

—Tiene que perdonarle, doctora. Él no cree en estas..., en hablar sinceramente de temas privados.

—Eso no es verdad. Sí creo.

—Entonces, ¿por qué no lo haces nunca?

—Es un talento que no poseo.

—¿Hablar?

—Quejarse.

—No, eso se llama hablar, Andy, no quejarse. Y es una

habilidad, no un talento; si quisieras podrías aprender. En el tribunal eres capaz de hablar horas y horas.

—Eso es distinto.

—Porque un abogado no tiene que ser sincero. ¿Es eso?

—No, simplemente la situación es distinta, Laurie. Cada cosa en su sitio y en su momento.

—Dios mío, Andy, estamos en el despacho de una psiquiatra. Si este no es el sitio y el momento...

—Sí, pero estamos aquí por Jacob, no por nosotros. No por ti. No deberías olvidarte de eso.

—Me parece que me acuerdo de por qué estamos aquí, Andy. No te preocupes. Sé perfectamente por qué estamos aquí.

—¿Ah, sí? Pues hablas como si no te acordaras.

—No me des lecciones, Andy.

La doctora Vogel dijo:

—Un momento. Quiero dejar clara una cosa. Andy, a mi me contrató el equipo del abogado defensor. Yo trabajo para ustedes. No tienen por qué ocultarme nada. Yo estoy a favor de Jacob. Lo que averigüe aquí servirá únicamente para ayudar a su hijo. Le entregaré un informe a Jonathan y luego todos ustedes decidirán qué hacen con él. La decisión es exclusivamente suya.

—¿Y si queremos tirarlo a la papelera?

—Pueden. La cuestión es que la conversación que mantenemos aquí es absolutamente confidencial. No hay motivo para reprimir nada. No necesita defender a su hijo, en esta sala no. Yo solo quiero la verdad sobre él.

Yo hice una mueca de disgusto. La verdad sobre Jacob. ¿Quién podía decir cuál era? ¿Cuál era la verdad sobre cualquiera?

—Muy bien —dijo la doctora Vogel—. Laurie, estaba usted describiendo a Jacob cuando era un bebé. Me gustaría saber más.

—Desde que cumplió dos años, empezó a haber niños que se hacían daño cuando estaban con él.

Yo miré a Laurie con dureza. Parecía ignorar totalmente los peligros de la franqueza.

Pero Laurie reaccionó desafiándome con una mirada feroz. No sé exactamente qué estaba pensando; desde la noche en que le confesé mi historia secreta ya no hablábamos tanto, ni con tanta espontaneidad. Había surgido un muro entre ambos. Pero ella claramente no estaba de humor para consejos legales. Estaba decidida a hablar.

Dijo:

—Eso pasó varias veces. Un día, en la guardería, Jacob estaba subiéndose a una de esas construcciones para críos, cuando se cayó otro niño. Tuvieron que darle varios puntos. Otra vez una niña salió volando de un tobogán y se rompió el brazo. Un chico que vivía en nuestra calle bajó rodando con el triciclo por una colina empinada. También hubo que darle puntos. Ese chico dijo que Jacob le había empujado.

—¿Con qué frecuencia solían pasar esas cosas?

—Una vez al año, más o menos. Los maestros de la guardería siempre nos decían que no podían perderle de vista ni un segundo. Yo tenía un miedo atroz de que le echaran del centro. ¿Qué íbamos a hacer entonces? Yo en aquel momento todavía trabajaba; necesitábamos esa guardería. En todas las demás había unas listas de espera larguísimas. Si expulsaban a Jacob yo tendría que dejar de trabajar. De hecho nos apuntamos en la lista de otra por si acaso.

—¡Por Dios, Laurie, tenía cuatro años! ¡Hace mucho de eso! ¿De qué estás hablando?

—Andy, francamente, tiene que dejarla hablar, si no esto no servirá de nada.

—Pero está hablando de cuando Jacob tenía cuatro años.

—Andy, comprendo su punto de vista. Pero déjela acabar y después le tocará a usted, ¿de acuerdo? Muy bien. Laurie, me gustaría saber una cosa: ¿qué pensaban de él los demás niños de la guardería?

—Oh, los niños. No lo sé. Jacob iba poco a jugar con otros niños, así que imagino que no les caía especialmente bien.

—¿Y los padres?

—Estoy convencida de que no querían que sus hijos se quedaran solos con él. Pero ninguna mamá me dijo nunca nada. Éramos todas demasiado amables para hacer eso. No criticábamos a los otros niños. La gente amable no hace esas cosas, aunque hablen a espaldas de los demás.

—¿Y usted, Laurie? ¿Qué pensaba del comportamiento de Jacob?

—Yo sabía que tenía un hijo difícil. Lo sabía. Sabía que tenía algún problema de conducta. Era movido, un poco demasiado brusco, un poco demasiado agresivo.

—¿Era abusón?

—No. No exactamente. Es que no pensaba en los demás niños, en lo que sentirían.

—¿Era irascible?

—No.

—¿Malo?

—Malo. No, *malo* tampoco es la palabra. Era más bien..., no sé cómo decirlo exactamente. Pero era como si fuera incapaz de imaginar lo que sentirían los demás niños si les empujaba, así que era... difícil de controlar. Supongo que es eso: era difícil de controlar. Pero hay muchos críos así. Eso nos decíamos en aquella época: «Muchos críos pasan por eso. Es una fase. Cuando Jacob crezca, se le pasará». Lo veíamos así. Cuando algún niño se hacía daño yo me quedaba horrorizada, claro, pero ¿qué podía hacer? ¿Qué *podíamos* hacer?

—¿Usted qué *hizo*, Laurie? ¿Intentó buscar ayuda alguna vez?

—Oh, Andy y yo hablábamos de eso constantemente. Andy siempre me decía que no me preocupara. Yo se lo pregunté al pediatra y él me dijo lo mismo: «No se preocupe, Jake todavía es muy pequeño, se le pasará». Consiguieron que pensara que estaba un poco loca, que era una de esas mamás trastornadas, nerviosas, que siempre están vigilando a sus hijos, que les dan pánico las tiritas y... y la alergia a los cacahuetes. Y Andy y el psiquiatra no paraban de decir: «Se le pasará, se le pasará».

—Pero se le pasó, Laurie. Estabas exagerando. El pediatra tenía razón.

—¿Ah, sí? Cariño, mira dónde estamos. Nunca quieres afrontarlo.

—¿Afrontar qué?

—Que quizás Jacob necesitaba ayuda. Que quizás es culpa nuestra, que deberíamos haber hecho algo.

—¿Hecho qué? ¿Qué más?

Ella bajó la cabeza, desesperada. El recuerdo de aquellos primeros incidentes infantiles la obsesionaba, como si hubiera visto la aleta de un tiburón desapareciendo bajo el agua. Era de locos.

—Laurie, ¿qué insinúas? Estamos hablando de nuestro hijo.

—No insinúo nada, Andy. No conviertas esto en una competición sobre lealtad o en una... pelea. Solo cuestiono lo que hicimos entonces. Quiero decir que no sé cuál era la solución, no tengo ni idea de qué deberíamos haber hecho. A lo mejor Jake necesitaba medicación. O terapia. No lo sé. Pero no puedo evitar pensar que debimos de equivocarnos. Debimos de equivocarnos. Nos esforzamos muchísimo y con la mejor intención. No nos merecemos todo esto. Éramos personas buenas y responsables. ¿Sabes? Lo hicimos todo bien. No éramos demasiado jóvenes. Esperamos. De hecho casi esperamos demasiado: yo tenía treinta y seis años cuando tuve a Jacob. No éramos ricos, pero los dos trabajábamos mucho y teníamos suficiente dinero para darle al crío todo lo que necesitaba. Lo hicimos todo bien y sin embargo aquí estamos. No hay derecho. —Movió la cabeza y murmuró—: Es injusto.

Laurie estaba a mi lado, con una mano apoyada en el brazo de su silla. Pensé en poner mi mano sobre la suya para tratar de tranquilizarla, pero, durante el segundo que tardé en decidirme, ella la retiró y entrelazó ambas manos con fuerza sobre el regazo.

Dijo:

—Cuando pienso en cómo éramos entonces, me doy cuenta de que no estábamos preparados en absoluto. Pero nadie lo está nunca, ¿verdad? Éramos unos críos. No importa la edad que tuviéramos, éramos unos críos. No sabíamos nada de nada y estábamos cagados de miedo como todos los padres primerizos. Y no sé, quizás hicimos cosas mal.

—¿Qué cosas hicimos mal, Laurie? Francamente, eres demasiado dramática. No era tan malo en absoluto. Jacob era un poco revoltoso y brusco. ¿De verdad es algo tan grave? ¡Era un niño pequeño! Hubo niños que se hicieron daño porque los niños de cuatro años se hacen daño. Son torpes y tienen una cabeza enorme que pesa tres veces más que el resto del cuerpo, así que se caen y chocan contra cosas. Se caen de los toboganes y de las bicicletas. Son cosas que pasan. Son como borrachos. En cualquier caso el pediatra tenía razón: Jacob creció y se le pasó. Todas esas historias se acabaron en cuanto se hizo mayor. Te estás machacando, pero no tienes por qué culparte de nada, Laurie. Nosotros no hicimos nada malo.

—Eso es lo que tú siempre decías. Nunca quisiste admitir que hubiera nada extraño. O quizás no lo veías. Quiero decir que no te culpo. No fue culpa tuya. Ahora me doy cuenta. Comprendo lo que estabas pasando, la carga que llevabas en tu interior.

—Oh, no saques eso ahora.

—Andy, tiene que haber sido una carga.

—No lo fue. Nunca. Te lo prometo.

—Vale. Lo que tú digas. Pero has de pensar en la posibilidad de que no vieras a Jacob objetivamente. Tú no eres fiable. La doctora Vogel tiene que saberlo.

—¿Yo no *soy* fiable?

—No, no lo eres.

La doctora Vogel observaba sin decir nada. Conocía la historia de mi pasado, naturalmente. Por eso la contratamos, como experta en maldad genética. Aun así, aquel tema me incomodaba. Me callé, avergonzado.

La psiquiatra dijo:

—¿Es verdad eso, Laurie? ¿El comportamiento de Jacob mejoró al crecer?

—Sí, en algunas cosas. Quiero decir que las cosas mejoraron, desde luego. Los niños que estaban con él ya no se hacían daño. Pero seguía portándose mal.

—¿Cómo?

—Bueno, robaba. Robaba a todas horas, se pasó la infancia robando. En las tiendas, en los grandes almacenes, incluso en la biblioteca. Me robaba a mí. Iba directo a mi bolso. Cuando era pequeño le pillé sisando cosas un par de veces. Hablé con él pero no sirvió de nada. ¿Qué debía haber hecho? ¿Cortarle las manos?

Yo dije:

—Esto es totalmente injusto. No estás siendo justa con Jacob.

—¿Por qué? Estoy siendo sincera.

—No, eres sincera sobre lo que tú *sientes*, porque Jacob tiene problemas y te sientes responsable en cierto modo, así que estás atribuyendo a toda su vida anterior todas esas cosas terribles que simplemente no existieron. Quiero decir que, la verdad: ¿te robaba del monedero? ¿Y qué? No le estás dando a la doctora una descripción justa. Estamos aquí para hablar del proceso jurídico de Jacob.

—¿Y?

—¿Qué tiene que ver sisar con asesinar? ¿En qué cambian las cosas por que se llevara una chuchería o un bolígrafo o lo que sea de una tienda? ¿Qué demonios tiene que ver eso con que a Ben Rifkin le asesinaran brutalmente a puñaladas? Estás juntando esas cosas como si sisar y un asesinato sangriento fueran lo mismo. Y no lo son.

La doctora Vogel dijo:

—Yo creo que lo que Laurie está describiendo es una tendencia a no respetar las normas. Está sugiriendo que el comportamiento de Jacob, por el motivo que sea, no está dentro de los límites de lo que se considera adecuado.

—No. Eso es ser un sociópata.

—No.

—Lo que usted está describiendo...

—No.

—... es un sociópata. ¿Es eso lo que está diciendo? ¿Jacob es un sociópata?

—No. —La doctora Vogel levantó las manos—. Yo no he dicho eso, Andy. Yo no he usado esa palabra. Solo estoy intentando hacerme una idea global de Jacob. No he llegado a ninguna conclusión sobre nada. Tengo la mente totalmente abierta.

Laurie dijo muy seria y vehemente:

—Yo creo que Jacob puede tener problemas. Quizás necesita ayuda.

Yo la miré boquiabierto y moví la cabeza.

—Es nuestro hijo, Andy. Tenemos la responsabilidad de ocuparnos de él.

—Eso es lo que yo estoy intentando.

Laurie tenía los ojos brillantes pero no derramó ni una lágrima. Ya había llorado bastante. Ya llevaba cierto tiempo con esa idea, la había analizado y había llegado a esa espantosa conclusión. *Yo creo que Jacob puede tener problemas.*

La doctora Vogel dijo, con fingida compasión:

—Laurie, ¿tiene usted dudas sobre la inocencia de Jacob?

Laurie se secó los ojos y se sentó muy erguida.

—No.

—Pues lo parece.

—No.

—¿Está segura?

—Sí. Jacob no es capaz de algo así. Una madre conoce a su hijo. Jacob no es capaz de eso.

La psiquiatra asintió, dando por buena la afirmación, aunque no la creyera del todo. Es más, aunque no creyera que Laurie lo creía.

—Doctora, ¿le importa que le haga una pregunta? ¿Usted cree que me equivoqué? ¿Había un patrón de conducta que se me pasó por alto? ¿Podía haber hecho algo más, si hubiera sido mejor madre?

La doctora vaciló apenas un momento. Las dos máscaras que había en la pared sobre ella aullaban.

—No, Laurie. Yo no pienso en absoluto que usted se equivocara. Sinceramente pienso que debería dejar de torturarse. No veo cómo ningún padre hubiera podido detectar algún patrón de conducta, en caso de que lo hubiera, ni forma de predecir que Jacob tendría problemas. Basándome en lo que me ha contado usted hasta ahora, no. A muchos niños les pasan las mismas cosas que le pasaban a Jacob y no significa absolutamente nada.

—Lo hice lo mejor que pude.

—Lo hizo bien, Laurie. No se maltrate así. Andy no se equivoca. ¿Por lo que ha contado hasta ahora? Usted hizo lo que cualquier madre habría hecho. Hizo todo lo que pudo por su hijo. Nadie puede pedirle más.

Laurie mantuvo la cabeza alta, pero se la veía frágil. Era como si vieras que empezaban a aparecer en ella pequeñas grietas que se abrían por todas partes. La doctora Vogel también debió de notar esa fragilidad, pero ella no podía saber hasta qué punto eso era una novedad. Cuánto había cambiado Laurie. Había que conocer realmente y apreciar a Laurie para captar lo que estaba pasando. Hubo un tiempo en que mi mujer leía tanto que sostenía un libro en la mano izquierda mientras se cepillaba los dientes con la derecha; ahora nunca cogía un libro, no era capaz de concentrarse, ni de que le interesara. Antes, tenía esa costumbre de concentrarse en la persona con quien estuviera hablando, de manera que te convencía de que eras la persona más fascinante de la sala; ahora tenía la mirada errática y parecía que la que no estaba en la sala era ella. La ropa, el pelo, el maquillaje, todo estaba mal en cierto sentido, desaliñado y discordante. Aquella cualidad que siempre la había hecho brillar —su optimismo juvenil y entusiasta— había empezado a desvanecerse. Pero naturalmente tenías que haberla conocido antes para ver lo que Laurie había perdido. Yo era el único de la sala que entendía lo que le estaba pasando.

Aun así, no estaba dispuesta a rendirse.

—Lo hice lo mejor que supe —proclamó con repentina convicción.

—Laurie, hábleme de Jacob ahora. ¿Cómo es?

—Mmmm. —Sonrió al pensar en él—. Es muy listo. Muy divertido, muy encantador. Guapo. —De hecho se ruborizó un poco al decir la palabra *guapo.* Nada como el amor de madre, a pesar de todo—. Le interesan los ordenadores, le encantan los aparatos, los videojuegos, la música. Lee mucho.

—¿Problemas de mal genio o violencia?

—No.

—Nos ha dicho que Jacob tuvo episodios de violencia en la guardería.

—Se acabaron en cuanto fue al parvulario.

—Lo que me pregunto es si usted sigue preocupada por eso. ¿Sigue teniendo algún tipo de comportamiento que a usted le moleste o le preocupe?

—Ya le ha dicho que no, doctora.

—Bueno, pero yo quiero analizarlo un poco más.

—No pasa nada, Andy. No, Jacob ya nunca se pone violento. Yo casi preferiría que exteriorizara *más* sus sentimientos. A veces es muy difícil comunicarse con él. Es difícil de interpretar. No habla mucho. Le da vueltas a las cosas. Es muy introvertido. No solo tímido; quiero decir que se guarda sus sentimientos, canaliza toda la energía hacia dentro. Es muy distante, muy reservado. Se reconcome. Pero no, en absoluto es violento.

—¿Tiene otros modos de expresarse? ¿La música, los amigos, deportes, discotecas, lo que sea?

—No. No es muy sociable. Y tiene pocos amigos. Solo Derek y un par más.

—¿Y chicas?

—No, es demasiado joven.

—¿Ah, sí?

—¿Ah, no?

La doctora se encogió de hombros.

—En fin, que no es mal chico. Puede ser muy crítico, cáustico, sarcástico. Es cínico. ¡Tiene catorce años y ya es cínico! No ha tenido suficientes experiencias para ser cínico, ¿verdad? No se lo ha ganado. A lo mejor solo es una pose. Es como son los chicos hoy en día. Arrogantes, irónicos.

—Tal como lo dice parecen rasgos desagradables.

—¿Sí? No lo pretendía. Es que pienso que Jacob es complicado. Temperamental. Ya sabe, le gusta ser el chico adusto, el chico tipo «nadie me comprende, joder».

Aquello era demasiado.

—Laurie —solté yo—, venga ya, todos los adolescentes son así, chicos adustos, chicos tipo «nadie me comprende, joder». ¡Venga ya! Estás describiendo a todos los adolescentes del mundo. Esto no es un chico en concreto, es una etiqueta.

—Puede. —Laurie bajó la cabeza—. No lo sé. Yo siempre pensé que quizás Jacob debería ir al psiquiatra.

—¡*Nunca* dijiste que debería ir al psiquiatra!

—No he dicho que lo dijera. He dicho que me preguntaba si había que hacerlo, para que tuviera alguien con quien hablar.

La doctora Vogel protestó:

—Andy.

—¡Bueno, no puedo quedarme sentado sin más!

—Inténtelo. Estamos aquí para escucharnos, para apoyarnos, no para discutir.

—Mire —dije exasperado—, todo tiene un límite. Toda esta conversación parte de la suposición de que Jacob tiene que responder de algo. Y eso no es verdad. Ha pasado una cosa horrible, ¿vale? Horrible. Pero no es culpa nuestra. Y desde luego no es culpa de Jake. Mire, estoy aquí escuchando y pienso: ¿de qué demonios estamos hablando? Jacob no tuvo nada que ver con el asesinato de Ben Rifkin, nada, pero todos estamos hablando aquí sobre si Jake es una especie de monstruo, alguien anormal. Y no lo es. Solo es un chico normal. Tiene defectos como todos los chavales, pero no tuvo nada que ver con eso. Lo siento, pero alguien tiene que defender a Jacob aquí.

Doctora Vogel:

—Andy, cuando *usted* recuerda aquella época, ¿qué piensa de todos esos niños que salían malparados cuando estaban con Jacob? ¿Todos esos niños que se caían de los toboganes y chocaban con la bici? ¿Que solo era mala suerte? ¿Coincidencias? ¿Usted qué piensa?

—Jacob tenía mucha energía; jugaba con demasiada brusquedad. Eso lo reconozco. Y nos ocupamos de eso cuando era pequeño. Pero nada más. Quiero decir que todo eso pasó antes de que fuera al parvulario. ¡Al parvulario!

—¿Y la ira? ¿Usted no cree que Jacob tenía un problema con ese tema?

—No, no lo creo. La gente se enfada. Eso no es un *tema*.

—En el expediente de Jacob hay un informe que habla de que hizo un agujero en la pared de su dormitorio. Tuvieron que llamar a un yesero. Y que eso ocurrió el pasado otoño. ¿Es verdad?

—Sí, pero... ¿usted cómo se ha enterado de eso?

—Por Jonathan.

—¡Esa información era exclusivamente para el abogado defensor de Jacob!

—Eso es lo que estamos haciendo aquí, preparar su defensa. ¿Es verdad? ¿Dio un puñetazo en la pared?

—Sí. ¿Y qué?

—Pues que la gente no suele agujerear las paredes de un puñetazo, ¿o sí?

—A veces lo hacen.

—¿Usted lo hace?

Suspiro profundo.

—No.

—Laurie piensa que quizás usted se niega a ver la posibilidad de que Jacob sea... violento. ¿Usted qué opina de eso?

—Ella cree que me niego a aceptarlo.

—¿Es así?

Yo moví la cabeza con tozudez y melancolía, como el caballo que menea la testa en una cuadra estrecha.

—No. Es justo lo contrario. Yo estaba superalerta con estas cosas, era hiperconsciente. Pero conocía a Jacob, conocía a mi hijo, y le quería y creía en él. Y sigo haciéndolo. Yo estoy de su lado.

—Todos estamos de su lado, Andy. ¡Esto es muy injusto! Yo también le quiero. No tiene nada que ver con esto.

—Yo no he dicho que no le quisieras, Laurie. ¿Tú me has oído decir que no le querías?

—No, pero siempre vuelves a lo mismo: *Yo le quiero.* Claro que le quieres. Los dos le queremos. Lo único que digo es que uno puede querer a su hijo y aun así ver sus defectos. *Has* de ver sus defectos, si no ¿cómo vas a ayudarle?

—Laurie, ¿me has oído o no me has oído decir que no le querías?

—No es esto lo que estoy diciendo. ¡No me escuchas!

—¡Te estoy escuchando! Pero no estoy de acuerdo contigo. Estás pintando un retrato de Jacob como alguien violento y temperamental y peligroso, en base a nada, y simplemente yo no estoy de acuerdo. Pero si no estoy de acuerdo, tú dices que no soy sincero. O que no soy «fiable». Me estás llamando mentiroso.

—¡Yo *no* te he llamado mentiroso! Yo nunca te he llamado mentiroso.

—No has utilizado esa palabra, no.

—Andy, nadie te está atacando. No hay nada malo en admitir que tu hijo quizás necesita un poco de ayuda. Eso no dice nada de ti.

Ese comentario fue una puñalada. Porque *naturalmente* Laurie estaba hablando de mí. Todo aquel asunto trataba de mí. Yo era la razón, la única razón de que ella pensara que nuestro hijo podía ser peligroso. Si Jacob no fuera un Barber, nadie habría analizado nunca tan a fondo su infancia para descubrir síntomas problemáticos.

Pero no dije nada. ¿Para qué? Ser un Barber era indefendible.

La doctora Vogel sugirió:

—De acuerdo, quizás deberíamos dejarlo aquí. Dudo que saquemos algún provecho si continuamos. Soy consciente de que esto no es fácil para nadie. Hemos avanzado un poco. Podemos volver a intentarlo la semana próxima.

Yo dirigí la vista a mi regazo, evité la mirada de Laurie. Avergonzado, aunque no sabía exactamente por qué.

—Dejen que les haga una última pregunta a los dos. Quizás podríamos acabar con algo más alegre, ¿de acuerdo? Así que asumamos por un momento que este caso quedará en nada. Asumamos que dentro de unos meses se desestima la acusación y Jacob es libre de ir y hacer lo que le apetezca. Como si la acusación no hubiera existido. Sin condiciones, ni sospechas permanentes, nada en absoluto. Bien, si pasara eso, ¿cómo imaginan a su hijo dentro de diez años? ¿Laurie?

—Uf. No soy capaz de pensarlo. Yo me limito a vivir el día a día, ¿sabe? Diez años es demasiado..., es difícil de prever.

—De acuerdo, lo entiendo. Pero inténtelo, como un ejercicio mental. ¿Cómo imagina a su hijo dentro de diez años?

Laurie reflexionó. Meneó la cabeza.

—No puedo. Ni siquiera me apetece pensarlo. Soy incapaz de imaginar nada bueno. Yo pienso en la situación de Jacob constantemente, doctora, *constantemente*, y no veo cómo esta historia puede acabar bien. Pobre Jacob, solo lo *espero*, ¿sabe? Eso es lo único que soy capaz de hacer. Pero ¿si pienso en él de mayor cuando nosotros ya no estemos? No sé, solo espero que esté bien.

—¿Nada más?

—Nada más.

—Muy bien. ¿Y usted, Andy? Si la acusación se anulara, ¿cómo ve usted a Jacob dentro de diez años?

—¿Si se libra de la acusación?

—Exacto.

—Le veo feliz.

—Feliz, de acuerdo.

—Quizás con alguien, con una mujer que le haga feliz. Quizás sea padre. De un hijo.

Laurie se revolvió en la silla.

—Pero libre de toda esta mierda adolescente. De toda la autocompasión, el narcisismo. Si Jacob tiene una debilidad es que le falta la disciplina necesaria. Es... indulgente consigo mismo. No tiene el..., no sé..., el temple.

Doctora Vogel:

—¿El temple para hacer qué?

Laurie, intrigada, se giró para mirarme.

Todos teníamos la respuesta en la cabeza, creo, incluso la doctora Vogel: *el temple para ser un Barber.*

—Para madurar —dije de forma poco convincente—. Para ser adulto.

—¿Como usted?

—No. Como yo no. Jacob tiene que hacerlo a su manera, eso ya lo sé. No soy de ese tipo de padres.

Apoyé los codos sobre el regazo, como si quisiera encogerme para pasar por un lugar estrecho.

—¿Jacob no tiene el tipo de disciplina que tenía usted de niño?

—No, no la tiene.

—¿Y eso por qué es importante? ¿Por qué debería templarse? ¿Para enfrentarse a qué?

Las dos mujeres cruzaron una mirada fugaz, fue apenas un segundo. Me estaban analizando, juntas, se entendían. No me consideraban *fiable*, usando la palabra de Laurie.

—A la vida —murmuré yo—. Jacob tiene que adquirir temple para enfrentarse a la vida. Como cualquier otro crío.

Laurie se inclinó hacia delante, apoyó los codos sobre las rodillas y me cogió la mano.

13

179 días

Tras la catástrofe de la detención de Jacob, el día a día quedó impregnado de una sensación de apremio insoportable. Se impuso una ansiedad sorda y constante. En cierto sentido, las semanas posteriores a la detención fueron peor que el hecho en sí. Creo que todos contábamos los días. El juicio de Jacob estaba fijado para el 17 de octubre y esa fecha se convirtió en una obsesión. Era como si el futuro, que antes habíamos medido en función de lo que duraran nuestras vidas, tuviera ahora un punto final definitivo. No podíamos imaginar nada posterior al juicio. Todo —el universo entero— finalizaba el 17 de octubre. Lo único que podíamos hacer era contar los 179 días que faltaban. Eso es algo que yo no entendía cuando era como ustedes, cuando nunca me había pasado nada: que fuera mucho más fácil soportar los grandes momentos que los períodos intermedios, la falta de acontecimientos, la espera. El gran drama de la detención de Jacob, su comparecencia en el tribunal y todo eso —por malo que fuera— duró un segundo y desapareció. El auténtico sufrimiento llegó cuando no nos veía nadie, durante esos 179 días eternos. Las tardes sin hacer nada en una casa callada, cuando la preocupación nos devoraba en silencio. La conciencia intensa del tiempo, la lentitud de los minutos que pasan, la sensación confusa y surreal de que los días eran demasiado cortos y demasiado largos a la vez. Al final, ansiábamos el juicio solo porque no podíamos soportar la espera. Era como velar a un desahuciado.

Una noche de mayo, 28 días después del arresto y todavía cuando faltaban 151, estábamos cenando los tres.

Jacob estaba arisco. Apenas levantaba los ojos del plato. Hacía ruido al masticar, como un niño pequeño, esos ruiditos pegajosos con la lengua, una costumbre que tenía desde que era un crío.

—No entiendo por qué hemos de hacer esto todas las noches —dijo con displicencia.

—¿Hacer qué?

—Tener que, no sé, cenar todos sentados, como si fuera una fiesta o algo así. Solo estamos nosotros tres.

Laurie explicó, no por primera vez:

—Pues es bastante fácil, la verdad. Es lo que hacen las familias. Se sientan a cenar todos juntos.

—Pero si estamos nosotros solos.

—¿Y?

—Pues que todas las noches tú dedicas todo ese tiempo a cocinar para *tres personas.* Entonces nos sentamos y comemos, durante quince minutos. Después hemos de dedicar todavía más tiempo a fregar los platos, cosa que no tendríamos que hacer si no montáramos todo este número cada noche.

—No es tan terrible. Yo no veo que tú friegues tantos platos, Jacob.

—Esa no es la cuestión, mamá. Es que no vale la pena. Podríamos comer comida china o pizza o lo que sea, y al cabo de quince minutos se habría acabado todo.

—Bueno, pues yo no quiero que se haya acabado todo en quince minutos. Yo quiero disfrutar de la cena con mi familia.

—¿De verdad *quieres* que dure una hora todas las noches?

—Preferiría dos horas. Pero me conformaré con lo que sea. —Sonrió para sí y bebió un sorbo de agua.

—Antes no nos tomábamos tan en serio eso de la cena.

—Bueno, pues ahora sí.

—Yo sé por qué lo haces en realidad, mamá.

—¿Ah, sí? ¿Y por qué?

—Para que yo no me deprima. Crees que si tengo una agradable cena familiar cada noche, el juicio se esfumará.

—Bueno, desde luego no pienso eso.

—Bien. Porque no se esfumará.

—Yo solo quiero que se esfume un ratito, Jacob. Solo una hora al día. ¿De verdad te parece tan horroroso?

—¡Sí! Porque no sirve para nada. Empeora las cosas. Es que cuanto más finges que todo es muy normal, más me recuerdas lo *anormal* que es en realidad. Mira todo esto. —Hizo un gesto con las manos y señaló, extrañado, la tradicional cena *casera* que Laurie había preparado: empanada de pollo, judías verdes, limonada y una vela cilíndrica como centro de mesa—. Es una normalidad falsa.

—Como un truco de magia —dije yo.

—Andy, cállate. Jacob, ¿qué quieres que haga? Yo nunca había estado en esta situación. ¿Qué debe hacer una madre? Dímelo y lo haré.

—No lo sé. Si quieres evitar que me deprima, dame alguna droga, no... empanadas de pollo.

—Me temo que se me han terminado las drogas en este momento.

—Jake —dije yo entre bocado y bocado—. Seguramente Derek podría conseguirte algo.

—Muchas gracias por el comentario, Andy. Jacob, ¿se te ha ocurrido pensar que si hago la cena todas las noches, y si no dejo que comas delante de la tele, y si no permito que cenes de pie en la cocina, directamente del Tupperware, o que simplemente no cenes y te quedes en la habitación con los videojuegos, es por *mí*? A lo mejor todo esto es por mí, no por ti. Para mí tampoco es fácil todo esto.

—Porque tú no crees que salga de esto.

—No.

Sonó el teléfono.

—¡Sí! Quiero decir, *es obvio.* Si no, no tendrías que darle importancia a cada cena.

—No, Jacob. Esto es porque quiero tener a mi familia alrededor. Es lo que hacen las familias en tiempos difíciles. Se reúnen, se apoyan mutuamente. No todo es siempre por ti, ¿sabes? Tienes que estar ahí por *mí* también.

Hubo un momento de silencio. No parecía que aquello afectara el narcisismo adolescente de Jacob; simplemente no se le ocurría una réplica tajante.

Volvió a sonar el teléfono.

Laurie arqueó los ojos, escondió la barbilla y miró a Jacob como diciendo «ahí tienes», y luego se levantó para contestar al teléfono. Se dio cierta prisa para llegar antes de que sonara cuatro veces, momento en que el contestador interceptaría la llamada.

Jacob parecía receloso. ¿Por qué contestaba mamá al teléfono? Ya habíamos aprendido a no contestar a las llamadas. Jacob sabía con certeza que la llamada no era para él. Sus amigos en bloque le habían dejado colgado. En cualquier caso él nunca había usado demasiado el teléfono. Lo consideraba intrusivo, incómodo, arcaico, poco eficiente. Cualquier amigo de Jake que quisiera hablar con él simplemente le mandaría un mensaje o entraría en Facebook para charlar. Las nuevas tecnologías eran más cómodas porque eran menos íntimas. Jake prefería teclear que hablar.

Yo sentí el impulso instintivo de advertir a Laurie que no contestara, pero me contuve. No quería estropear la velada. Quería apoyarla. Aquellas cenas familiares eran importantes para Laurie. Jacob tenía bastante razón: ella quería conservar la normalidad tanto como fuera posible. Seguramente por eso bajó la guardia: estábamos esforzándonos para comportarnos como una familia normal, y las familias normales no tienen miedo del teléfono.

Yo dije, para recordarle nuestro código:

—¿Qué dice el identificador de llamada?

—Privado.

Cogió el teléfono, que estaba en la cocina, y se veía perfectamente desde la sala. Laurie nos daba la espalda a Jacob y a mí. Dijo: «Hola» y se quedó callada. Durante los segundos siguientes, dejó caer la espalda y los hombros unos milímetros, de forma casi imperceptible. Era como si se estuviera desinflando un poco mientras escuchaba.

Yo dije:

—¿Laurie?

Ella le dijo con voz temblorosa al que llamaba:

—¿Quién es? ¿Cómo ha conseguido este número?

Se quedó escuchando otra vez.

—No vuelva a llamar aquí. ¿Me oye? No se atreva a llamar otra vez.

Le quité el teléfono con cuidado y colgué.

—Dios mío, Andy.

—¿Estás bien?

Asintió.

Volvimos a la mesa y estuvimos un momento sentados en silencio.

Laurie cogió el tenedor y se metió un trozo de pollo en la boca. Tenía la cara rígida y el cuerpo todavía mustio, con los hombros caídos.

—¿Qué ha dicho? —preguntó Jacob.

—Cómete la cena, Jacob.

Yo no alcanzaba a tocarla desde el otro extremo de la mesa. Sólo podía contribuir con un gesto de preocupación.

—Podías haberle dicho que se fuera a tomar por el culo —sugirió Jacob.

—Disfrutemos de la cena —dijo Laurie. Cogió otro trozo y se dedicó a masticarlo y después se quedó sentada y muy quieta.

—¿Laurie?

Carraspeó, susurró «perdonad» y se marchó de la mesa.

Todavía faltaban 151 días.

14
Interrogatorio

Jonathan:

—Háblame del cuchillo.

Jacob:

—¿Qué quiere saber?

—Bueno, el fiscal dirá que lo compraste porque te estaban acosando. Dirán que ese es tu motivo. Pero tú les dijiste a tus padres que lo compraste porque sí.

—Yo no dije que lo compré porque sí. Dije que lo compré porque lo quería.

—Sí, ¿pero *por qué* lo querías?

—¿Usted por qué quería esa corbata? ¿Usted lo compra todo por una razón?

—Jacob, un cuchillo es un poco distinto de una corbata, ¿no te parece?

—No. Solo son cosas. Nuestra sociedad funciona así: inviertes el tiempo en ganar dinero para poder cambiarlo por cosas, y luego...

—¿Luego ya no están?

—... y luego vas y ganas *más* dinero y así puedes comprar *más* cosas...

—Jacob, ¿ya no tienes el cuchillo?

—No. Se lo quedó mi padre.

—¿Tú tienes el cuchillo, Andy?

—No. Ya no está.

—¿Te deshiciste de él?

—Era peligroso. No era un cuchillo para que lo tuviera un niño. No era un juguete. Cualquier padre habría...

—Andy. No te estoy acusando de nada. Solo intento confirmar lo que pasó.

—Perdona. Sí, me deshice de él.

Jonathan asintió sin hacer el menor comentario. Estábamos sentados alrededor de la mesa de roble de su despacho, la única sala lo suficientemente grande como para acoger a toda la familia. También estaba Ellen, la joven asociada, tomando notas aplicadamente. Yo pensé que estaba allí para ser testigo de la conversación y poder proteger a Jonathan, no para ayudarnos. Estaba elaborando un informe, por si él se enemistaba con sus clientes y se producía una controversia sobre lo que le habían dicho.

Laurie se miraba las manos enlazadas sobre la falda. Actualmente le costaba mantener esa compostura antes tan natural en ella. Hablaba un poco menos, se implicaba un poco menos en esas sesiones de estrategia legal. Era como si reservara su energía para el esfuerzo de conservar la calma en cada momento.

Jacob estaba enfurruñado. Rascaba la superficie de la mesa con la uña, con su bobo orgullo adolescente herido por la falta de entusiasmo de Jonathan ante sus reflexiones sobre los rudimentos del capitalismo.

Jonathan se mesó la perilla, absorto en sus propios pensamientos.

—Pero ¿tenías el cuchillo el día que mataron a Ben Rifkin?

—Sí.

—¿Lo tenías aquella mañana en el parque?

—No.

—¿Lo llevabas al salir?

—No.

—¿Dónde estaba?

—En un cajón de mi habitación, como siempre.

—¿Estás seguro?

—Sí.

—¿Así que cuando fuiste al colegio aquella mañana no pasó nada anormal?

—¿Cuando me fui? No.

—¿Fuiste al colegio por el camino de siempre? ¿A través del parque?

—Sí.

—Así que el punto donde mataron a Ben estaba justo en el camino por el que pasas normalmente a través del parque.

—No. Yo estaba paseando y de repente estaba ahí, tumbado ahí.

—Descríbele. ¿Cómo estaba tumbado cuando le encontraste?

—Simplemente tumbado allí. Estaba... tumbado boca abajo en esa pequeña pendiente, encima de un montón de hojas.

—¿Hojas secas u hojas húmedas?

—Húmedas.

—¿Estás seguro?

—Me parece.

—¿Te parece o lo deduces?

—La verdad es que no me acuerdo muy bien de eso.

—Entonces, ¿por qué has contestado la pregunta?

—La verdad es que no lo sé.

—De ahora en adelante, contesta con total sinceridad, ¿de acuerdo? Si la respuesta apropiada es *No me acuerdo*, dices eso, ¿vale?

—Vale.

—Así que ves un cuerpo tumbado en el suelo. ¿Había sangre?

—Yo no la vi en aquel momento.

—¿Qué hiciste cuando te acercaste al cuerpo?

—Empecé a llamarle. Dije: «Ben, Ben. ¿Estás bien?». Algo parecido.

—¿Así que le reconociste enseguida?

—Sí.

—¿Cómo? Creía que estaba boca abajo con la cabeza al fondo de la pendiente, y tú le veías desde arriba.

—Supongo que le reconocí por las ropas y la, ya sabe, la pinta.

—¿La pinta?

—Sí. O sea, el aspecto.

—Lo único que podías ver era la suela de las zapatillas de Ben.

—No, veía más que eso. Uno se da cuenta, ¿sabe?

—Muy bien, así que encuentras el cuerpo y dices: «Ben, Ben». ¿Qué más?

—Bueno, como él no me contestó ni se movió, supuse que debía de encontrarse bastante mal, así que bajé para ver qué le pasaba.

—¿Pediste ayuda?

—No.

—¿Por qué no? ¿Tenías un teléfono móvil?

—Sí.

—O sea que descubres a la víctima de un crimen sangriento, tienes un móvil en el bolsillo ¿y no se te pasa por la cabeza llamar a emergencias?

Jonathan iba con cuidado y hacía todas esas preguntas en tono de curiosidad, como si solo intentara comprender todo aquel asunto. Aquello era un interrogatorio, pero no hostil. No abiertamente hostil.

—¿Tú sabes algo de primeros auxilios?

—No, simplemente se me ocurrió que primero debía ver si estaba bien.

—¿Te pasó por la mente que se podía haber cometido un delito?

—Supongo que lo pensé, pero no estaba seguro del todo. Podía haber sido un accidente. Que se hubiera caído o algo así.

—¿Caído dónde? ¿Por qué?

—Por nada. Solo lo digo.

—¿Así que no tenías motivos para pensar que simplemente se había caído?

—No. Está tergiversando las cosas.

—Solo intento entenderlo, Jacob. ¿Por qué no llamaste para pedir ayuda? ¿Por qué no telefoneaste a tu padre? Es abogado, trabaja para la fiscal del distrito..., él hubiera sabido qué hacer.

—Es que... no sé, no lo pensé. Aquello era una especie de emergencia, y yo no estaba como *preparado* para eso. No sabía qué debía hacer.

—Bien. ¿Qué pasó después?

—Bajé la pendiente como pude y me agaché a su lado.

—¿Te arrodillaste, quieres decir?

—Eso creo.

—¿Sobre las hojas húmedas?

—No sé. A lo mejor me quedé de pie.

—Te quedaste de pie. Así que le mirabas desde arriba, ¿verdad?

—No. La verdad es que no me acuerdo. Cuando usted lo dice así, me parece que debía de tener una rodilla en el suelo.

—Derek te vio cinco minutos después en el colegio y no comentó nada de que tuvieras los pantalones húmedos ni embarrados.

—Pues debí de quedarme de pie, supongo.

—Muy bien, de pie. Así que estás de pie a su lado, mirándole desde arriba. ¿Y luego qué?

—Ya le he dicho que le di la vuelta para ver cómo estaba.

—¿Le dijiste algo antes?

—Creo que no.

—¿Ves a un compañero tumbado boca abajo, y simplemente le das la vuelta sin decirle una palabra?

—No, quiero decir que a lo mejor dije algo. No estoy seguro del todo.

—Cuando estuviste de pie al lado de Ben al fondo de la pendiente, ¿viste alguna evidencia de delito?

—No.

—Había un rastro de sangre de las heridas de Ben que bajaba por toda la pendiente. ¿No te diste cuenta?

—No. Quiero decir que estaba aterrado, ¿sabe?

—¿Aterrado, cómo? ¿Qué quiere decir eso exactamente?

—No sé. Tenía pánico.

—¿Pánico, por qué? Dijiste que no sabías lo que pasaba, que no pensabas que hubiera habido un crimen. Que creías que podía ser un accidente.

—Ya lo sé, pero ese chaval estaba tirado ahí. Era una situación anormal.

—Cuando Derek te vio cinco minutos después, no estabas aterrado.

—No. Sí que lo estaba. Simplemente no lo demostraba. Estaba aterrado por dentro.

—De acuerdo. Así que estás de pie junto al cuerpo. Ben ya está muerto. Ha sangrado por las tres heridas del pecho y hay un rastro de sangre que baja por toda la cuesta hasta el cuerpo, pero tú no viste *ninguna* sangre y no tenías ni idea de qué había pasado. Y estabas aterrado, pero solo por dentro. ¿Y luego qué?

—Tengo la sensación de que no me cree.

—Jacob, te voy a decir una cosa: no importa que yo te crea o no. Yo soy tu abogado, no tu mamá ni tu papá.

—Vale, pero aun así. Usted hace que suene de un modo que no me gusta. Es mi historia, ¿vale? Y usted hace que parezca que miento.

Laurie, que no había hablado en toda esa reunión, dijo:

—Por favor, basta, Jonathan, basta. Lo siento. Basta, por favor. Ya ha expuesto lo que quería.

Jonathan se calló de golpe, escarmentado.

—De acuerdo, Jacob, tu madre tiene razón. Quizás es mejor que lo dejemos aquí. No pretendo alterarte. Pero quiero que pienses una cosa. Puede que toda esta historia tuya te sonara bien cuando la repasaste en la cabeza, cuando estabas solo en tu habitación. Pero las cosas suelen sonar de otra manera cuando te están interrogando. Y te prometo que lo que estamos haciendo aquí será un paseo por el parque comparado con lo que te hará Neal Logiudice si subes al estrado. Yo estoy de tu lado, Logiudice no. Además yo soy un buen tío; Logiudice, bueno..., tiene que cumplir con su deber. Ahora bien, yo creo que lo que estás a punto de decirme es que, ante ese cuerpo tumbado cabeza abajo con la sangre manando de tres heridas enormes en el pecho, tú conseguiste de algún modo meter la mano debajo de ese mismo cuerpo de manera que dejaste una única huella dactilar *dentro* de la sudadera de Ben... Sin embargo, cuando volviste a sacar el brazo no había ningún rastro de sangre, así que, cuando apareciste en la escuela pocos minutos después, nadie pensó que pasara nada raro. Ahora bien, si tú fueras miembro del jurado, ¿qué pensarías de esta historia?

—Pero es verdad. Los detalles no... Usted me ha confundido con los detalles. No estaba tumbado boca abajo del todo, y la sangre no brotaba por todas partes. No era así. Es usted que juega conmigo. Yo digo la verdad.

—Jacob, siento haberte alterado. Pero yo no estoy jugando contigo.

—Juro por Dios que es la verdad.

—Vale. Lo entiendo.

—No. Usted me está llamando mentiroso.

Jonathan no contestó. Ese es obviamente el último recurso de un mentiroso: desafiar a su inquisidor a llamarle mentiroso sin ambages. Pero había algo peor, la voz de Jacob tenía cierto deje. Podía tratarse de una leve amenaza o quizás era la voz de un chaval aterrorizado a punto de llorar.

Yo dije:

—Ya está bien, Jacob. Jonathan tiene que hacer su trabajo.

—Ya lo sé; pero no me cree.

—No pasa nada. Será tu abogado te crea o no. Los abogados defensores son así. —Le guiñé el ojo a Jacob.

—¿Y qué pasa con el juicio? ¿Cómo voy a subir ahí?

—No subirás —dije yo—. Tú no te acercarás a ese estrado de los testigos. Te sentarás en la mesa de la defensa y solo te levantarás para irte a casa por la noche.

Jonathan intervino:

—Creo que eso es lo prudente.

—Pero ¿cómo contaré mi historia?

—Jacob, no sé si te has estado escuchando estos últimos minutos. No puedes subir al estrado.

—Y entonces, ¿cuál es mi defensa?

Jonathan dijo:

—No tenemos que presentar una defensa. No tenemos esa responsabilidad. La responsabilidad le corresponde enteramente al fiscal. Nosotros combatiremos cada una de sus acusaciones hasta que ya no le quede nada. Esa es nuestra defensa.

—¿Papá?

Yo vacilé:

—No estoy seguro de que baste con eso, Jonathan. Ni podemos limitarnos a tirar unas cuantas bolitas de papel contra las acusaciones de Logiudice. Él tiene la huella dactilar, tiene al testigo que vio a Jacob con un cuchillo en la mano. Tendremos que hacer algo más. Hemos de darles *algo* a los miembros del jurado.

—Y entonces, ¿qué sugieres que haga, Andy?

—Solo digo que quizás podríamos planteamos presentar una defensa real, positiva.

—Yo encantado. ¿Qué tienes en mente? Hasta el momento las pruebas apuntan en una sola dirección.

—¿Y Patz? Al menos el jurado debería *oír* hablar de él. Proporcionarles al auténtico asesino.

—¿Al auténtico asesino? Vaya. ¿Y eso cómo podemos demostrarlo?

—Contrataremos a un detective para que investigue.

—¿Investigue qué? ¿A Patz? Ahí no hay nada que investigar. Cuando tú estabas en la oficina del fiscal del distrito disponías de la policía estatal, de todos los cuerpos de la policía local, el FBI, la CIA, el KGB, la NASA.

—Siempre tuvimos menos recursos de lo que pensabais los defensores.

—Puede. Pero tenías más de lo que tienes ahora y nunca descubriste nada. ¿Qué va a hacer un detective privado que no pudieron hacer una docena de agentes estatales?

Yo no tenía respuesta.

—Mira, Andy, yo sé que entiendes que la defensa no tiene la carga de la prueba. Lo sabes, pero no estoy del todo seguro de que lo creas. Así es como juega a este juego la otra parte. Nosotros no tenemos la potestad de escoger a nuestros clientes, no soltamos una acusación si no hay pruebas. Así que este es nuestro caso. —Señaló con un gesto los documentos que tenía delante—. Jugamos con las cartas que tenemos. No tenemos alternativa.

—Pues tendremos que sacar otras cartas.

—¿De dónde?

—No lo sé. De nuestras mangas.

—Te recuerdo —dijo Jonathan arrastrando las palabras— que llevas una camisa de manga corta.

15

Jugar a los detectives

Sarah Groehl estaba enchufada a un MacBook en el Starbucks del centro de Newton. Al verme, se desconectó del ordenador, y ladeó la cabeza a la izquierda y luego a la derecha para quitarse los auriculares, como hacen las mujeres cuando se quitan los pendientes. Me miró con cara de sueño, parpadeó, y emergió de un trance internauta.

—Hola, Sarah. ¿Te molesto?

—No, solo estaba... No sé.

—¿Puedo hablar contigo?

—¿De qué?

Yo le eché una mirada: *Venga.*

—Podemos ir a otro sitio si quieres.

No me contestó enseguida. Las mesas estaban muy juntas, y la gente hacía como que no escuchaba, tal como dicta la etiqueta de los cafés. Pero la habitual incomodidad de tener una conversación mientras los otros escuchan se veía multiplicada por la infamia de mi familia y por la propia incomodidad de Sarah. Le daba vergüenza que la vieran conmigo. Puede que también me tuviera miedo, después de lo que había oído. Por lo visto, tener en cuenta tantas cosas la incapacitaba para contestar. Yo sugerí que nos sentáramos en un banco en la acera de enfrente, donde imaginé que se sentiría protegida; a la vista de todos pero sin que pudieran oírla, y ella hizo una especie de barrido con la cabeza para apartarse el flequillo de la frente, de los ojos, y dijo que sí.

—¿Puedo ofrecerte otro café?

—Yo no tomo café.

Nos sentamos de lado en el banco verde de rejilla de la acera de enfrente. Sarah erguida y regia. No estaba gorda, pero tampoco lo suficientemente delgada para la camiseta estrecha que llevaba. Bultos de carne fresca asomaban por sus pantalones cortos: «Michelín», la llamaban los chavales con descaro. Yo pensé que podría ser una chica agradable para Jacob, cuando terminara todo aquello.

Yo sostenía el vaso de Starbucks. Ya no me apetecía, pero no había sitio donde tirarlo. Le daba vueltas entre las manos.

—Sarah, estoy intentando saber qué le pasó realmente a Ben Rifkin. Necesito encontrar al que realmente hizo eso.

Ella me miró de reojo con aire escéptico.

—¿Qué quiere decir con «al que realmente hizo eso»?

—No fue Jacob. Se han equivocado de persona.

—Yo creía que usted ya no trabajaba en eso. ¿Está jugando a los detectives?

—Ahora es mi deber como padre.

—Vaaale. —Sonrió para sí y movió la cabeza.

—¿Te parece una locura decir que es inocente?

—No. Supongo que no.

—Yo creo que quizás tú también sabes que es inocente. Esas cosas que dijiste...

—Yo nunca dije *eso.*

—Sarah, tú sabes que en realidad nosotros los adultos no tenemos ni idea de lo que pasa en vuestras vidas. ¿Cómo vamos a saberlo? Pero alguien tiene que abrirse un poquito. Algunos de vosotros, los chicos, tenéis que ayudar.

—Ya lo hemos hecho.

—No lo suficiente. ¿No lo ves, Sarah? Un amigo vuestro va a ir a la cárcel por un asesinato que no cometió.

—¿Y cómo sé yo que no fue él? ¿No es esa la cuestión precisamente, que nadie puede saberlo? Ni siquiera usted.

—Bien, ¿tú crees que es culpable?

—No lo sé.

—Así que tienes dudas.

—Lo acabo de decir, no lo sé.

—Yo sí lo sé, Sarah. ¿De acuerdo? Hace mucho tiempo que me dedico a esto y lo sé: no fue Jacob. Te lo prometo. Es completamente inocente.

—Es lógico que usted piense así. Es su padre.

—Es verdad que lo soy. Pero no solo soy su padre. Hay pruebas. Tú no las has visto, pero yo sí.

Me miró con una sonrisita compasiva, y por un segundo ella fue la adulta y yo un niño ingenuo.

—No sé qué quiere usted que diga, señor Barber. ¿Qué sé *yo*? Tampoco es que fuera muy amiga de ninguno, ni de Jacob ni de Ben.

—Sarah, fuiste tú quien me dijo que buscara en Facebook.

—Yo no hice eso.

—Vale, bien, digamos que si... si hubieras sido tú quien me dijo que buscara en Facebook, ¿por qué lo hiciste? ¿Qué querías que encontrara?

—Vale. No estoy diciendo que fui yo quien le contó nada. ¿Vale?

—Vale.

—Es que, bueno, no sé, corrían unos rumores y pensé que usted debía saber lo que decían los chicos. Porque parecía que nadie lo sabía. ¿Entiende? Ninguno de los responsables. No se ofenda, pero parecía que ninguno de ustedes tuviera la menor idea de nada. La verdad es que Ben llevaba mucho tiempo acosando a Jake, ¿sabe? No era nada que te convirtiera en un asesino, ni nada de eso. Pero pensé que ustedes debían saber una cosa así.

—¿Por qué acosaba Ben a Jake?

—¿Y por qué no se lo pregunta a Jake? Es su hijo.

—Ya lo he hecho. Él nunca dijo nada de que Ben le acosara. Lo único que me dice es que todo iba bien, que no tenía problemas con Ben ni con nadie.

—Vale, pues entonces a lo mejor... No sé, a lo mejor me equivoco.

—Venga, tú no crees que te equivoques, Sarah. ¿Por qué acosaba a Jake?

Ella se encogió de hombros.

—Mire, tampoco es tan grave. A todo el mundo le acosan. Bueno, acoso no, pero sí burlas, ¿vale? Ya veo que le salen chispas de los ojos cuando digo «acoso», como si fuera algo muy gordo. A los adultos les encanta hablar sobre el acoso. Todos hemos tenido esos cursos sobre acoso y todo eso. —Meneó la cabeza.

—De acuerdo pues, acoso no... Burlas. ¿Por qué? ¿Por qué se metían con él?

—Por lo de siempre: es gay, es un cretino, es un perdedor.

—¿Quién decía esas cosas?

—Chavales. Todo el mundo. No era gran cosa. Dura una temporada y luego le toca al siguiente.

—¿Ben se burlaba de Jacob?

—Sí, pero no era, o sea, no era *solo* Ben. No se lo tome a mal pero Jacob no es precisamente del grupo de los populares.

—¿No? ¿Y de qué grupo es?

—No lo sé. En realidad creo que de ninguno. Es como nada. Es difícil de explicar. Jacob es una especie de cretino que mola, diría yo, aunque de un tipo que no es gran cosa. ¿Me explico?

—No.

—Bueno, están los... ¿atletas? Él claramente no lo es. Y los... ¿chicos listos?, pero él tampoco es lo bastante listo como para ser uno de ellos. Quiero decir que es listo, ¿vale?, pero no *tan* listo. Es como que necesitas tener *algo*, ¿sabe? Has de tocar un instrumento o estar en un equipo o hacer teatro o lo que sea, o ser de un grupo étnico, o lesbiana o retrasado o algo..., no es que haya nada malo en esas cosas. Es que, si no eres nada de todo eso, entonces eres uno de esos chavales, ¿sabe? Como un chaval normal, y nadie sabe cómo llamarte... No eres nada, pero no en *mal* sentido. Y así era Jacob, más o menos, ¿sabe? Como un chaval normal. ¿*Ahora* me explico?

—Perfectamente.

—¿De verdad?

—Sí. ¿*Tú* que eres, Sarah? ¿Cuál es tu «cosa»?

—No tengo ninguna. Igual que Jacob. No soy nada.

—Pero en mal sentido.

—Eso.

—Bueno, no quiero ponerme en plan Cliff Huxtable,* pero yo no creo que no seas nada.

—¿Quién es Cliff Huxtable?

—Da igual.

---

* Personaje principal de *La hora de Bill Cosby*.

La gente que entraba y salía de Starbucks nos miraba de reojo desde la otra acera, como si no estuvieran seguros de quién era yo. A lo mejor estaba paranoico.

—Lo único que quiero decir es... —miró alrededor buscando las palabras— que me parece muy bien lo que intenta hacer usted. Todo eso de intentar demostrar que Jacob es inocente. Me parece que es muy buen padre. Pero es que Jacob no es como usted. Eso lo sabe, ¿verdad?

—¿No? ¿Por qué?

—Pues... ¿por su actitud? Es muy... ¿callado? ¿De verdad es tímido? No digo que sea mal tío. Bueno, para nada. Pero no tiene muchos amigos, ¿sabe? Tiene como... ¿su pequeño círculo? Derek y ese chaval, ¿Josh? (Ese sí que es raro, por cierto. Quiero decir totalmente chalado). Pero Jacob en realidad no tiene muchos amigos en su, no sé, ambiente. Quiero decir que imagino que es lo que le gusta, ¿sabe? Y no pasa nada, *absolutamente* nada. No estoy diciendo nada. Pero deben de pasarle muchas cosas por dentro, en su..., ya sabe, interior. Y yo, no sé, no sé si es feliz.

—¿A ti te parece infeliz, Sarah?

—Sí, un poco. Pero, bueno, todo el mundo es infeliz, ¿no? Quiero decir a veces.

No contesté.

—Tiene usted que hablar con Derek. ¿Derek Yoo? Él sabe mucho más de todo esto que yo.

—Ahora estoy hablando contigo, Sarah.

—No, vaya a hablar con Derek. Yo no quiero estar en medio, ¿sabe? Derek y Jacob han estado muy unidos desde, desde que eran pequeños. Estoy segura de que Derek puede contarle más cosas que yo. Quiero decir que estoy segura de que *querrá* ayudar a Jacob. Es como el mejor amigo de Jacob.

—¿Por qué no quieres ayudar *tú*, Sarah?

—Sí que quiero. Pero no sé. No sé lo bastante. Pero Derek sí.

Yo quería darle una palmadita en la mano o en el hombro o algo, pero ese tipo de contacto paternal nos estaba vetado. De manera que levanté mi vaso de papel hacia ella como si brindara, y dije:

—Hay una cosa que en mi antiguo trabajo preguntábamos siempre al final de un interrogatorio: ¿hay algo que piensas que yo debería saber y que no te he preguntado? Cualquier cosa.

—No. No se me ocurre nada.

—¿Estás segura?

Ella levantó el dedo meñique.

—Lo prometo.

—Muy bien, Sarah, gracias. Sé que ahora mismo Jacob no le debe de caer bien a casi nadie, y creo que ha sido muy valiente por tu parte haber hablado así conmigo.

—No es valentía. Si fuera valentía, no lo haría. Yo no soy valiente. Más bien es que Jake me cae bien. Quiero decir que no sé nada del caso y todo eso. Pero Jake siempre me ha caído bien, ya sabe, *antes.* Era buen chaval.

—Es. Es buen chaval.

—Sí. De acuerdo.

—Gracias.

—¿Sabe una cosa, señor Barber? Seguro que usted tuvo un padre muy bueno. Porque, ya sabe, usted es muy buen padre, así que imagino que tuvo un buen padre que le enseñó. ¿A que sí?

Jesús, ¿esa chica no leía los periódicos?

—No exactamente —dije yo.

—¿No exactamente, pero casi?

—Yo no tuve padre.

—¿Padrastro?

Negué con la cabeza.

—Todo el mundo tiene padre, señor Barber. Menos, no sé, Dios o algo así.

—Yo no, Sarah.

—Ah. Bueno, pues entonces, a lo mejor eso es *bueno.* Dejar a los padres totalmente al margen.

—Puede. Probablemente yo no soy la persona adecuada para opinar.

Los Yoo vivían detrás de la biblioteca, en una de esas calles intrincadas y umbrías cerca de la escuela primaria, donde se conocieron todos aquellos niños. En una casa pequeña y pulcra, blanca con contraventanas negras y una entrada principal de estilo colonial, edificada en una parcela reducida. El antiguo propietario había construido una marquesina de ladrillo alrededor de la puerta principal, que destacaba contra la fachada blanca de la vivienda como unos labios pintados con carmín.

Yo recordaba que cuando Laurie y yo íbamos a verles en los meses de invierno, nos reuníamos en aquella pequeña estancia. Eso era antes, cuando Jacob y Derek estaban en primaria. En aquella época las dos familias éramos amigas. Eran tiempos en que los padres de los amigos de Jacob solían convertirse en amigos nuestros también. Solíamos juntarnos con las otras familias como las piezas de un rompecabezas, padre con padre, madre con madre, hijo con hijo, para ver si encajábamos. Los Yoo no encajaban perfectamente con nosotros en este sentido —Derek tenía una hermana pequeña llamada Abigail, tres años menor que los chicos—, pero la amistad entre las dos familias funcionó bien durante un tiempo. El hecho de que ahora les viéramos menos no era por ninguna ruptura. Simplemente los chicos habían crecido demasiado. Ahora salían ellos solos, y la amistad entre familias no había perdurado lo suficiente como para que ninguna de esas parejas paternales siguiera viéndose. Aun así, yo les consideraba amigos, incluso ahora. Era un ingenuo.

Fue Derek quien abrió la puerta cuando llamé. Se quedó helado. Me miró embobado y mudo, con sus grandes ojos almíbar, hasta que finalmente dije:

—Hola, Derek.

—Hola, Andy.

Los niños Yoo siempre nos habían llamado a Laurie y a mí por nuestros nombres, una práctica permisiva a la que nunca me acostumbré y que, dadas las circunstancias, me crispaba aún más.

—¿Puedo hablar contigo un momento?

Nuevamente, Derek parecía incapaz de articular una respuesta. Se me quedó mirando.

Desde la cocina, David Yoo, el padre de Derek, gritó:

—Derek, ¿quién es?

Oí que arrastraban una silla por el suelo de la cocina. David Yoo salió al vestíbulo, puso la mano delicadamente en la nuca de su hijo y le apartó de la puerta.

—Hola, Andy.

—Hola, David.

—¿Podemos hacer algo por ti?

—Solo quería hablar con Derek.

—¿Hablar de qué?

—Del caso. De lo que pasó. Estoy intentando averiguar quién fue realmente. Jacob es inocente, ya sabes. Yo estoy ayudando a preparar el juicio.

David asintió con gesto comprensivo.

Su mujer, Karen, salió entonces de la cocina y me saludó, y se quedaron todos de pie en la entrada como en un retrato familiar.

—¿Puedo pasar, David?

—No creo que sea buena idea.

—¿Por qué no?

—Estamos en la lista de testigos, Andy. No creo que debamos hablar con nadie.

—Eso es absurdo. Esto es América... Podéis hablar con quien queráis.

—El fiscal nos dijo que no habláramos con nadie.

—¿Logiudice?

—Eso mismo. Nos dijo: no habléis con nadie.

—Bueno, se refería a los periodistas. No quería que fuerais por ahí haciendo declaraciones contradictorias. Simplemente piensa en el interrogatorio. Yo estoy intentando averiguar la ver...

—Lo que nos dijo no fue eso, Andy. Nos dijo: no habléis con nadie.

—Sí, pero eso no puede decirlo. Nadie puede decirte que no hables con alguien.

—Lo siento.

—David, se trata de *mi* hijo. Tú conoces a Jacob. Le conoces desde pequeño.

—Lo siento.

—Bueno, al menos puedo entrar y hablamos de ello.

—No.

—¿No?

—No.

Nos miramos fijamente.

—Andy —dijo él—, este es el rato del día que pasamos en familia. No creo que debas estar aquí.

Quiso cerrar. Su mujer le detuvo, sujetó el borde de la puerta y le imploró con la mirada.

—Por favor, no vuelvas por aquí —me dijo David Yoo y añadió en voz baja—: Buena suerte.

Apartó la mano de Karen de la puerta, la cerró con cuidado y oí cómo deslizaba la cadena en la cerradura.

16

Testigo

Me abrió la puerta del apartamento de los Magrath una mujer rechoncha con cara de pan y una melena negra y rizada. Llevaba mallas negras de lycra y una camiseta muy grande con una frase también muy grande delante: *No me vengas con esa actitud, ya tengo una.* Una frasecita que ocupaba seis líneas escritas sobre su persona, desde el busto flácido hasta el vientre hinchado, y que yo reseguí con la mirada, algo de lo que todavía me arrepiento ahora.

—¿Está Matthew? —dije yo.

—¿De parte de quién?

—Represento a Jacob Barber.

Mirada inexpresiva.

—El asesinato en Cold Spring Park.

—Ah. ¿Es su abogado?

—Su padre, de hecho.

—Ya era hora. Estaba empezando a pensar que ese crío estaba solo en el mundo.

—¿Y eso por qué?

—Es que esperábamos que apareciera alguien por aquí. Ya hace varias semanas. ¿Qué está haciendo la poli?

—Oiga, ¿podría...? ¿Está Matthew? Es su hijo, supongo.

—¿Está seguro de que no es policía?

—Bastante seguro, sí.

—¿Funcionario de la condicional?

—No.

Se puso una mano en la cadera, la metió bajo la faldita de grasa que le rodeaba la cintura.

—Me gustaría preguntarle sobre Leonard Patz.

—Ya lo sé.

El comportamiento de aquella mujer era tan raro —no solo sus respuestas crípticas, también por esa peculiar forma de mirarme— que me costó captar lo que estaba diciendo sobre Patz.

—¿Está Matt aquí? —repetí, ansioso por quitármela de encima.

—Sí. —Abrió la puerta de golpe—. ¡Matt! Hay alguien que quiere verte.

Volvió a entrar en el piso arrastrando los pies, como si todo aquel asunto hubiera dejado de interesarle. El apartamento era pequeño y estaba abarrotado. Aunque Newton es un suburbio elegante, sigue teniendo rincones asequibles para la clase trabajadora. Los Magrath vivían en un pisito de dos habitaciones de una casa adosada de vinilo blanco, subdividida en cuatro módulos. Estábamos a media tarde y en el interior apenas había luz. Una televisión enorme y vieja emitía un partido de los Red Sox. Frente a la televisión había un sofá de felpa con un estampado mostaza, en el que la señora Magrath se dejó caer.

—¿Le gusta el béisbol? —me dijo por encima del hombro—. Porque a mí sí.

—Claro.

—¿Sabe quién juega?

—No.

—Creí que había dicho que le gustaba el béisbol.

—He tenido otras cosas en la cabeza.

—Son los Blue Jays.

—Ah. Los Blue Jays. ¿Cómo he podido olvidarme?

—¡Matt! —gritó. Y luego se dirigió a mí—: Está ahí con su novia, haciendo Dios sabe qué. Kristin, se llama la novia. Esa chica no me ha dicho ni dos palabras en todas las veces que ha estado aquí. Me trata como a la mierda. Solo quiere irse corriendo con Matt, como si yo no existiera. Matt también. Solo quiere estar con Kristin. No tienen tiempo para mí, ninguno de los dos.

Yo asentí.

—Oh.

—¿Cómo supo nuestro apellido? Creía que los de las víctimas de abusos sexuales eran confidenciales.

—Solía trabajar en el despacho del fiscal del distrito.

—Ah, sí, es verdad, ya lo sabía. Es usted. Lo leí en los periódicos. ¿Así que ha visto todo el expediente?

—Sí.

—¿Así que sabe lo de ese tipo, Leonard Patz? ¿Lo que le hizo a Matt?

—Sí. Por lo visto le abordó en la biblioteca.

—Le abordó por los huevos.

—Bueno, los..., sí, eso.

—¡Matt!

—Si es mal momento...

—No. Tiene suerte de que esté aquí. Normalmente se larga con su novia y ni siquiera le veo. Está obligado a estar en casa a las ocho y media, pero no hace caso. Se larga y ya está.

Su agente de la condicional está enterado de todo. Supongo que puedo contarle que tiene un agente de la condicional, ¿no? No sé qué hacer con él. Ya no sé con quién más puedo hablar, ni de qué, ¿sabe? Estuvo una temporada en un reformatorio, y le enviaron otra vez aquí. Yo vivía en Quincy y me trasladé para que no estuviera con sus amigos, que no son buenos. De modo que me vine aquí porque pensé que así le ayudaría, ¿sabe? ¿Alguna vez ha intentado encontrar una vivienda de protección oficial en esta ciudad? *Puf.* A mí me da igual vivir en cualquier sitio. No me importa. ¿Pues sabe qué? ¿Sabe lo que me dice él ahora? ¿Después de todo lo que hago por él? Me dice: «Ay, Ma, has cambiado. Ahora te has venido a vivir a Newton y te crees que eres fina. Llevas gafas finas, ropa fina, y crees que eres como esa gente de Newton» ¿Sabe por qué llevo estas gafas? —Cogió un par de gafas de una mesa junto al brazo del sillón—. ¡Porque no veo! Pero él me marea tanto que ni siquiera me las pongo ni en mi propia casa. Llevaba las mismas gafas en Quincy y no decía nada. Es que no importa lo que haga por él, nunca le parece bastante.

—No es fácil ser madre —apunté yo.

—Ah, bueno, dice que ya no quiere que sea su madre. Lo dice a todas horas. ¿Sabe por qué? Yo creo que es porque estoy gorda, porque no soy guapa. Porque no tengo un cuerpo esquelético como Kristin y no voy al gimnasio, y no tengo el pelo bonito. ¡No puedo evitarlo! ¡Yo soy así! ¡Sigo siendo su madre! ¿Sabe lo que me dice cuando se enfada? Me llama gorda de mierda. Imagínese, decirle algo así a su madre, llamarla gorda de mierda. Yo lo hago todo por ese chico, todo. ¿Me lo agradece alguna vez? ¿Dice: «Oh, te quiero, Ma, gracias»? No. Solo me dice: «Necesito dinero». Me pide dinero y yo le digo: «No tengo dinero para darte, Matty». Y él dice: «Venga ya, Ma, ¿ni siquiera un par de pavos?». Y yo le digo que necesito el dinero para comprarle todas esas cosas que le gustan, como esa cazadora de los Celtics de ciento cincuenta dólares que «tenía» que tener, y que yo como una idiota voy y le compro, solo para que esté contento.

La puerta del dormitorio se abrió y salió Matt Magrath, descalzo, vestido con unos pantalones Adidas de deporte y una camiseta.

—Ma, para un poco, ¿quieres? Estás asustando a este tío.

Los informes policiales de la acusación por acoso y agresión sexual contra Leonard Patz decían que la víctima tenía catorce años, pero Matt Magrath parecía unos años mayor. Era guapo, tenía el mentón cuadrado y una pose desgarbada de sabelotodo.

La novia, Kristin, salió del dormitorio detrás de él. No era tan guapa como Matt. Tenía la cara delgada, la boca pequeña, pecas, y el pecho plano. Llevaba una camiseta con un cuello muy abierto que le colgaba de un lado, y enseñaba un hombro lechoso y el tirante de un sostén de vampiresa de color lavanda. Me di cuenta al momento de que ella no le importaba a aquel chico. Seguramente él no tardaría en romperle el corazón. Sentí pena por ella en cuanto salió por la puerta del dormitorio. Aparentaba unos trece o catorce años. ¿Cuántos hombres más le romperían el corazón antes de que se hartara?

—¿*Tú eres* Matthew Magrath?

—Sí. ¿Por qué? ¿Usted quién es?

—¿Cuántos años tienes Matthew? ¿Cuándo naciste?

—El 17 de agosto de 1992.

Me distraje un momento pensando en eso. Qué reciente parecía eso y qué lejano quedaba ya en mi vida. En 1992 ya hacía ocho años que era abogado. Laurie y yo estábamos intentando concebir a Jacob en ambos sentidos.

—Así que todavía no has cumplido los quince.

—¿Y?

—Y nada. —Miré a Kristin, que me observaba con expresión tenebrosa, como una auténtica chica mala—. He venido a preguntarte por Leonard Patz.

—¿Por Len? ¿Qué quiere saber?

—¿Len? ¿Le llamas así?

—A veces. ¿Usted quién ha dicho que es?

—Soy el padre de Jacob Barber. El chico al que se acusa del asesinato de Cold Spring Park.

—Ya —asintió—. Ya me imaginaba que sería algo de eso. Supuse que era un poli o algo parecido. Por cómo me miraba. Como si hubiera hecho algo malo.

—¿*Tú* crees que has hecho algo malo, Matt?

—No.

—Entonces no tienes por qué preocuparte, ¿verdad? No importa que yo sea poli o no.

—¿Y ella? —Inclinó la cabeza hacia la chica.

—¿Ella, qué?

—¿No es un delito tener relaciones sexuales con una cría? Ella es, no sé, demasiado joven..., así que es como, ¿cómo le llaman a eso?

—Estupro.

—Eso. Pero no cuenta si yo también soy muy joven, ¿verdad? Es como *dos* críos que tienen relaciones sexuales, ya sabe, uno con otro; *los dos* son menores y se lo montan uno con otro...

Su madre dio un respingo.

—¡Matt!

—En Massachusetts no se admite el común acuerdo hasta los dieciséis. Si dos chavales de catorce tienen relaciones sexuales, ambos cometen una violación.

—¿Quiere decir que se violan el uno al otro?

—Técnicamente, sí.

Miró a Kristin con expresión cómplice.

—¿Cuántos años tienes, chica?

—Dieciséis —dijo ella.

—Hoy es mi día de suerte.

—Yo no diría tanto, chico. El día aún no ha acabado.

—¿Sabe una cosa? Creo que es mejor que no hable con usted, ni de Len, ni de nada.

—Matt, yo no soy policía. No me importa qué edad tiene tu novia, no me importa lo que haces. Solo me preocupa Leonard Patz.

—¿Usted es el padre de ese chaval? —dijo con acento de Boston.

—Sí.

—No fue su hijo, ¿sabe?

Esperé. Mi corazón empezó a palpitar.

—Fue Len.

—¿Eso cómo lo sabes, Matt?

—Lo sé.

—¿*Cómo* lo sabes? Yo creía que eras la víctima de un episodio de acoso sexual. No creía que conocieras a... Len.

—Bueno, es complicado.

—¿Ah sí?

—Sí. Lenny y yo somos amigos, más o menos.

—¿Es un tipo de amigo al que denuncias a la policía por acoso sexual?

—Voy a decirle la verdad. ¿Por qué le denuncié? Lenny no hizo nada.

—¿No? ¿Entonces por qué le denunciaste?

Una sonrisita burlona.

—¿Intentó manosearte o no?

—Sí, eso sí.

—Entonces, ¿qué es complicado?

—Oiga, ¿sabe qué? La verdad es que no me gusta esto. No creo que deba hablar con usted. Tengo derecho a no decir nada. Me parece que me atendré a eso y seguiré por ahí, ¿vale?

—Tienes derecho a no decirle nada a la policía. Yo no soy policía. La quinta enmienda no vale para mí. Ahora mismo, en esta habitación, no existe la quinta enmienda.

—Podría meterme en problemas.

—Matt..., hijo. Escúchame. Yo soy un hombre muy paciente. Pero estás empezando a agotarme la paciencia. Estoy empezando a... —suspiro profundo—... enfadarme, Matt, ¿vale? Y eso no me gusta. Dejémonos de jueguecitos, ¿de acuerdo?

Sentí la enormidad del cuerpo que me alberga. Mucho más grande que el de aquel chico. Tuve la sensación de estar expandiéndome. Transformándome en alguien demasiado grande para aquella habitación.

—Matt, si sabes algo sobre el asesinato de Cold Spring Park, vas a contármelo. Porque, hijo, no tienes ni idea de lo que he pasado.

—No quiero hablar delante de ellas.

—Bien.

Agarré al chaval por el brazo derecho y se lo retorcí, pero no se lo retorcí con todas mis fuerzas en aquel momento, porque noté lo fácil que sería separarle el brazo del cuerpo torciéndoselo apenas, cómo podría arrancarle piel, músculo y hueso... Le llevé hasta el dormitorio de su madre que estaba amueblado de forma memorable, con una mesilla de noche compuesta de dos cajas de leche apiladas y vueltas del revés y un collage de fotografías de estrellas del cine, cuidadosamente recortadas de revistas y pegadas con celo en la pared. Cerré la puerta y me planté delante con los brazos cruzados. Con la misma rapidez con la que había aparecido, la adrenalina estaba desapareciendo de mis hombros y brazos, como si mi cuerpo captara que el momento cumbre de la crisis había pasado, que el chaval ya se había doblegado.

—Háblame de Leonard. ¿De qué le conoces?

—Leonard se me acercó un día en McDonald's, grasiento y patético, y me preguntó si quería algo, una hamburguesa o cualquier cosa. Dijo que me compraría todo lo que quisiera si comía con él, solo por sentarme en la mesa con él. Yo sabía que era maricón, pero si quería comprarme un Big Mac, ¿qué más me daba? Yo sé que *no soy* gay, así que ¿a mí qué me importa? O sea que dije que sí, y comemos y él se pone en plan enrollado, como si fuera un tío guay, como si fuera mi colega, y me pregunta si quiero ir a su apartamento. Dice que tiene un montón de DVD y que podemos ver una peli o cualquier cosa. Así que yo ya sabía lo que me esperaba, y le dije claramente que no iba a hacer nada con él, pero que si tenía algo de dinero podíamos montar algo. Y él dice que me dará cincuenta pavos si le dejo, o sea, tocarme el paquete o eso, por encima de los pantalones. Yo le dije que podía hacerlo si me daba cien pavos. Y eso hizo.

—¿Te dio cien pavos?

—Sí. Solo por, bueno, tocarme el culo y eso. —El chico resopló: ¡qué fácil le había resultado conseguir cien pavos!

—Continúa.

—Pues después de aquello siguió diciendo que quería repetir. Así que me dio cien pavos cada vez.

—¿Y tú qué hacías por él?

—Nada. Lo juro.

—Venga, Matt. ¿Cien pavos?

—Pues sí. Lo único que hice fue dejar que me tocara el culo y... por delante.

—¿Te quitaste algo de ropa?

—No. Ni una vez.

—Nunca.

—Nunca.

—¿Cuántas veces fuiste?

—Cinco.

—¿Quinientos pavos?

—Eso es. —El chico soltó otra risita. Dinero fácil.

—¿Te metió la mano por los pantalones?

Duda.

—Una vez.

—¿Una vez?

—De verdad. Una vez.

—¿Cuánto tiempo duró eso?

—Unas semanas. Dijo que ya no tenía más dinero.

—Entonces, ¿qué pasó en la biblioteca?

—Nada. Yo nunca he estado en la biblioteca. No sé ni dónde está.

—¿Y por qué le denunciaste?

—Dijo que ya no quería pagarme más. Dijo que no le gustaba pagar, que no debía pagar si éramos, o sea, amigos. Yo le dije que si no me pagaba le denunciaría. Yo sabía que estaba en libertad condicional, sabía que estaba en la lista de delincuentes sexuales. Si le pillaban violando la condicional, se lo llevarían. Él también lo sabía.

—¿Y no pagó?

—Pagó algo. Me dijo: «Te pagaré la mitad». Así que yo le dije, «Me lo pagarás *todo*». Lo tenía. Tiene un montón. Y además, no es que yo *quisiera* hacerlo. Pero necesitaba *dinero*, ¿sabe? Quiero decir, mire este sitio. ¿Usted sabe lo que es no tener dinero? Es que no *puedes* hacer nada.

—¿Así que le estabas chantajeando por dinero? ¿Y qué? ¿Qué tiene que ver esto con Cold Spring Park?

—Esa fue la razón. Por eso pasó de mí. Dijo que había ese otro chico que le gustaba, un chaval que pasaba todas las mañanas por el parque, cerca de su apartamento.

—¿Qué chico?

—Ese que mataron.

—¿Cómo sabes que es el mismo chico?

—Porque Leonard dijo que iba a intentar encontrarse con él. Estaba como buscándole. O sea, paseaba por el parque por las mañanas intentando encontrarse con él. Incluso sabía el nombre del chico. Oyó a sus amigos decirlo. Se llamaba Ben. Dijo que iba a intentar hablar con él. Dijo todo eso antes de que pasara todo aquello. Yo ni siquiera pensaba en eso hasta que mataron al chico.

—¿Qué decía Leonard de él?

—Decía que ese chico era guapísimo. Decía esa palabra: «guapísimo».

—¿Qué te hace pensar que podía ser violento? ¿Alguna vez te amenazó?

—No. ¿Está de broma? Yo le habría jodido. Simplemente es así. Lenny es un miedica. Por eso le gustan los críos, creo, porque él es un tío grande y sabe que los críos son más pequeños.

—Entonces, ¿por qué se habría puesto violento con Ben Rifkin si iban a encontrarse en el parque?

—No lo sé. Yo no estaba allí. Pero sé que Lenny tenía un cuchillo y que lo llevaba cuando pensaba que podía verse con alguien, porque decía que, ya sabe, que a veces, si eres marica y te vas con el tío equivocado, puedes acabar mal.

—¿Tú viste el cuchillo?

—Sí, lo llevaba encima el día que le conocí.

—¿Cómo era?

—No sé, como..., era un cuchillo.

—¿Como un cuchillo de cocina?

—No, más bien un cuchillo de pelea, supongo. Tenía como dientes. Estuve a punto de quitárselo. Era bastante «guapo».

—¿Por qué nunca le contaste nada de todo esto a nadie? Sabías que habían matado a ese chico.

—Yo también estoy en libertad condicional. La verdad es que no podía contarle a nadie que estaba como sacándole dinero, ni que había mentido en eso de que me toqueteó en la biblioteca. Eso es como un delito.

—Deja de decir «como». Esto no es *como* un delito. Esto *es* un delito.

—Eso. Exacto.

—Matt, ¿cuánto tiempo pensabas estar sin contarle esto a nadie? ¿Ibas a dejar que condenaran a mi hijo por un asesinato que no cometió, solo para no tener que pasar la vergüenza de haber dejado que un tipo te tocara los huevos cada semana? ¿Ibas a mantener la boca cerrada mientras se llevaban a mi hijo a la cárcel de Walpole?

El chico no contestó.

La rabia que sentí en aquel momento era antigua, familiar. Una rabia simple y justificada, tranquilizadora, que conocía como a un viejo amigo. No era rabia contra ese sinvergüenza listillo. De todas formas, tarde o temprano la vida tiende a castigar a idiotas como Matt Magrath. No, yo estaba furioso con el propio Patz, porque era un asesino, y un asesino de la peor especie, un asesino de niños, una categoría por la que policías y fiscales sienten un desprecio especial.

—Pensé que nadie me creería. Porque el problema que tenía era como que no podía contar lo del chaval que mataron porque ya había mentido sobre aquello de la biblioteca. Así que si decía la verdad, simplemente dirían: «Bueno, si ya mentiste una vez. ¿Por qué hemos de creerte ahora?». Así que ¿para qué?

Tenía razón, desde luego. Matt Magrath era prácticamente el peor testigo que uno podía imaginar. Un mentiroso confeso de quien un jurado no se fiaría nunca. El único problema era el mismo que el de aquel chico que gritaba que venía el lobo: resultaba que esa vez decía la verdad.

17

¡A mí no me pasa nada!

Facebook congeló la cuenta de Jacob, probablemente a causa de una orden judicial que les obligó a entregar todo lo que hubiera colgado. Pero con tozudez suicida, él abrió una nueva cuenta en Facebook bajo el nombre de «Marvin Glasscock» y volvió a incluir a su círculo de amigos otra vez. No lo hizo en secreto, lo contó abiertamente. Ante mi sorpresa, Laurie se puso a favor de Jacob. «Está muy solo —dijo—. Necesita *gente*». Lo único que Laurie hacía —lo único que hizo siempre— era ayudar a su hijo. Insistía en que Jacob ahora estaba completamente aislado y que su «vida online» era muy necesaria, integral, y un aspecto tan «natural» de las formas de relacionarse de los jóvenes que sería una crueldad negarle incluso ese mínimo contacto humano. Yo le recordé que el estado de Massachusetts tenía la intención de privarle de muchísimo más que aquello, y acordamos que como mínimo su nueva cuenta tendría ciertas limitaciones. Jacob no cambiaría la contraseña, lo cual nos facilitaría el acceso y la posibilidad de intervenir; no colgaría nada ni remotamente relacionado con el caso; y tenía estrictamente prohibido colgar fotos o vídeos, porque una vez colgados era imposible impedir que corrieran por Internet, y podían malinterpretarse fácilmente. Así empezó un juego del ratón y el gato, en el que un chico, por lo demás inteligente, se esforzaba en bromear sobre su propia situación en términos lo bastante vagos como para que su padre no censurara lo que escribía.

Yo incorporé a mi ronda matutina en Internet una revisión de lo que había escrito Marvin Glasscock en Facebook la noche anterior. Todas las mañanas: primera parada Gmail, segunda Facebook. Luego escribía en Google «Jacob Barber», para enterarme de las novedades del caso. Después, si todo estaba tranquilo, desaparecía unos minutos por la madriguera de conejos de Internet, para olvidar la tormenta de mierda en la que estaba metido.

Lo más extraordinario que descubrí sobre la reencarnación en Facebook de mi hijo fue que nadie en absoluto «solicitaba» su amistad. En el mundo real no tenía amigos. Ahora estaba completamente solo. Nadie le telefoneaba ni le venía a ver nunca. Le habían expulsado temporalmente del colegio y, cuando llegara septiembre, el municipio se vería obligado a contratar a un profesor para él. La ley lo exigía. Laurie había estado negociando durante semanas con la secretaría escolar, regateando sobre el nivel de formación en casa al que Jacob tenía derecho. Entretanto, aparentemente él no tenía ni un solo amigo. Los mismos chicos que estaban encantados de relacionarse con Jacob en la red se negaban a verle en persona. Por descontado, solo un puñado aceptó a «Marvin Glasscock» en su círculo íntimo. Antes del asesinato de Ben Rifkin, la red de Jacob de Facebook, el número de chicos que leían sus ocurrencias a bote pronto y a cuyos comentarios Jacob respondía a su vez, era 474, la mayoría compañeros de clase, la mayoría chavales de los que yo no había oído hablar. Después del asesinato, solo había cuatro, uno de los cuales era Derek Yoo. Me pregunto si esos cuatro, o Jacob, llegaron a entender que cualquier movimiento suyo en la red quedaba registrado y archivado en un servidor de alguna parte. Nada de lo que hacían en la red —nada— era privado. Y al contrario que una llamada telefónica, eso era una forma de comunicación escrita. Estaban generando una transcripción de cada conversación. La red es el sueño de cualquier fiscal, un mecanismo que se supervisa y se graba, que oye los secretos más íntimos y morbosos, incluso los que nunca se han dicho en voz alta. Es mejor que el cable. Es un cable plantado en el interior de la cabeza de todo el mundo.

Era una cuestión de tiempo, claro. Tarde o temprano, tecleando en su portátil a altas horas de la noche, sumido en ese feliz aturdimiento de navegar por la red, Jacob cometería una estúpida metedura de pata de adolescente. Finalmente sucedió a mediados de agosto. A primera hora de la mañana de un domingo, yo eché una mirada a la página de Facebook de Marvin Glasscock, y encontré una imagen de Anthony Perkins en *Psicosis* —aquella famosa silueta que levanta una navaja por encima del hombro para apuñalar a Janet Leigh en la ducha—, con la cara de Jacob superpuesta con Photoshop... Jacob como Norman Bates. Aparentemente, la cara era de una fotografía de Jacob en una fiesta. Se le veía sonriendo de oreja a oreja. Jacob había añadido una frase al montaje fotográfico: «Lo que la gente piensa de mí». Sus amigos respondían con comentarios del tipo: «Ese tío parece una tía». «Te ha quedado alucinante. Deberías convertirlo en tu nuevo perfil». «Wee-wee-wee [música de *Psicosis*]». «¡Marvin Glasscock! ¡¡¡La cara de ese tío encaja perfectamente!!!!».

No borré la foto inmediatamente. Quería discutirlo con Jacob. Subí las escaleras con el portátil, la máquina ronroneaba en mi mano.

Estaba en su habitación, dormido todavía. Una de sus novelas juveniles estaba abierta, boca abajo, sobre la mesilla. Siempre eran relatos futuristas de ciencia ficción o fantasías bélicas sobre unidades ultrasecretas del ejército, con nombres como «Alpha Force». (A Jacob no le iban esos vampiros adolescentes melancólicos: no eran lo bastante *escapistas*).

Eran casi las siete. Las cortinas estaban echadas, la habitación estaba a oscuras.

Cuando tropecé, descalzo, con el borde de la cama, Jacob se despertó y se dio la vuelta para mirarme. Yo fruncía el ceño, sin duda. Le di la vuelta al ordenador para enseñarle la pantalla, la prueba de su delito.

—¿Qué es esto?

Él gruñó, medio dormido.

—¿Qué es esto?

—¿Qué?

—¡Esto!

—No lo sé. ¿De qué hablas?

—Esta foto en Facebook. ¿Es de anoche? ¿Tú has colgado esto?

—Es una broma.

—¿Una broma?

—Solo es una broma, papá.

—¿Una broma? Pero a ti ¿qué te pasa?

—Si hemos de hacer un drama de es...

—Jacob, ¿tú sabes lo que van a hacer con esta imagen? Van a enseñársela a los miembros del jurado, ¿y sabes qué dirán? Dirán que esto prueba una conciencia de culpabilidad. Esta es la frase exacta que utilizarán, conciencia de culpabilidad. Dirán: «Así es como Jacob Barber se ve a sí mismo. Un psicópata. Cuando se mira al espejo, este es el reflejo que ve: Norman Bates». Usarán la palabra psicópata una y otra vez, y sostendrán en alto esta imagen y el jurado se la quedará mirando. La mirarán y ¿sabes qué? Ya nunca podrán olvidarla, no serán capaces de quitársela de la cabeza. Se les grabará en la mente. Les afectará. Les tergiversará, les contaminará. Puede que no a todos, puede que no mucho. Pero desplazará la flecha solo un poquito más hacia ti. Así son las cosas. Esto es lo que conseguiste con eso: tú se lo diste. Les hiciste un regalo, joder. Un regalo. Porque sí. Si Logiudice lo descubre, no lo soltará. ¿Lo entiendes? ¿Tú sabes lo que te juegas, Jacob?

—¡Sí!

—¿Sabes lo que quieren hacerte?

—Claro que lo sé.

—Entonces, ¿por qué? Dímelo. Porque no tiene lógica. ¿Por qué hiciste eso?

—Ya te lo he dicho, fue una broma. Significa lo contrario de todo eso que dices. Se trata de cómo me ven los demás. No de cómo me veo yo. Ni siquiera se trata de mí.

—Ah. Entonces es completamente lógico. Era una simple muestra de inteligencia e ironía por tu parte. Y, naturalmente, el fiscal del distrito y el jurado lo entenderán así también. Jesús. ¿Eres tonto?

—No soy tonto.

—Entonces, ¿qué te pasa?

Detrás de mí, la voz de Laurie:

—¡Andy! Basta. —Tenía los brazos cruzados y cara de dormida todavía.

Jacob, dolido, dijo:

—A mí no me pasa nada.

—Entonces qué narices te dio...

—Andy, basta.

—¿Por qué, Jacob? Dime solamente por qué. —Mi rabia ya había alcanzado su punto máximo. Pero seguía bastante alterado, así que le lancé un par de pullas a Laurie—. ¿Puedo preguntarle esto? ¿Puedo preguntarle por qué? ¿O es demasiado?

—Solo quería hacer una broma, papá. ¿No podemos borrarlo y ya está?

—¡No! No podemos borrarlo y ya está. ¡Justamente se trata de eso! De que no desaparece, Jacob. Podemos borrarlo pero no desaparece. Cuando tu colega Derek vaya a la fiscalía del distrito, y les diga que tienes una cuenta en Facebook con el nombre de Melvin Glasscock o lo que sea, y que has colgado esta foto, lo único que el fiscal tendrá que hacer es enviar una orden judicial y la conseguirá. Facebook se limitará a entregárselo todo. Esas cosas se te quedan pegadas. Como el napalm. No puedes hacer esto. No puedes hacerlo.

—Vale.

—No puedes hacer este tipo de cosas. Ahora no.

—Vaaale, he dicho. Lo siento.

—No lo sientas. Sentirlo no solucionará el problema.

—Andy, basta ya. Me estás asustando. ¿Qué quieres que haga Jacob? Ya está hecho. Te ha dicho que lo siente. ¿Por qué sigues sermoneándole?

—¡Sigo sermoneándole porque esto es importante!

—Ya está hecho. Cometió un error. Es un niño. Por favor, cálmate, Andy. Por favor.

Laurie cruzó la habitación, me quitó el portátil de las manos —yo apenas era consciente de que seguía teniéndolo— y miró la foto de cerca. Cogió el ordenador con una mano en cada lado, como la bandeja de una cafetería.

—Vale. —Encogió los hombros—. Pues borrémoslo y ya está. ¿Cómo lo borro? No veo ningún botón.

Yo cogí el portátil y busqué en la pantalla.

—Yo tampoco lo veo. Jacob, ¿cómo se borran estas cosas?

Él cogió el ordenador, se sentó en el borde de la cama y tecleó varias veces.

—Así. Ya. —Cerró la tapa, me lo devolvió y luego se tumbó y se dio la vuelta de espaldas a mí.

Laurie me echó una mirada, como si el loco fuera yo.

—Yo me vuelvo a acostar, Andy. —Salió de la habitación y enseguida oí el chirrido de nuestra cama cuando volvió a meterse en ella.

Laurie siempre había sido madrugadora, incluso los domingos, hasta que nos pasó aquello. Yo me quedé allí un momento, sosteniendo el ordenador en el costado como un libro cerrado.

—Siento haber gritado.

Jacob dio un respingo. No fui capaz de saber qué significaba aquel respingo, si estaba a punto de llorar o enfadado conmigo. Pero aquello desató algo en mí que me puso sentimental. Recordé a Jake cuando era un bebé, nuestra preciosa criaturita rubia de ojos abiertos. El hecho de que ese chico, ese niño-hombre, fuera exactamente la misma persona que aquel bebé se me ocurrió como una idea nueva, algo que nunca había pensado: el bebé no se había convertido en el chico; el bebé era el chico, la misma criatura, idéntica en el fondo. Aquel era el mismo bebé que yo había tenido en brazos. Me senté en la cama a su lado y puse la mano en su hombro desnudo.

—Siento haber gritado. No debería haber perdido el control. Yo solo intento cuidarte. Lo sabes, ¿verdad?

—Voy a volver a dormir.

—Vale.

—Déjame solo.

—Vale.

—Vale, pues vete.

Yo asentí, le acaricié el hombro un par de veces, como si pudiera traspasar a su interior, a través de la piel, la frase te quiero, pero él se quedó allí impertérrito y yo me levanté para marcharme. La silueta de la cama dijo:

—A mí no me pasa nada. Y sé perfectamente lo que van a hacerme. No hace falta que me lo digas.

—Lo sé, Jake. Lo sé.

Y entonces, con la arrogancia e inconsciencia de un niño, se quedó dormido.

18

El gen asesino, segunda parte

Un martes por la mañana, hacia finales de verano, Laurie y yo estábamos sentados en el despacho de la doctora Vogel para nuestra reunión semanal, bajo la mirada de aquellas máscaras africanas aulladoras. La sesión no había empezado. Todavía estábamos acomodándonos en nuestras sillas habituales, haciendo los comentarios de rigor sobre el buen tiempo que hacía, y Laurie temblando un poco por el aire acondicionado, cuando la doctora dijo:

—Andy, debo decirle que creo que va a pasar un mal rato.

—¿Ah, sí? ¿Y eso por qué?

—Tenemos que hablar de algunos de los aspectos biológicos relacionados con el caso, de genética. —Vaciló. La doctora Vogel mantenía deliberadamente un gesto impasible durante nuestras sesiones, seguramente para impedir que sus propias emociones influenciaran las nuestras. Pero esa vez tenía la barbilla y la boca visiblemente tensas—. Y tengo que extraerle una muestra de ADN. Solo le pasaré un algodón por la boca. Ni agujas, ni nada agresivo. Un simple algodoncito estéril por las encías, para sacarle una muestra de saliva.

—¿Una muestra de ADN? Debe de estar de broma. Creía que íbamos a prescindir de todo eso.

—Mire, Andy, yo soy médico, no abogado; no puedo decirle qué admitirán como prueba o qué rechazarán. Esto les corresponde a Jonathan y a usted. Lo que puedo decirle es que la genética de la conducta —y con ello me refiero a la ciencia sobre cómo nuestros genes influyen en nuestra conducta— abre dos vías. Puede que el fiscal quiera aportar ese tipo de prueba para mostrar que Jacob es violento por naturaleza, un asesino nato, porque obviamente eso hace más factible el hecho de que Jacob cometiera ese crimen. Pero puede que nosotros también queramos sacarlo a relucir. Si llega un punto en que el fiscal del distrito ha demostrado que Jacob probablemente mató a ese chico —y digo *si*; no hago predicciones; no digo que yo lo crea, solo *si*—, puede que queramos aducir la prueba genética como atenuante.

—¿Atenuante? —dijo Laurie.

Yo aclaré:

—Para rebajarlo de homicidio en primer grado a segundo o no premeditado.

Laurie pestañeó. La terminología técnica era desalentadora, nos recordaba la eficiencia con la que funcionaba el sistema. Un tribunal es una fábrica, clasifica la violencia en una jerarquía de crímenes, convierte a los sospechosos en criminales.

Yo también estaba desalentado. El abogado que había en mí supo, al instante, el cálculo que estaba haciendo Jonathan. Como un general que se prepara para la batalla, estaba planeando sus posiciones para una retirada, una retirada táctica controlada.

—Le dije a la madre de mi hijo con dulzura:

—El primer grado supone perpetua sin condicional. Es una sentencia obligatoria. El juez no tiene alternativa. Con el segundo grado Jacob podría salir en libertad condicional dentro de veinte años. Sólo tendría treinta y cuatro. Con toda la vida por delante todavía.

—Jonathan me ha pedido que investigue el tema, que lo prepare, por si acaso. Laurie, yo creo que la clave, la forma más fácil de verlo, es esta: la ley castiga los crímenes intencionados. Presupone que todo acto es intencionado, un producto del libre albedrío. Si lo hiciste, se asume que querías hacerlo. La ley es muy poco compasiva con una defensa basada en el «sí pero». Sí, pero tuve una infancia dura. Sí, pero tengo una enfermedad mental. Sí, pero estaba borracho. Sí, pero me dejé llevar por la ira. Si cometes un crimen, la ley dirá que eres culpable pese a todas esas cosas. Pero lo tendrá en cuenta a la hora de definir exactamente el crimen y a la hora de dictar sentencia. En ese punto, cualquier cosa que afecte tu libre albedrío —incluida una predisposición genética a la violencia o a un escaso control de los impulsos— puede tenerse en cuenta, al menos teóricamente.

—Eso es una ridiculez —añadí con sorna—. Ningún jurado se lo tragaría. ¿Qué les dirá? ¿«Maté a un chico de catorce años, pero dejen que me vaya de todos modos»? Olvídelo. Eso no va a pasar.

—Puede que no tengamos alternativa, Andy. *Si.*

—Es una estupidez —le dije a la doctora Vogel—. ¿Va a sacarme una muestra de ADN? Yo no he matado a una mosca en mi vida.

La doctora asintió. Sin la menor reacción. Como la perfecta psiquiatra, se limitó a quedarse allí sentada, dejando que las palabras rompieran contra ella, como las olas en un espigón, porque ese era el modo de hacerme hablar. En alguna parte había aprendido que si un entrevistador permanece en silencio, el entrevistado se apresurará a llenar ese silencio.

—Yo nunca he hecho daño a nadie. No tengo mal carácter. No soy así. Ni siquiera jugaba al fútbol americano. Mi madre nunca me dejó. Sabía que no me gustaría. Lo sabía. En nuestra casa no había violencia. ¿Sabe qué hacía yo de pequeño? Tocaba el clarinete. Mientras todos mis amigos jugaban al fútbol americano, yo tocaba el clarinete.

Laurie apoyó su mano en la mía para apaciguar mi creciente nerviosismo. Ese tipo de gestos entre nosotros eran cada vez menos frecuentes, y aquello me conmovió. Me calmó.

La doctora Vogel dijo:

—Andy, sé que ha invertido usted mucho en esto. En su identidad, en su reputación, en el hombre en que se ha convertido, un hombre que usted mismo creó. Hemos hablado de eso y lo entiendo perfectamente. Pero esa es precisamente la cuestión. Nosotros no somos solo producto de los genes. Todos somos producto de muchas cosas, muchas: de los genes, del entorno, de la naturaleza y de la educación. El hecho de que usted sea quien es, es el mejor ejemplo que conozco de la fuerza de voluntad del individuo. No importa lo que descubramos escrito en sus genes, eso no nos dirá nada sobre quién es usted. El comportamiento humano es mucho más complejo que eso. La misma secuencia genética en un individuo puede producir un resultado completamente diferente en diferentes individuos en diferentes entornos. De lo que estamos hablando aquí es únicamente de una predisposición genética. Predisposición no es predestinación. Nosotros los humanos somos mucho, mucho más que nuestro ADN. El error que la gente tiende a cometer con una ciencia nueva como esta es un determinismo excesivo. Ya hemos hablado de esto. Aquí no estamos hablando del código genético de unos ojos azules. El comportamiento humano tiene muchas, muchas más causas que meros rasgos físicos.

—Un discurso precioso, y sin embargo sigue usted queriendo meterme un algodón en la boca. ¿Y si yo no quiero saber qué hay en mi ADN? ¿Y si no me gusta para lo que estoy programado?

—Andy, por muy duro que le resulte, todo esto no trata de usted. Trata de Jacob. La cuestión es: ¿hasta dónde está dispuesto a llegar por Jacob? ¿Qué haría usted para proteger a su hijo?

—Esto no es justo.

—Es lo que hay. Yo no le puse en esta situación.

—No, fue Jonathan. Él es quien debería estar diciéndome estas cosas, no usted.

—Probablemente él no quiere discutir esto con usted. Ni siquiera sabe si lo utilizará en el juicio. Es algo que quiere guardarse en el bolsillo por si acaso, nada más. Y también puede que piense que a él usted le diría que no.

—Y tiene razón. Por eso es con él con quien debería tener esta conversación.

—Él se limita a cumplir con su obligación. Usted, más que nadie, debería entender eso.

—Su obligación es hacer lo que quiere su cliente.

—Su obligación es ganar, Andy, no compartir los sentimientos de nadie. En cualquier caso, usted no es su cliente, sino Jacob. Lo único que importa aquí es Jacob. Por eso estamos todos aquí, para ayudar a Jacob.

—¿Así que Jonathan quiere argumentar en el tribunal que Jacob tiene el gen asesino?

—Si llegamos a eso, si nos vemos desesperados, sí, puede que tengamos que argumentar que Jacob tiene determinadas variantes genéticas específicas que aumentan las probabilidades de que actúe de una forma agresiva o antisocial.

—Todas esas clasificaciones y matices son incomprensibles para la gente corriente. Los periódicos lo llamarán gen asesino. Dirán que somos asesinos natos. Toda la familia.

—Lo único que podemos hacer es decirles la verdad. Si quieren distorsionarla, hacer sensacionalismo, ¿qué le vamos a hacer?

—De acuerdo, digamos que lo acepto y dejo que me extraiga una muestra de ADN. Dígame exactamente qué está buscando.

—¿Sabe algo de biología?

—Solo lo que aprendí en el colegio.

—¿Sacaba buenas notas en biología en el instituto?

—Era mejor con el clarinete.

—Vale, ¿en cuatro palabras? Piense que las causas del comportamiento humano son infinitamente complejas y que no existe un simple detonante genético para comportamientos humanos individuales; siempre estamos hablando de una interacción genética-entorno; y que, en cualquier caso, «comportamiento criminal» no es un término científico, sino legal, y que determinados comportamientos que pueden definirse como criminales en una situación pueden no serlo en otra, como la guerra...

—Vale, vale, ya lo pillo. Es complicado. Simplifíquemelo y dígame solamente: ¿qué está buscando en mi saliva?

Ella sonrió, sin ganas.

—De acuerdo. Hay dos variantes genéticas específicas que se han vinculado a la conducta antisocial masculina, que pueden ayudar en casos de familias con varias generaciones con patrones de violencia como la suya. La primera es un alelo de un gen llamado MAOA. El gen MAOA está localizado en el cromosoma X. Controla una enzima que metaboliza determinados neurotransmisores como la serotonina, la norepinefrina y la dopamina. Se le llama «gen guerrero» porque se asocia con un comportamiento agresivo. La mutación se llama MAOA Knock-out. Se ha admitido ya en diversos juicios como desencadenante de la violencia, pero la argumentación era demasiado simplista y la rechazaron. Nuestros conocimientos sobre la interacción entre los genes y el entorno han mejorado desde entonces —la ciencia avanza muy aprisa— y ahora es posible conseguir declaraciones mejores de los expertos.

»La segunda mutación está localizada en lo que se llama gen transmisor de la serotonina. El nombre técnico del gen es SLC6A4. Está localizado en el cromosoma 17. Codifica una proteína que facilita la actividad del sistema transmisor de serotonina, que es lo que posibilita que la sinapsis vuelva a captar serotonina para la neurona.

Yo levanté la mano: *ya vale*.

Ella dijo:

—La cuestión es que la ciencia es útil y mejora cada día. Piénselo. Hasta ahora siempre nos habíamos preguntado: ¿cuál es la causa del comportamiento humano? ¿La naturaleza o la educación? Y hemos estudiado muy a fondo la parte correspondiente a la educación de esa ecuación. Hay muchos buenos estudios sobre cómo el entorno influye en el comportamiento. Pero ahora, por primera vez en la historia de la humanidad, podemos analizar el aspecto natural. Es algo totalmente innovador. La estructura del ADN se descubrió en 1953 y ahora estamos empezando a entenderlo. Estamos empezando a analizar lo que somos. No se trata de una especie de abstracción como «el alma» o de una metáfora como «el corazón humano», sino del verdadero mecanismo de los seres humanos, los elementos esenciales. Esto —y se pellizcó la piel del brazo y levantó una muestra de su propia carne—, el cuerpo humano, es una máquina. Esto es un sistema, un sistema muy complejo hecho de moléculas y conducido por reacciones químicas y estímulos eléctricos. Nuestra mente es parte de ese sistema. La gente no tiene problemas para aceptar que la educación afecta al comportamiento. ¿Por qué no la naturaleza?

—Doctora, ¿esto salvará a mi hijo de la cárcel?

—Puede.

—Pues hágalo.

—Hay algo más.

—No sé por qué, pero no me sorprende.

—Necesito también una muestra de su padre.

—¿Mi padre? Está de broma. No he hablado con mi padre desde que tenía cinco años. Ni siquiera sé si está vivo.

—Está vivo. Está preso en la cárcel de Northern, en Somers, Connecticut.

Una sacudida.

—Pues vaya a hacerle la prueba.

—Lo he intentado. No quiere verme.

Yo pestañeé. Me había cogido a contrapié tanto la noticia de que mi padre estaba vivo como el hecho de que ella había tenido noticias suyas. La doctora Vogel tenía ventaja sobre mí. No solo conocía mi historia, no la consideraba historia en absoluto. Para ella no era una carga. Para la doctora Vogel, intentar ponerse en contacto con Billy Barber era tan sencillo como descolgar el teléfono.

—Él dice que tiene que pedirlo usted.

—¿Yo? No me reconocería aunque me tuviera a medio metro.

—Por lo visto quiere que eso cambie.

—¿Ah, sí? ¿Por qué?

Ella se encogió de hombros.

—Un padre se hace viejo y quiere conocer un poco a su hijo. Nadie entiende el corazón humano.

—¿Así que él sabe cosas de mí?

—Oh, lo sabe todo de usted.

Noté que me ruborizaba de emoción, como un niño pequeño: ¡un padre! Luego, al pensar en Bloody Billy Barber, mi humor cayó en picado con idéntica rapidez y se volvió ácido.

—Dígale que se vaya al carajo.

—Eso no puedo decírselo. Necesitamos su ayuda. Necesitamos una muestra para argumentar que una mutación genética no es solo una excepción, sino un rasgo familiar que se hereda de padres a hijos.

—Podríamos conseguir una orden judicial.

—No, sin informar de nuestras intenciones al fiscal del distrito.

Meneé la cabeza.

Finalmente Laurie habló.

—Andy, tienes que pensar en Jacob. ¿Qué serías capaz de hacer por él?

—Bajaría a los infiernos y volvería.

—De acuerdo; pues es lo que harás.

19

La Sala de Montaje

Durante la última semana de agosto —esa no semana, esa semana llena de domingos, en que todos lamentamos que ya haya pasado el verano y nos movemos un poco más despacio, preparándonos para el otoño—, la temperatura subió y el aire se espesó tanto, que el calor se convirtió en lo único de lo que era capaz de hablar la gente: cuándo aflojaría, hasta dónde llegaría, lo insufrible que era la humedad. Aquello hizo que la gente se quedara en casa, como si fuera invierno. Las aceras y las tiendas estaban extrañamente silenciosas. Para mí el calor no era una tortura, solo era un síntoma, como la fiebre es un síntoma de la gripe. Solo era el motivo más evidente por el cual el mundo era cada vez más insoportable.

A esas alturas el calor había conseguido trastornarnos un poco, a Laurie, a Jacob y a mí, a todos. Ahora lo recuerdo y es duro pensar lo egocéntrico que me había vuelto, cómo me parecía que toda aquella historia me afectaba a mí, no a Jacob, ni a toda la familia. Yo mezclaba mentalmente la culpabilidad de Jacob con la mía, aunque a mí nadie me había acusado de nada explícitamente. Me estaba desmoronando, por supuesto. Y lo sabía. Recuerdo perfectamente que me animaba a mí mismo a mantener la compostura, a mantener las apariencias, a no romperme.

Pero no compartí mis sentimientos con Laurie, ni tampoco intenté sonsacarle los suyos, porque todos nos estábamos derrumbando. Yo evitaba cualquier tipo de conversación emocional franca, y no tardé en ignorar completamente a mi mujer. Nunca pregunté —¡nunca lo pregunté siquiera!— qué suponía aquella experiencia para la madre de Jacob, el asesino. Creía que era más importante ser —o al menos parecer— un pilar de fortaleza y animarla a ella a ser fuerte también. Esa era la única actitud sensata: aguantar el tipo, resistir el juicio, hacer lo necesario para salvar a Jacob, y después, más adelante, reparar los daños emocionales. Después. Como si hubiera un lugar llamado Después, y yo fuera capaz de empujar simplemente a mi familia hacia esa orilla, y entonces todo iría bien. Y habría tiempo para todos esos problemas «blandos» en la tierra de Después. Me equivocaba. Ahora pienso que debería haber mirado a Laurie entonces, que debería haber prestado atención. Ella había salvado mi vida una vez. Yo llegué a ella herido y ella me había querido a pesar de eso. Y cuando la herida fue ella, yo no levanté un dedo para ayudarla. Solo me fijé en que cada vez tenía el pelo más canoso y desaliñado, y en que cada vez tenía más arrugas grabadas en la cara, como un jarro de cerámica antigua. Había perdido tanto peso que le sobresalían los huesos de la cadera, y cuando estábamos juntos hablaba cada vez menos. A pesar de todo eso, nunca maticé mi decisión de salvar a Jacob primero y curar a Laurie después. Ahora intento racionalizar esa intransigencia despiadada: entonces yo era un maestro en la internalización de emociones peligrosas; tenía la mente recalentada por el estrés de aquel verano interminable. Todo esto es verdad y también es una estupidez. La verdad es que fui un estúpido. Laurie, fui un estúpido. Ahora lo sé.

Una mañana alrededor de las diez fui a casa de los Yoo. Los padres de Derek trabajaban ambos, incluso durante esa semana semifestiva. Yo sabía que Derek estaría solo en casa. Jacob y él seguían enviándose mensajes regularmente. Incluso hablaban por teléfono, aunque solo durante el día, cuando los padres de Derek no estaban y no podían oírle. Yo estaba convencido de que Derek quería ayudar a su amigo, que querría hablar conmigo, contarme la verdad, pero de todos modos temía que no me dejara entrar. Era un buen chaval. Haría lo que le habían mandado, como hacía siempre, como siempre había hecho. Así que yo iba bastante preparado para convencerle de que me dejara entrar en la casa, incluso para obligarle. Recuerdo que me sentía muy capaz de ello. Llegué a su casa vestido con unos shorts de deporte holgados y una camiseta sudada pegada a la espalda. Había engordado varios kilos desde que empezó todo aquello, y recuerdo que la barriga me caía sobre los pantalones cortos, que se escurrían sobre mis caderas una y otra vez. Tenía que subírmelos continuamente. Yo siempre había sido atlético y esbelto. Mi nuevo cuerpo desaliñado me avergonzaba, pero carecía de interés para ponerle remedio. Nuevamente, ya habría tiempo *después*.

Cuando llegué a casa de los Yoo no llamé. No quería darle al chico la oportunidad de esconderse, de verme y negarse a abrir la puerta, de fingir que no estaba. Lo que hice fue dar la vuelta hasta la parte de atrás, pasé junto al pequeño parterre de flores, junto a una hortensia que lanzaba racimos cónicos de flores blancas en todas direcciones, como si fueran fuegos artificiales, una eclosión que, según recordaba, David Yoo esperaba durante todo el año.

Los Yoo habían construido una ampliación de la casa en la parte de atrás. Con un recibidor y una sala para desayunar. Las paredes estaban completamente acristaladas. Desde la terraza de atrás vi, a través de la cocina, la salita donde Derek veía la televisión repantingado en un sofá. En la terraza había muebles de jardín, una mesa con un parasol y seis sillas. Si Derek se hubiera negado a dejarme entrar, yo podría haber lanzado una de esas pesadas sillas de exterior a través de las cristaleras, como William Hurt en *Fuego en el cuerpo.* Pero la puerta no estaba cerrada. Entré en la casa directamente como si fuera mía, como si acabara de sacar la basura al garaje.

En el interior hacía fresco gracias al aire acondicionado.

Derek se puso de pie de golpe pero no vino hacia mí. Se quedó con sus pantorrillas delgaduchas pegadas al sofá; llevaba pantalones cortos de deporte y una camiseta negra con el logo de Zildjian en el pecho. Iba descalzo y tenía los pies largos y huesudos. Presionaba la alfombra con los dedos arqueados como orugas. Nervios. Cuando conocí a Derek él tenía cinco años y todavía era rechoncho. Ahora era un adolescente esquelético más, desgarbado y un poco ido como el mío. Era igual que Jacob en todos los sentidos menos en uno: en el futuro de Derek no había nubarrones, nada le detendría. Pasaría la adolescencia con la misma expresión alucinada que Jacob, la misma ropa asquerosa, el mismo desaliño, sin mirar a los ojos a la gente, y llegaría directamente a la edad adulta. Era el chico sin tacha que Jacob podría haber sido, y por un segundo pensé lo agradable que sería tener un chaval tan poco complicado. Envidié a David Yoo, aunque en aquel momento le consideraba un gilipollas integral.

—Hola, Derek.

—Hola.

—¿Qué pasa, Derek?

—No debería estar aquí.

—He estado aquí cientos de veces.

—Ya, pero ahora no debería estar aquí.

—Solo quiero hablar. Sobre Jacob.

—Yo no debo.

—Derek, ¿qué te pasa? Estás muy... nervioso.

—No.

—¿Me tienes miedo?

—No.

—Entonces, ¿por qué te portas así?

—¿Así, cómo? No estoy haciendo nada.

—Parece que hayas visto un fantasma.

—No, solo es que usted no debería estar aquí.

—Cálmate, Derek. Siéntate. Lo único que quiero es saber la verdad, solo eso. ¿Qué narices está pasando aquí? ¿Qué está pasando de verdad? Me gustaría que alguien me lo contara, nada más.

Crucé por la cocina hasta la salita de la tele con cautela, como si me acercara a un animal asustado.

—A mí no me importa lo que dijeron tus padres, Derek. Tus padres se equivocan. Jacob se merece que le ayudes. Es tu amigo. Tu amigo. Yo también lo soy. Soy tu amigo y los amigos hacen eso, Derek. Se ayudan unos a otros. Esto es lo único que quiero, que seas amigo de Jacob ahora. Te necesita.

Me senté.

—¿Qué le dijiste a Logiudice? ¿Qué puedes haberle dicho que le hiciera creer que mi hijo es un asesino?

—Yo no dije que Jake fuera un asesino.

—¿Qué le dijiste, entonces?

—¿Por qué no se lo pregunta a Logiudice? Creía que él tenía obligación de decírselo.

—Debería, Derek, pero está jugando. No es una buena persona, Derek. Ya sé que quizás te cuesta entenderlo. No te llevó ante el gran jurado porque en ese caso tendría que haberme entregado una transcripción. Probablemente tampoco quiso que hablaras con un detective, porque ese policía habría escrito un informe. Así que necesito que tú me lo digas, Derek. Necesito que cumplas con tu obligación. Dime lo que le contaste a Logiudice que le convenció de que Jacob era culpable.

—Le dije la verdad.

—Ah, eso ya lo sé, Derek. Todo el mundo dice la verdad. Es una pesadez. Porque nunca es la misma verdad. De manera que necesito saber exactamente qué le dijiste.

—No debería...

—¡Maldita sea, Derek! ¡Qué dijiste!

Retrocedió y volvió a caerse en el sofá, como si el grito le hubiera impulsado hacia atrás. Yo me calmé, y dije en voz baja con cierta desesperación:

—Por favor, Derek. Dímelo, por favor.

—Solo le conté, ya sabe, algunas cosas que pasaban en el colegio.

—¿Como qué?

—Que se metían con Jake. Ben Rifkin era como el líder de ese grupo de chicos. Como una panda de matones. Se lo estaban haciendo pasar bastante mal a Jake.

—¿Cómo?

—Decían que era gay, eso era lo principal. Había como rumores. Ben se lo inventó, tal cual. Y, ¿sabe?, a mí no me importa si Jake es gay. En serio. Aunque me habría gustado que si lo era lo dijera.

—¿Tú crees que es gay?

—No lo sé. Puede. Pero no importa, porque no hizo las cosas que Ben dice que hizo. Ben simplemente se lo inventó.

Le gustaba pinchar a Jake por lo que fuera. Como si fuera un juego o algo así. Era un abusón.

—¿Qué decía Ben?

—No lo sé. Solo se inventaba rumores. Como cuando dijo que Jake se ofreció a hacerle una mamada a un chico en una fiesta, lo cual es una gran mentira. O que después de gimnasia se empalmó en la ducha. O que un día uno de los profesores volvió a entrar en el colegio durante el descanso, y pilló a Jake haciéndose una paja en un aula. Todo eso era totalmente mentira.

—¿Por qué lo decía, entonces?

—Porque Ben era un capullo. Jake tenía algo que a Ben no le gustaba y ya está, y eso le excitaba, ¿sabe?, como si no pudiera evitarlo. Si veía a Jake, le echaba mierda encima. Siempre. Supongo que también creía que se saldría con la suya. Simplemente era un capullo. ¿Sinceramente? Nadie quiere decirlo porque le mataron y eso, pero Ben era malo. El que hizo eso..., bueno, no sé, no quiero decirlo, da igual. Ben era malo.

—Pero ¿por qué era malo con Jacob? No lo entiendo.

—Porque no le gustaba. Jake es como..., quiero decir, yo conozco a Jake, ¿vale? Y me gusta. Pero venga ya. Quiero decir que usted tiene que saber que Jake no es como... ¿un chaval normal?

—¿Por qué no? ¿Porque los demás creían que era gay?

—No.

—Entonces, ¿qué quiere decir «normal»?

Derek me lanzó una mirada penetrante.

—Jake también tiene una vena mala —dijo sin bajar la vista.

Yo intenté mantenerme impasible. Intenté que mi nuez dejara de moverse arriba y abajo.

Derek dijo:

—Yo creo que a lo mejor Ben eso no lo sabía. Escogió meterse con el chaval que no debía. No tenía ni idea.

—¿Así que por eso entraste en Facebook y le contaste a todo el mundo lo del cuchillo?

—No. Fue por algo más que eso. Quiero decir que él se compró el cuchillo porque tenía miedo de Ben. Jake creía que Ben algún día le atacaría e intentaría jorobarle, y entonces tendría que defenderse. ¿Usted no sabía nada de todo esto?

—No.

—¿Jacob nunca le contó nada de esto?

—No.

—Bueno, yo lo dije por que sabía que Jake tenía el cuchillo, y sabía que era porque le daba miedo que Ben algún día intentara algo. No sé. No sé por qué lo dije.

—Lo dijiste porque era la verdad. Porque querías decir la verdad.

—Supongo.

—Pero ese cuchillo no fue el arma del crimen. El cuchillo que tú viste, ese que Jacob tenía, no es el que mató a Ben. Encontraron otro cuchillo en Cold Spring Park. Eso lo sabes, ¿verdad?

—Sí, pero ¿y qué? Encontraron un cuchillo... —Encogió los hombros—. De todos modos, fue como..., en aquel momento todo el mundo seguía diciendo: ¿dónde esta el cuchillo?, y Jake no paraba de decir: «Mi padre es fiscal y yo conozco la ley», como si supiera cómo librarse de algo. Como por si acaso alguien le acusaba de algo, ¿sabe?

—¿Dijo eso alguna vez?

—No. Eso exactamente, no.

—¿Y eso es lo que tú le contaste a Logiudice?

—¡No! Claro que no. Porque, bueno, no es algo que yo realmente sepa, ¿sabe? Es solo, bueno, lo que pienso.

—¿Pues qué le dijiste exactamente a Logiudice?

—Solo que Jacob tenía un cuchillo.

—Un cuchillo distinto.

—Bueno, si eso es lo que usted quiere decir, da igual. Yo solo le conté a Logiudice lo del cuchillo, y que Ben más o menos le acosaba. Y que la mañana que pasó aquello Jake llegó al colegio manchado de sangre.

—Cosa que Jacob admite. Él encontró a Ben. Intentó ayudarle. Así se manchó de sangre.

—Ya lo sé, ya lo sé, An..., señor Barber. Yo no estoy diciendo nada de Jake. Solo le cuento lo que le dije al fiscal. Jake llegó al colegio y yo vi que tenía sangre, y él me dijo que tenía que limpiársela porque la gente no lo entendería. Y tenía razón: no lo entendieron.

—¿Puedo preguntarte una cosa, Derek? ¿Realmente piensas que eso es posible? Quiero decir, ¿hay algo más que no me cuentas? Porque por lo que estoy oyendo sigue sin tener sentido que fuera Jacob. Simplemente no tiene lógica.

Derek se amilanó. Contorsionó el cuerpo para separarse de mí.

—Tú crees que fue él, ¿verdad, Derek?

—No. Lo que quiero decir es que hay una posibilidad de un uno por ciento. Mínima, ¿sabe? —Y puso dos dedos a un milímetro de distancia—. No lo sé.

—Tienes dudas.

—Sí.

—¿Por qué? ¿Cómo puedes tener la menor duda? Tú conoces a Jacob prácticamente desde siempre. Sois amigos íntimos.

—Porque Jake... es un chaval diferente. Mire, yo no digo nada, ¿vale? Pero es un poco..., le dije que tenía como una vena mala, pero en realidad no es eso. No sé cómo decirlo. No es que tenga mal carácter ni que se ponga violento, ni nada de eso. No se enfada, ¿sabe? Solo tiene... algo malo. No conmigo, porque yo soy su amigo. Pero ¿con otros chavales, a veces? Simplemente dice cosas raras. Como cosas racistas, en broma. O llama gordas a las tías gordas o hace comentarios desagradables sobre ellas, sobre sus cuerpos. ¿Y esas cosas que lee en Internet? Como porno, pero sobre torturas. Lo llama «montajes», como «montajes de porno violento». Dice cosas como «Tío, anoche estuve hasta muy tarde leyendo esos montajes en Internet». Me enseñó una de esas historias en su iPod. Y yo dije algo como «Tío, esto es asqueroso». ¿Sabe?, son esas historias sobre... ya sabe, cortar a la gente. ¿Eso de atar a mujeres y descuartizarlas y matarlas y eso? Y atar a hombres y cortarles cosas... —hizo una mueca—, ¿castrarles? Es repugnante. Todavía lo hace.

—¿Qué quieres decir con que todavía lo hace?

—Que lee esas cosas.

—Eso no es verdad. Yo le controlo el ordenador. He instalado un programa que me informa de lo que Jacob hace y busca en Internet.

—Utiliza el iPod. ¿El iPod Touch?

Por un momento yo fui el estúpido, el padre fuera de onda.

Derek dijo para ayudarme:

—Lo encuentra en foros de Internet. En una página que se llama la Sala de Montaje. Creo que la gente intercambia historias. Las escriben y las cuelgan para que otra gente las lea.

—Derek, los adolescentes ven porno. Eso ya lo sé. ¿Estás seguro de que no estamos hablando simplemente de eso?

—Estoy absoluta y totalmente seguro. Eso no es porno. Y además no solo es eso. Quiero decir que puede leer lo que quiera. No es asunto mío. Pero tiene eso de que parece que le da igual.

—¿Qué es lo que le da igual?

—Las personas, los animales, todo. —Meneó la cabeza.

Yo me quedé sentado, esperando.

—Una vez habíamos salido en grupo y estábamos sentados en un muro, pasando el rato. Era media tarde. Y pasa un tipo por la acera con esas, ¿como muletas? ¿Eso que te llega al brazo y tiene una argolla por encima? Y el tipo no podía controlar las piernas. Simplemente las arrastraba como si estuviera paralizado o tuviera una enfermedad, o algo. Y ese tío pasa por allí y Jake empieza a reír. Quiero decir no a reír bajito, sino muy alto, como un ataque de risa, como: «JA, JA, JA». Sin parar. El tipo debió de oírle y pasó delante de nosotros, justo delante. Y nosotros nos pusimos a mirar a Jake como: «Tío, ¿qué te pasa?». Y él en plan: «¿Estáis todos ciegos? ¿No habéis visto a ese tío? ¡Es un espectáculo!». Eso estuvo... mal. Quiero decir que ya sé que usted es el padre de Jacob y todo eso, y no me gusta decir esto, pero Jake es capaz de ser malo. Y a mí no me gusta estar con él cuando se pone así. Me asusta un poco, si quiere que le diga la verdad.

Derek hizo una mueca de tristeza, como si por primera vez estuviera reconociendo algo que le costaba. Su amigo Jake le había dejado tirado. Y siguió en un tono algo menos compungido, menos dolido:

—Una vez..., creo que fue en otoño pasado..., Jake se encontró un perro. Era un chucho pequeño. Supongo que estaba perdido, pero no del todo porque llevaba collar. Jake le ató con una especie de cordel. Ya sabe, en lugar de una correa.

—Jacob nunca ha tenido perro —dije yo.

Derek asintió con la misma expresión triste, como si su deber fuera explicarle aquello al pobre e ignorante padre de Jacob. Como si supiera, por fin, lo inconscientes que pueden ser los padres, y eso le decepcionaba.

—Yo le vi después y le pregunté por el perro, y Jake dijo algo como: «Tuve que enterrarle». Así que yo le pregunté algo como: «¿Quieres decir que se murió?». Y en realidad no me contestó. Sólo se puso en plan: «Tuve que enterrarle, tío». Después de eso estuve una temporada sin verle, porque de algún modo yo lo sabía, ¿vale? O sea, sabía que aquello era chungo. Y luego aquellos carteles. La familia que tenía el perro colgó esos carteles por todas partes, los pegaron en los postes y en los árboles, fotos de su perro, ¿sabe? Y yo nunca dije nada, y al final la familia dejó de colgar los carteles y yo intenté olvidarme de aquello.

Hubo un momento de silencio. Cuando me convencí de que él no tenía nada más que añadir, dije:

—Derek, si tú sabías todo eso, ¿cómo podías seguir siendo amigo de Jacob?

—Ya no éramos amigos como antes, como de pequeños. Solo éramos como viejos amigos, ¿sabe? Es diferente.

—¿Viejos amigos pero todavía amigos?

—No sé. A veces pienso que nunca fue amigo mío de verdad, ¿sabe? Yo solo era un chaval que conocía de la escuela. Creo que nunca le importé. No es que yo no le gustara ni nada de eso. Pero tampoco le importaba nada casi nunca.

—¿Y cuando le importaba algo?

Derek se encogió de hombros. Dio una respuesta un tanto inconexa, pero la reproduzco tal como la dijo:

—Siempre pensé que un día se metería en un lío. Pero pensé que sería cuando fuéramos mayores.

Nos quedamos allí sentados un rato, Derek y yo, sin decir nada. Creo que los dos comprendíamos que no había vuelta atrás, ni forma de borrar las cosas que acababa de decir.

Conduje despacio hacia casa por el centro de la ciudad, disfrutando del trayecto. A lo mejor cometo un error a posteriori, pero ahora tengo la sensación de que sabía lo que iba a pasar, sabía que aquello era el final de algo, y prolongar el viaje en coche suponía un pequeño placer, era seguir siendo «normal» un ratito más.

Una vez en casa, mientras subía las escaleras hacia la habitación de mi hijo, seguí moviéndome despacio expresamente. Tenía el iPod Touch sobre el escritorio: era una reluciente tablilla vidriada que enseguida cobró vida en mis manos. Tenía una contraseña para entrar, pero Jacob nos la había dado como condición para poder seguir disponiendo del iPod. Introduje los cuatro dígitos y abrí el navegador. Jacob solo tenía unas cuantas webs obvias archivadas en Favoritos: Facebook, Gmail, un par de blogs que le gustaban sobre tecnología, videojuegos y música. No había rastro de esa página llamada Sala de Montaje. Tuve que buscar en Google para encontrarla.

La Sala de Montaje era un foro para mensajes, un sitio donde los visitantes podían colgar mensajes con textos simples, para que los leyeran los demás. La página estaba llena de historias que eran esencialmente lo que Derek había descrito: fantasías sexuales detalladas que implicaban cautiverio y sadismo, incluyendo mutilaciones, violaciones, asesinatos. Algunas, una pequeña porción, aparentemente no contenían elementos sexuales; describían la tortura por sí misma, como en esas películas de terror ultrasangrientas que llenan los cines hoy en día. La página no tenía imágenes ni vídeos, solo texto que no estaba formateado. Con el sencillo buscador del iPod era imposible saber qué historias había leído Jacob, o cuánto tiempo había pasado en la página. Pero en esta aparecía Jacob como miembro de ese foro de mensajes: su apodo, «Job», estaba en la parte superior de la misma. Imagino que «Job» venía de su nombre de pila o de sus iniciales (aunque la inicial del medio no era una O), tal vez era una astuta alusión a la ofensa que estaba soportando.

Cliqué sobre el nombre del usuario «Job» y un link me llevó a una página donde estaban archivadas las historias favoritas de Jacob. Había una docena. La primera de la lista se titulaba «Un paseo por el bosque». La fecha, 19 de abril, unos tres meses antes. Tanto el espacio correspondiente al autor como a quien había cargado el archivo estaban en blanco.

Empezaba así: *«Aquella mañana Jason Fears se llevó un cuchillo al bosque porque creyó que podría necesitarlo. Se guardó el cuchillo en el bolsillo de la sudadera y mientras andaba agarraba el mango con los dedos y con el cuchillo en el puño sintió una descarga que le subió por el brazo y a través del hombro hasta el cerebro, y explotó en el plexo solar, como los fuegos artificiales explotan en el cielo».*

La historia seguía con frases largas, extensas y grandilocuentes como esa. Era un relato morboso y vagamente novelado del asesinato de Ben Rifkin en Cold Spring Park. En la historia el parque se llamaba «Rock River Park» Newton era «Brooktown». Ben Rifkin se convertía en un matón furtivo y villano llamado «Brent Mallis».

Yo asumí que la había escrito Jacob, pero no había modo de estar seguro. No había nada en la historia que revelara la identidad del autor. Tenía el tono de un adolescente, y Jacob era un chaval lector que había estado merodeando por la Sala de Montaje lo suficiente como para aprender el estilo. El autor conocía mínimamente al menos Cold Spring Park, que aparecía descrito con bastante exactitud. Aun así, lo único que pude concluir con certeza era que Jacob había leído la historia, lo cual en realidad no probaba nada.

De manera que me dediqué a actuar como un abogado ante la evidencia. Minimizarla. Defender a Jacob.

La historia no era una confesión. No detecté en ella ningún tipo de información que no fuera pública. Todo aquello podía haberse montado con recortes de periódico y una imaginación potente. Incluso el detalle más aterrador, cuando Ben —o «Brent Mallis»— gritaba: «Para, me haces daño», se había descrito ampliamente en la prensa. En cuanto a la información no publicada, ¿hasta qué punto eran exactos los detalles? Ni siquiera los investigadores tenían forma de saber si Ben Rifkin realmente dijo: «Eh, marica» cuando vio a su asesino en el bosque aquella mañana, tal como «Brent Mallis» le decía a «Jason Fears». O si, cuando el asesino apuñaló a Ben en el pecho, el cuchillo se deslizó sin resistencia, sin topar con ningún hueso, sin quedarse clavado en la piel o en algún órgano fibroso, «como si estuviera apuñalando el aire». Nadie presenció esas cosas, no podían confirmarse.

En cualquier caso, Jacob se habría dado cuenta de que era una idiotez escribir esa mierda, tanto si era culpable como si no. Sí, había colgado la foto de *Psicosis* en Facebook, pero seguro que no habría llegado tan lejos.

Aunque lo hubiera escrito él, o simplemente leído, ¿qué demostraba eso? Era una estupidez, sí, pero los críos cometen estupideces. El interior de la mente de un adolescente es una guerra interminable entre la Estupidez y la Inteligencia; ese era un caso en que la Estupidez había ganado una batalla, simplemente. Era comprensible, teniendo en cuenta la presión a la que Jacob estaba sometido y el hecho de que llevaba varios meses prácticamente encerrado en casa, más ese clamor creciente a medida que se acercaba el juicio. ¿Realmente podía hacerse responsable al chaval de cada cosa de mal gusto, grosera y descerebrada que dijera? ¿Qué chico no actuaría como si estuviera un poco trastornado en la situación de Jacob? En cualquier caso, ¿se nos ocurriría juzgar a alguien por las tonterías que hizo en la adolescencia?

Me dije todas esas cosas a mí mismo, agrupé mis argumentos como me habían enseñado a hacer, pero no conseguí quitarme de la cabeza el grito de aquel chico: «Para, me haces daño». Y algo en mi interior se desgarró. No sé expresarlo de otro modo. Seguía sin admitir la más mínima duda en mi teoría. Seguía creyendo en Jacob, y Dios sabe que seguía queriéndole, y no había pruebas, ninguna evidencia real, de nada. El abogado que hay en mí comprendía todo eso. Pero una parte de mí, como padre de Jacob, se sentía desgarrada, herida. Un sentimiento es un pensamiento, sí, una idea, pero también es una sensación, un dolor corporal. Deseo, amor, odio, miedo, repulsión: sentimos esas cosas en los músculos y los huesos, no solo en la mente. Así es como sentí yo ese pequeño desengaño: como una herida física en lo más profundo del cuerpo, una sangría interna, un corte que seguiría manando.

Volví a leer la historia y luego la borré de la memoria del buscador. Puse otra vez el iPod sobre el escritorio de Jacob, y lo habría dejado allí y no hubiera dicho nunca nada a nadie de aquello; tampoco le habría dicho nada a Laurie desde luego, pero me preocupaba que el iPod pudiera suponer un peligro. Estaba suficientemente familiarizado con Internet y con la operativa de la policía para saber que un rastro digital era difícil de borrar. Cada clic en la web genera un archivo en los servidores del ciberespacio y también en los discos duros de los ordenadores personales, y esos archivos persisten por mucho que intentes borrarlos. ¿Y si la fiscalía del distrito encontraba el iPod de Jacob y lo registraba en busca de pruebas? El iPod también era peligroso en otro sentido, como portal de la web para Jacob, que yo no podía supervisar tan fácilmente como los ordenadores de la familia. El iPod era pequeño y parecía un teléfono, y Jacob lo utilizaba con la misma presunción de privacidad con que lo haría si fuera un teléfono. Descuidada y quizás furtivamente también. El iPod era una filtración. Era un peligro.

Lo bajé al sótano y lo dejé en mi mesita de trabajo con la parte vidriada hacia arriba. Cogí un martillo y lo destrocé.

20

Un hijo estaba aquí, el otro no

El supermercado que estaba más cerca de nuestra casa era el Whole Foods, y lo odiábamos. El desperdicio que suponían todas aquellas pirámides de frutas y verduras inmaculadas que nosotros sabíamos que solo se podían conseguir tirando enormes montones de comida estéticamente imperfecta. La terrosidad falsa, esa sofisticada pretensión de que Whole Foods era algo distinto a una tienda de lujo. Y por supuesto, los precios. Nosotros siempre habíamos evitado comprar allí por lo altos que eran los precios. Ahora, amenazados por la ruina debido al caso de Jacob, pensar en ello resultaba particularmente absurdo. Aquella no era en modo alguno nuestra tienda.

Ya estábamos arruinados económicamente. Para empezar no éramos ricos. Habíamos podido vivir en esa ciudad únicamente porque habíamos comprado cuando los precios eran bajos y porque estábamos pillados hasta las cejas. A esas alturas los honorarios de Jonathan ya tenían seis cifras. Nos habíamos gastado todo el dinero para la universidad de Jacob y ya empezábamos a echar mano de los ahorros para la vejez. Yo estaba seguro de que antes de que terminara el caso estaríamos sin blanca, y utilizaríamos la casa como aval para pagar las facturas. También sabía que mi carrera como fiscal había terminado. Aunque el veredicto fuera «no culpable» yo nunca podría volver a entrar en un tribunal libre del estigma de la acusación. Quizás cuando terminara el caso, Lynn Canavan cumpliría con su deber y se ofrecería a mantenerme en plantilla, pero yo no podía quedarme allí, no por un acto de caridad. Quizás Laurie podría volver a dar clases, pero solo con su sueldo no podríamos pagar las facturas. Este es un aspecto de las historias criminales del que nunca había sido consciente hasta que estuve implicado en una: es tan ruinosamente caro montar una defensa que, seas inocente o culpable, la acusación en sí misma ya es un castigo devastador. Todos los acusados pagan un precio.

También teníamos otro motivo para evitar Whole Foods. Yo había decidido que no nos vieran por la ciudad, y por supuesto no hacer nada que pudiera insinuar que nos tomábamos el caso a la ligera. Era una cuestión de imagen. Quería que la gente nos viera como una familia destrozada, porque estábamos destrozados. No quería que cuando los miembros del jurado entraran en la sala de juicio ninguno de ellos albergara la menor imagen de los Barber dándose un gusto en tiendas carísimas, mientras el hijo de los Rifkin estaba bajo tierra. Una mención poco halagüeña en el periódico, un rumor extravagante, una impresión arbitraria..., esas cosas podían fácilmente poner al jurado en contra nuestra.

Pero una tarde, fuimos a Whole Foods los tres. Los días se acortaban y estábamos hartos de tanta cautela y de tanto esperar, y teníamos hambre. Fue justo antes del Día del Trabajo. La ciudad estaba vacía porque era festivo.

Y fue un verdadero alivio estar allí. La maravillosa y narcótica normalidad de comprar en el supermercado nos tranquilizó. Nos sentimos tal como éramos antes —Laurie, la competente compradora y organizadora de comidas; yo, el marido incompetente que coge un producto raro por capricho; Jacob, el crío que protesta porque quiere comerse algo allí mismo, antes de llegar a la caja—, hasta el punto de que nos olvidamos de nosotros mismos. Recorrimos los pasillos arriba y abajo. Disfrutamos de aquellos envoltorios apilados que nos rodeaban, hicimos un par de chistes sobre la comida orgánica de las estanterías. En la sección de quesos Jacob bromeó sobre el intenso olor de un gruyer cuya degustación se ofrecía a los clientes, y sobre las posibles consecuencias gástricas de comer demasiada cantidad, y nos reímos, los tres, no porque la broma fuera especialmente graciosa (aunque yo no desprecio un buen chiste sobre pedos), sino por el hecho de que Jacob hubiera hecho una broma.

Durante aquel verano se había vuelto tan silencioso, tan enigmático para nosotros, que celebramos ver que nuestro niñito volvía a asomar la cabeza. Sonreía y era imposible creer que fuera aquel monstruo que aparentemente todo el mundo creía que era.

Seguíamos sonriendo cuando emergimos del último pasillo en dirección a las cajas que estaban en la parte delantera de la tienda. Todos los pasillos desembocaban allí, y los compradores se arremolinaban alrededor, y se organizaban en filas para pagar. Nosotros nos colocamos al final de una cola corta, con solo un par de personas delante. Laurie estaba de pie con la mano en la barra del carrito. Yo estaba a su lado. Jacob detrás.

Dan Rifkin condujo su carrito a la cola que estaba junto a la nuestra. Estaba a un metro y medio de distancia, o menos.

Al principio no nos vio. Llevaba las gafas de sol en la cabeza, encima del pelo. Unos pantalones cortos caqui muy bien planchados y un polo metido por dentro. Un cinturón de lona con una franja azul con anclas de barco dibujadas. Unos mocasines de suela fina sin calcetines. Era ese estilo informal de club de campo, que yo siempre había considerado ridículo en un hombre hecho y derecho. Una persona formal por naturaleza suele tener un aspecto raro cuando intenta ir informal, igual que alguien más descuidado parece fuera de lugar con un traje. Dan Rifkin no era el tipo de persona que parecía cómoda con pantalones cortos. Yo me puse de espaldas y le susurré a Laurie que él estaba detrás. Ella se tapó la boca con la mano.

—¿Dónde?

—Justo detrás de mí. No mires.

Miró.

Yo me di la vuelta y vi que la mujer de Rifkin, Joan, había aparecido a su lado. Era como una muñeca en miniatura. Menuda, delgada y con una cara encantadora. Llevaba una melena rubia estilo paje, con mechas. Debía de haber sido muy guapa —todavía tenía la vivacidad un tanto teatral de las mujeres que saben cómo usar su físico—, pero estaba perdiendo la belleza. Se la veía demacrada, con los ojos un poco hinchados por la edad, por el estrés, por la pena. Yo la había visto varias veces a lo largo de los años, antes de que pasara todo aquello; ella nunca recordaba quién era yo. En aquel momento los dos nos miraban fijamente. Dan estaba prácticamente inmóvil. Con las llaves colgando del dedo índice sin moverlas. Su cara apenas expresaba consternación o sorpresa o lo que fuera. La cara de Joan era más expresiva. Nos miraba, ofendida por nuestra presencia allí. No era necesario que nadie dijera nada. Era una cuestión de número: nosotros éramos tres, ellos eran dos. Nuestro hijo estaba allí, el suyo no. El simple hecho de que Jacob siguiera existiendo debió de parecerles ofensivo. También fue dolorosamente obvio e incómodo que los cinco nos quedáramos allí mudos durante un momento, mirándonos unos a otros, rodeados del bullicio del supermercado. Yo le dije a Jacob:

—¿Por qué no nos esperas en el coche?

—Vale.

Los Rifkin seguían mirándonos. Yo había decidido inmediatamente no decir nada, a menos que ellos iniciaran la conversación. Era imposible imaginar qué podía decir que no fuera doloroso o insensible o provocativo. Pero Laurie quería hablar. Su deseo de acercarse a ellos era palpable. Le estaba costando un gran esfuerzo reprimirse. A mí me parecía conmovedora y casi ingenua la fe absoluta de mi esposa en la comunicación y el contacto. Para ella prácticamente no hay ningún problema que no mejore con un poco de charla. Es más, ella creía sinceramente que aquel caso era en cierto sentido una desgracia compartida, que nuestra familia también estaba sufriendo, que no era fácil ver a tu hijo acusado de asesinato por error, ver su vida arruinada sin justificación. La tragedia del asesinato de Ben Rifkin no mitigaba la tragedia de la victimización de Jacob. No creo que Laurie tuviera intención de decir nada de todo eso. Es demasiado solidaria. Yo creo que solo quería expresar su compasión de algún modo, conectar, con esa banalidad habitual tipo «lamento mucho vuestra pérdida» o algo así.

Laurie dijo:

—Yo...

—Laurie —la interrumpí—, ve a esperar al coche con Jacob. Yo pagaré todo esto.

No se me pasó por la cabeza marcharme sin más. Teníamos derecho a estar allí. Teníamos derecho a comer, sin duda.

Laurie pasó a mi lado y fue hacia Joan. Yo hice un leve amago de detenerla, pero nunca hubo forma de convencer a mi mujer de que no hiciera algo que ya había decidido hacer. Era terca como una mula. Una mujer dulce, compasiva, brillante, sensible y encantadora, pero terca. Fue directa hacia ellos e hizo un gesto con las manos, extendió las palmas hacia arriba como si quisiera coger las manos de Joan, o quizás solo expresar que no sabía exactamente qué decir, o que no llevaba armas. Joan reaccionó a ese gesto cruzando los brazos. Dan levantó ligeramente el suyo. Como si se preparara para repeler a Laurie si por alguna razón atacaba.

Laurie dijo:

—Joan...

Joan la escupió en la cara. Lo hizo de repente, no se molestó en llenarse la boca de saliva, y no salió mucha. Fue más un gesto, quizás el gesto que ella consideró apropiado dadas las circunstancias..., pero ¿es que hay alguien capaz de estar preparado para circunstancias como esas? Laurie se cubrió la cara con las dos manos y se secó la saliva con los dedos. Yo me acerqué a ella y le puse la mano en el hombro. Estaba rígida como un palo. Joan me miró con rabia. De haber sido un hombre o alguien menos refinado quizás me habría atacado. Temblaba de odio como un diapasón. Yo no podía devolverle ese odio. No podía enfadarme con ella, lo único que podía sentir por ella era pena, pena por todos nosotros.

Le dije a Dan «perdona» como si no valiera la pena hablar con Joan, y nos correspondiera a nosotros los hombres gestionar las emociones, ya que nuestras esposas eran incapaces. Cogí a Laurie de la mano y la llevé fuera de la tienda con muchísima delicadeza, repitiendo en voz baja una y otra vez: «Perdonen..., lo siento..., perdonen», mientras pasábamos entre los demás compradores y sus carros, hasta que llegamos al aparcamiento donde nadie nos conocía, y volvimos al semianonimato que todavía disfrutábamos en aquellas últimas semanas antes del juicio, antes del diluvio.

—No nos hemos llevado la compra —dijo Laurie.

—No importa. No la necesitamos.

21

Cuidado con la ira de un hombre paciente

El afortunado sino de los abogados defensores es ver la bondad en la gente. No importa lo perverso o incomprensible que sea el crimen, ni lo abrumadora que sea la evidencia de culpabilidad, el abogado defensor nunca olvida que su cliente es un ser humano como todos los demás. Eso, naturalmente, es lo que hace que valga la pena defender a cualquier acusado. Son incontables las ocasiones en las que un abogado me ha insistido en que su asesino de niños o su maltratador de mujeres «en realidad no es mal tío». Incluso los mercenarios arrogantes, con sus Rolex de oro y sus maletines de piel de cocodrilo, albergan esa pequeña pizca redentora de humanidad: todo criminal sigue siendo un hombre, un complejo compendio de bondad y maldad, merecedor de toda nuestra empatía y piedad. Para los policías y los fiscales las cosas no son tan agradables. Nosotros tenemos la tendencia contraria. Enseguida vemos la mancha, el gusano, la criminalidad latente, incluso en las mejores personas. La experiencia nos dice que ese amable vecino es capaz de cualquier cosa. El sacerdote puede ser un pedófilo, el policía un sinvergüenza, el amante esposo y padre puede ocultar un secreto turbio. Naturalmente, pensamos así por la misma razón por la que los defensores piensan a su modo: la gente es humana.

Cuanto más observaba a Leonard Patz, más me convencía de que él era el asesino de Ben Rifkin. Le seguía en sus paseos matutinos hasta el Dunkin' Donuts, y después a su trabajo en Staples, y también estaba allí cuando salía de trabajar. Patz tenía un aspecto ridículo con el uniforme de Staples. El polo rojo le apretaba demasiado aquel torso fofo. Los pantalones caqui acentuaban ese tipo de pelvis abultada que Jacob y sus amigos llamaban «culo delantero». Yo no me atrevía a entrar en la tienda para ver qué artículos tenía asignado vender. Electrónica seguramente, ordenadores, móviles... Daba el tipo. Naturalmente es prerrogativa del fiscal decidir a quién acusa, pero yo sencillamente no podía entender por qué Logiudice prefería a Jacob a ese tipo. Quizás sea el deseo quimérico de un padre o el cinismo de un fiscal, pero sigo sin entenderlo, ni siquiera ahora.

En agosto yo ya llevaba semanas siguiendo a Patz, por las mañanas y por las tardes, antes y después de su jornada laboral. Desde mi punto de vista, la información de Matt Magrath era una prueba concluyente, pero en el juicio no serviría. El tribunal no aceptaría su palabra en ningún caso. Necesitaba pruebas más rotundas, algo que no dependiera de aquel chico turbio. No sé qué esperaba descubrir exactamente siguiendo los pasos de Patz de esa manera. Un tropiezo. Que volviera al lugar del crimen, un paseo en coche a altas horas de la noche para deshacerse de una prueba. Cualquier cosa.

Finalmente, Patz no hizo nada particularmente sospechoso. La verdad es que no hacía casi nada. Parecía contentarse con dedicar sus horas libres a vagar por las tiendas o a gandulear en su apartamento junto a Cold Spring Park. Le gustaba comer en McDonald's o en el Soldiers Field Road de Brighton: pedía en el autoservicio y comía en su coche color ciruela escuchando la radio. Una vez fue al cine solo. Nada significativo en absoluto. Pero nada de lo que hizo debilitó mi certeza de que Patz era mi hombre. La posibilidad atroz de que mi hijo fuera sacrificado para salvar a ese hombre se convirtió en una obsesión. Cada vez estaba más y más trastocado, y cuanto más le seguía y le vigilaba más me imbuía de esa idea. La monotonía de su vida, en lugar de debilitar mis sospechas, me enfurecía más y más. Se quitaba de en medio, se escondía, esperando que Logiudice trabajara en su favor.

Una bochornosa tarde de un miércoles de agosto, yo iba detrás del coche de Patz que volvía a casa por Newton Centre, una zona comercial y de parques municipales donde confluían varias vías concurridas. Debían de ser las cinco de la tarde y el sol todavía estaba alto. Había menos tráfico del habitual (esta ciudad es de esas que se vacían en agosto), pero aun así los coches iban pegados. La mayoría de los conductores llevaban las ventanillas subidas para combatir aquel calor húmedo. Unos pocos, incluidos Patz y yo, las llevábamos abiertas y con el codo izquierdo fuera, para no sentir tanto agobio. Incluso los transeúntes que comían helados en la acera, a las puertas de J.P. Licks, parecían sin fuerzas, agotados.

El semáforo se puso rojo y yo pegué el morro al coche de Patz. Me agarré al volante.

Las luces de freno de Patz parpadearon y su coche dio un pequeño bandazo.

Yo levanté el pie del freno. No sé por qué. No estaba seguro de hasta dónde pretendía llegar. Pero me sentí feliz por primera vez en mucho tiempo cuando mi coche avanzó y chocó con el suyo con un placentero *crash*.

Él me miró por el retrovisor y levantó la mano. ¡Qué ha sido eso!

Yo me encogí de hombros, eché el coche un poco hacia atrás y después volví a golpearle el parachoques, un poco más fuerte esta vez. *Crash*.

A través de su ventanilla trasera, observé cómo aquel bulto sombrío levantaba las manos otra vez, exasperado. Le vi desviar el coche, aparcar, abrir la puerta y sacar esa mole del coche.

Y me convertí en otra persona. Una persona distinta. Aunque me movía y actuaba con naturalidad y fluidez, aquello era una locura, desconocida y emocionante.

Ya había salido del coche, y me dirigí hacia él sin ser del todo consciente de mis propios movimientos, sin que hubiera decidido realmente enfrentarme a él.

Patz levantó las manos a la altura del pecho, con las palmas hacia delante y cara de sorpresa.

Yo le agarré de la camiseta y de un empujón le tumbé contra su coche. Y le gruñí a un milímetro de la cara:

—Sé lo que hiciste.

No contestó.

—Sé lo que hiciste.

—¿De qué habla? ¿Quién es usted?

—Sé lo del chico de Cold Spring Park.

—Oh, Dios mío. Está usted loco.

—No sabes hasta qué punto.

—No sé de qué está hablando. De verdad. Se ha equivocado de persona.

—¿Sí? ¿Recuerdas que ibas a encontrarte con Ben Rifkin

en el parque? ¿Te acuerdas de que le contaste a Matt Magrath que ibas a hacerlo?

—¿Matt Magrath?

—¿Cuánto hacía que vigilabas a Ben Rifkin, cuánto hacía que le acosabas? ¿Llegaste a hablar con él? ¿Cogiste el cuchillo ese día? ¿Qué pasó? ¿Le propusiste el mismo acuerdo que tenías con Matt, cien pavos a cambio de manosearle? ¿Te rechazó? ¿Se burló de ti? ¿Te insultó? ¿Intentó darte una paliza, zarandearte, asustarte? ¿Qué te hizo saltar, Leonard? ¿Qué te impulsó a hacerlo?

—Usted es el padre, ¿verdad?

—No, no soy el padre de Ben.

—No, del que acusaron. Usted es su padre. Me hablaron de usted. El fiscal me dijo que intentaría hablar conmigo.

—¿Qué fiscal?

—Logiudice.

—¿Qué te dijo?

—Dijo que usted tenía esa idea metida en la cabeza, y que quizás cualquier día intentaría hablar conmigo, y que yo no debía hablar con usted. Dijo que usted estaba...

—¿Qué?

—Dijo que usted estaba loco. Que podía ser violento.

Solté a Patz y di un paso hacia atrás.

Me sorprendió ver que le había levantado del suelo. Él se deslizó sobre un lado de su coche y cayó sobre los talones. Tenía la camiseta roja del uniforme de Staples fuera de los pantalones caqui y enseñaba un enorme estómago redondo, pero no se arregló. Me miró cauteloso.

—Sé que fuiste tú —le aseguré, recuperando la compostura—. No encerrarán a mi hijo por eso, ni lo sueñes.

—Pero yo no hice nada.

—Sí que lo hiciste. Fuiste tú. Matt me lo contó todo de ti.

—Por favor, déjeme en paz. Yo no hice nada. Solo hago lo que el fiscal me dijo que hiciera.

Asentí; me sentía vulnerable e incapaz de controlarme. Avergonzado.

—Sé que fuiste tú —repetí, en voz baja y con firmeza, tanto para mí mismo como para Patz. Esa frase me confortó, como una pequeña plegaria.

Sr. Logiudice: ¿Y después de aquel día usted continuó siguiendo a Leonard Patz?

Testigo: Sí.

Sr. Logiudice: ¿Por qué? ¿Qué demonios intentaba conseguir?

Testigo: Intentaba resolver el caso, demostrar que Patz era el asesino.

Sr. Logiudice: ¿Realmente lo creía?

Testigo: Sí. Tomó la decisión equivocada, Neal. Las pruebas acusaban a Patz, no a Jacob. Aquel era su mejor caso. Debería haberse dejado guiar por la evidencia hasta donde le llevara. Ese era su trabajo.

Sr. Logiudice: Vaya, usted nunca se rinde, ¿verdad?

Testigo: Usted no tiene hijos, ¿verdad, Neal?

Sr. Logiudice: No.

Testigo: No, ya me lo imaginaba. Si los tuviera lo entendería. ¿Le dijo usted a Patz que no hablara conmigo?

Sr. Logiudice: Sí.

Testigo: Porque sabía que si el jurado escuchaba las pruebas contra Patz, nunca hubiera considerado que Jacob era el culpable. Estaba trucando los dados, ¿no cree?

Sr. Logiudice: Estaba interponiendo mi caso. Estaba procesando al sospechoso que consideraba culpable. Ese es mi trabajo.

Testigo: Entonces, ¿por qué le daba tanto miedo permitir que el jurado oyera hablar de Patz?

Sr. Logiudice: ¡Porque no fue él! Yo estaba haciendo lo que creí que debía hacer, basándome en las pruebas que tenía en aquel momento. Mire, Andy, las preguntas no las hace usted. Ese ya no es su trabajo. Es el mío.

Testigo: Pero es raro, ¿no?, decirle a un tipo como ese que no hable con la defensa. Eso es ocultar pruebas exculpatorias, ¿no? Pero usted tenía sus razones, ¿verdad, Neal?

Sr. Logiudice: Como mínimo, podría llamarme, por favor, Sr. Logiudice. Eso me lo he ganado, al menos.

Testigo: Cuénteselo, Neal. Venga, cuénteles cómo conoció a Leonard Patz. Cuente eso que el jurado no supo nunca.

Sr. Logiudice: Continuemos.

22

Un corazón dos tallas más pequeño

Sr. Logiudice: Presento el documento clasificado como prueba... 22. ¿Reconoce usted este documento?

Testigo: Sí, es una carta de la doctora Vogel a Jonathan Klein, nuestro abogado defensor.

Sr. Logiudice: ¿Y la fecha?

Testigo: Es del 2 de octubre.

Sr. Logiudice: Dos semanas antes del juicio.

Testigo: Sí, más o menos.

Sr. Logiudice: Al final de la carta dice: «CC: Sr. y Sra. Andrew Barber». ¿Le enseñaron la carta en aquel momento?

Testigo: Sí.

Sr. Logiudice: Pero su abogado nunca la presentó como prueba, ¿es así?

Testigo: No, que yo sepa.

Sr. Logiudice: Ni usted ni nadie.

Testigo: No testifique, Neal. Venga, haga una pregunta.

Sr. Logiudice: Muy bien. ¿Por qué no le entregaron este documento a la acusación?

Testigo: Porque es confidencial. Forma parte de la correspondencia médico-paciente y es producto del trabajo, lo cual significa que lo elaboró el equipo de la defensa como parte de la preparación del juicio. Eso lo convierte en confidencial. Queda eximido de la aportación de pruebas.

Sr. Logiudice: Pero usted lo ha aportado ahora. Y como respuesta a una orden de aportación de pruebas formulada normalmente. ¿Por qué? ¿Renuncia a la inmunidad?

Testigo: No me corresponde a mí renunciar a la inmunidad. Pero ahora ya no importa, ¿verdad? Lo único que importa ahora es la verdad.

Sr. Logiudice: Ya estamos. Ahora es cuando nos cuenta que usted cree en el sistema y todo eso.

Testigo: El sistema es tan bueno como la gente que lo implanta, Neal.

Sr. Logiudice: ¿Creía usted en la doctora Vogel?

Testigo: Sí. Totalmente.

Sr. Logiudice: ¿Y ahora confía en ella? ¿No ha pasado nada que altere su fe en las observaciones de la doctora?

Testigo: Confío en ella. Es una buena doctora.

Sr. Logiudice: ¿Así que no discrepa de nada de la carta?

Testigo: No.

Sr. Logiudice: ¿Y cuál era el objetivo de esa carta?

Testigo: La carta exponía una opinión. Pretendía resumir lo que había averiguado la doctora acerca de Jacob, para que Jonathan pudiera tomar una decisión sobre si llamar a la doctora Vogel como testigo y si querría entrar en este tema o no, el tema de la salud mental de Jacob.

Sr. Logiudice: ¿Podría leer el segundo párrafo para el tribunal, por favor?

Testigo: «El cliente se comporta como un chico de catorce años elocuente, inteligente y educado. Actúa con timidez y en cierto modo parece reticente a hablar, pero su conducta no sugiere en ningún momento dificultades de percepción, de memoria o para relatar los incidentes sucedidos en este caso, o para ayudar al letrado del juicio a tomar decisiones informadas, razonadas e inteligentes relacionadas con su propia defensa legal».

Sr. Logiudice: Lo que la doctora está diciendo aquí es que en su opinión profesional Jacob estaba capacitado para ir a juicio, ¿no es así?

Testigo: Eso es una opinión legal, no clínica. Pero sí, obviamente la doctora conoce los parámetros.

Sr. Logiudice: ¿Y la responsabilidad criminal? La doctora también plantea esta cuestión en su carta, ¿verdad? Mire el párrafo tres.

Testigo: Sí.

Sr. Logiudice: Léalo, por favor.

Testigo: Cito: «Sin embargo, no hay pruebas suficientes para concluir de forma concluyente si Jacob percibe correctamente la diferencia entre el bien y el mal o si es capaz de controlar su comportamiento para actuar de acuerdo con esta distinción. Pero sí puede haber evidencia suficiente para apoyar una argumentación verosímil que relacione la genética con pruebas neurológicas basadas en una teoría del "impulso irresistible"». Fin de la cita.

Sr. Logiudice: «Puede haber evidencia suficiente», «una argumentación verosímil»... Eso es guardarse mucho las espaldas, ¿no le parece?

Testigo: Es comprensible. La gente siempre reacciona con escepticismo ante los argumentos que excusan el asesinato. Si la doctora subía al estrado y exponía ese maldito argumento, más le valía estar segura.

Sr. Logiudice: Pero el hecho es que, al menos en ese momento, ella dijo que eso era posible, que era «una argumentación verosímil» ¿no?

Testigo: Sí.

Sr. Logiudice: ¿Un gen asesino?

Testigo: Ella nunca utilizó ese término.

Sr. Logiudice: ¿Puede leer el párrafo titulado «Diagnosis general»? Página tres, al principio de la página.

Testigo: ¿Quiere que les lea todo el documento a los miembros del jurado, Neal? Este documento ya está incluido en las pruebas. Pueden leerlo ellos mismos.

Sr. Logiudice: Por favor. Haga lo que le digo.

Testigo: Cito: «Jacob muestra un comportamiento y expresa ideas y tendencias, tanto en sesiones privadas como en su historial ajeno a la observación clínica directa, que apoyarían cualquiera o todos los siguientes diagnósticos, tanto de forma independiente como combinada: trastorno de vinculación reactiva, trastorno de personalidad narcisista...». Mire, si lo que me pide es que comente el diagnóstico clínico de una psiquiatra...

Sr. Logiudice: Por favor, solo una más. Página cuatro, segundo párrafo, la frase que he marcado con un post-it.

Testigo: Cito: «La mejor manera de resumir esta diversidad de observaciones —falta de empatía, dificultades para controlar impulsos, crueldad ocasional— es decir que Jacob se parece al Grinch de Dr. Seuss: "Tiene un corazón dos tallas más pequeño"». Cierro comillas.

Sr. Logiudice: Parece usted afectado. Lo siento. ¿Esto le afecta?

Testigo: Por Dios, Neal. Por Dios.

Sr. Logiudice: ¿Así se sintió cuando oyó por primera vez que su hijo tenía un corazón dos tallas más pequeño?

[El testigo no contestó].

Sr. Logiudice: ¿Así se sintió?

Testigo: Protesto. No es pertinente.

Sr. Logiudice: Que conste. Y ahora conteste a la pregunta, por favor. ¿Se sintió así?

Testigo: ¡Sí! ¡Cómo cree que me sentí, por Dios santo! Soy su padre.

Sr. Logiudice: Exactamente. ¿Cómo es que vivió usted todos esos años con un chico que era capaz de ese tipo de violencia sin darse cuenta? ¿Nunca sospechó que había algo fuera de lugar? ¿Nunca levantó un dedo para corregir todos esos problemas psicológicos?

Testigo: ¿Qué quiere que diga, Neal?

Sr. Logiudice: Lo que sabía. Usted lo sabía, Andy. Lo sabía.

Testigo: No.

Sr. Logiudice: ¿Cómo es posible, Andy? ¿Cómo podía no saberlo? ¿Cómo puede ser eso?

Testigo: No lo sé. Lo único que sé es que es la verdad.

Sr. Logiudice: Otra vez con eso. Está claro que se atiene a su discurso, ¿eh? No deja de repetir «la verdad, la verdad, la verdad», como si por decirlo, lo fuera.

Testigo: Usted no tiene hijos, Neal. No espero que lo entienda.

Sr. Logiudice: Ilústreme. Ilústrenos a todos.

Testigo: Nadie es capaz de ver a sus hijos con claridad. Nadie es capaz. Les quieres demasiado, les tienes demasiado cerca. Si usted tuviera un hijo... Si tuviera un hijo...

Sr. Logiudice: ¿Necesita un momento para reponerse?

Testigo: No. ¿Usted ha oído hablar de «confirmación sesgada»? Confirmación sesgada es la tendencia a ver las cosas que te rodean de modo que confirmen tus ideas preconcebidas, y no ver las cosas que contradicen aquello que ya crees. Yo pienso que quizás con los hijos pasa algo así. Uno ve lo que quiere ver.

Sr. Logiudice: ¿Y lo que no quiere ver opta por no verlo?

Testigo: No opta. Simplemente no lo ve.

Sr. Logiudice: Pero para que esto sea cierto, para que fuera confirmación sesgada, usted tendría que haberlo pensado sinceramente. Porque está hablando de un proceso inconsciente. De manera que usted tendría que haber creído sinceramente, en lo más profundo de su corazón, que Jacob era un chico normal, que su corazón no era dos tallas más pequeño, ¿es así?

Testigo: Sí.

Sr. Logiudice: Pero eso no puede ser verdad en este caso, ¿no cree? Porque usted tenía motivos para estar en guardia ante cualquier síntoma de problema, ¿verdad? Durante toda su vida, Andy, durante su vida entera usted ha sido consciente de esa posibilidad, ¿no es así?

Testigo: No. No es así.

Sr. Logiudice: ¿No? ¿Olvidó usted quién era su padre?

Testigo: Sí. Durante treinta años más o menos, lo olvidé. Quería olvidarlo, lo olvidé voluntariamente. Tenía derecho a olvidar.

Sr. Logiudice: ¿Tenía derecho?

Testigo: Sí. Era un tema personal.

Sr. Logiudice: Ah, vaya. En realidad usted nunca se creyó eso. ¿Olvidó quién era su padre? ¿Olvidó en lo que podía convertirse su hijo si resultaba que se parecía al abuelo? Vamos, uno no se olvida de cosas así. Usted lo sabía. ¡Confirmación sesgada!

Testigo: Retroceda, Neal.

Sr. Logiudice: Usted lo sabía.

Testigo: Retroceda. Apártese de mi vista. Compórtese como un abogado, por una vez.

Sr. Logiudice: Vaya, vaya. Este es el Andy Barber que todos conocemos. Ha recuperado el control de sí mismo. Experto en el autocontrol. Experto del autoengaño. Experto comediante. Permita que le haga una pregunta: durante esos treinta años en los que olvidó quién era usted, de dónde venía, se contaba un cuento a sí mismo, ¿no? Y por tanto le contaba un cuento a todo el mundo. En una palabra, estaba mintiendo.

Testigo: Nunca dije nada que no fuera verdad.

Sr. Logiudice: No, pero dejó algunas cosas al margen, ¿o no? Dejó algunas cosas al margen.

[El testigo no contestó].

Sr. Logiudice: Y sin embargo, ahora quiere que el gran jurado crea lo que dice, hasta la última palabra.

Testigo: Sí.

Sr. Logiudice: De acuerdo, pues. Continúe con su historia.

23

Él

Correccional de Northern, Somers,
Connecticut

La cabina de visitas de la cárcel de Northern parecía diseñada para aislar y desorientar. Era una claustrofóbica caja blanca herméticamente cerrada, de unos dos metros y medio de alto por metro y medio de ancho, con una puerta con mirilla detrás de mí y una ventana con un cristal laminado delante. Un teléfono beige sin disco en la pared de mi derecha. Un mostrador blanco para apoyar los brazos. La cabina estaba diseñada para mantener a los prisioneros enjaulados, naturalmente: Northern era una prisión de máxima seguridad que no permitía las visitas en privado. Pero quien se sentía enterrado era yo.

Cuando él apareció en la ventana —mi padre, Bloody Billy Barber—, con las manos esposadas a la cintura, una maraña de pelo color ceniza, y sonriéndome con suficiencia, divertido, supongo, porque el don nadie de su hijo aparecía finalmente por allí, me alegré de que hubiera un grueso bloque de cristal entre ambos. Me alegré de que él pudiera verme pero no tocarme. El leopardo en el zoológico que deambula por el borde del redil y, a través de los barrotes o desde un foso insalvable, te observa con desprecio por tu inferioridad, por necesitar esa barrera entre ambos. En ese momento hay una verdad compartida entre ambos, no expresada pero real: el leopardo es un predador y tú eres la presa, y lo único que nos permite a nosotros los humanos sentirnos superiores y seguros es esa barrera. Esa sensación, de pie frente a la jaula del leopardo, se parece a la vergüenza ante la fuerza superior del animal, ante su prepotencia, su desdén hacia ti. Lo que yo sentí en aquellos primeros momentos en presencia de mi padre fue, para mi sorpresa, justamente esa vaga vergüenza del visitante del zoológico. Aquella emoción repentina me cogió por sorpresa. No tenía previsto sentir prácticamente nada. Seamos sinceros: Billy Barber era un desconocido para mí. Llevaba sin verle unos cuarenta y cinco años, desde que era un crío. Pero al verle me había quedado paralizado. Me inmovilizó como si hubiera conseguido de algún modo aparecer a mi lado del vidrio y me hubiera sujetado con los brazos.

Se quedó allí, enmarcado por el cristal, como el retrato de tres cuartos de un preso viejo que me miraba fijamente. Soltó una risita.

Yo aparté la vista y él se sentó.

Había un vigilante un par de metros detrás de él, cerca de la pared blanca. (Todo era blanco, todas las paredes, todas las puertas, todas las superficies. Por lo visto, el correccional de Northern estaba enteramente construido a base de muros continuos de escayola blanca y paredes de cemento gris. Era una instalación nueva, se terminó en 1995, así que yo supuse que la ausencia de color formaba parte de alguna absurda estrategia penitenciaria. Al fin y al cabo, no es más difícil pintar una pared de amarillo o de azul que de blanco).

Mi padre descolgó su teléfono —incluso cuando escribo las palabras *mi padre* siento un ligero estremecimiento, y rebobino mentalmente la película de mi vida hasta 1961, cuando le vi por última vez, en la sala de visitas de la cárcel de Whalley Avenue; ese es el momento de divergencia, del que depende todo, allí es cuando el curso de mi vida se ramifica en dos— y yo levanté mi auricular.

—Gracias por acceder a verme.

—No es que haya cola, precisamente.

Llevaba en la muñeca el tatuaje azul que yo había recordado todos estos años. La verdad es que era pequeño y poco definido, un crucifijo pequeño con el contorno borroso que con el tiempo había adquirido un tono morado, como el de un hematoma. Yo tenía un recuerdo distorsionado de aquello. Tenía un recuerdo distorsionado de él: solo era un peso medio, delgado y más musculoso de como le había imaginado. Tenía la musculatura fibrosa de un preso, aunque tuviera setenta y dos años. Además se había hecho un tatuaje nuevo, mucho más complicado y barroco que el antiguo: un dragón que se le enrollaba alrededor del cuello, de forma que la cola y el morro se encontraban en la base de la garganta como una especie de colgante.

—Ya era hora de que vinieras a verme.

Yo di un respingo. La risible insinuación de que había herido *sus* sentimientos me jodió. Vaya pelotas. Aquel tío era el típico presidiario, siempre adulando, tanteando, intentando sacar ventaja.

—¿Cuánto hace? —siguió diciendo él—. ¿Toda la vida? Yo llevo toda la vida pudriéndome y tú no tienes tiempo para venir a ver a tu viejo. Ni una sola vez. ¿Qué clase de hijo eres? ¿Qué clase de hijo hace eso?

—¿Has ensayado el discurso?

—No te pases de listo conmigo. ¿Qué te he hecho yo? Nada. Pero no has venido a verme en toda tu vida. A tu propio padre. ¿Qué clase de hijo no va a ver a su padre en cuarenta años?

—Soy tu hijo. Eso debería servirte de explicación.

—¿Mi hijo? Hijo mío no. Yo no te conozco. No te he visto en mi vida.

—¿Quieres ver mi certificado de nacimiento?

—Como si me importara una mierda un jodido certificado de nacimiento. ¿Crees que eso te convierte en mi hijo? Un polvo de hace cincuenta años, eso es lo que eres para mí. ¿Qué te creías? ¿Que me alegraría de verte? ¿Que daría saltos y diría yupi, yupi, joder?

—Podías haber dicho que no. No estaba en tu lista de visitas.

—No hay nadie en esa jodida lista. ¿Qué te creías? ¿Quién iba a haber en mi jodida lista? Además aquí no dejan que te venga a ver nadie. Solo familiares directos.

—¿Quieres que me vaya?

—No. ¿Te he dicho yo que te vayas? —Meneó la cabeza, enfadado—. Este sitio de mierda. Este sitio es lo peor. No siempre he estado aquí, ¿sabes? No paran de trasladarme. Si te portas mal en otra parte te mandan aquí. Esto es un agujero.

Aparentemente el tema dejó de interesarle y se quedó callado.

Yo no dije nada. Había aprendido que en cualquier interrogatorio, en el tribunal, cuando interrogas a los testigos, lo mejor que puedes hacer es esperar, no decir nada. El testigo querrá llenar ese silencio incómodo. Sentirá un pequeño impulso de seguir hablando para demostrar que no se está guardando nada, para demostrar que es listo y que está en el ajo, para ganarse tu confianza. En este caso, creo que esperé simplemente por costumbre. Desde luego no tenía la menor intención de marcharme. No hasta que él dijera que sí.

Cambió de humor. Le dio un bajón. Pasó de la petulancia a la resignación, incluso a la autocompasión de un modo casi evidente.

—Bien —dijo—, al menos has vuelto muy crecido. Ella debe de haberte alimentado bien.

—Lo hizo bien. Todo.

—¿Cómo está tu madre?

—¿Acaso te importa una mierda?

—No.

—Pues no hables de ella.

—¿Por qué? ¿No debería?

Yo moví la cabeza.

—Yo la conocí antes que tú —dijo. Se retorció en la silla con expresión lasciva y meneó las caderas, fingiendo que se la follaba.

—Tu nieto tiene problemas. ¿Lo sabías?

—¿Si lo sabía...? Ni siquiera sabía que tenía un nieto. ¿Cómo se llama?

—Jacob.

—¿Jacob?

—¿Qué te hace gracia?

—¿Qué coño de nombre de marica es Jacob?

—¡Es un nombre!

Él canturreó con voz de falsete y retorciéndose de risa:

—¡Jaaaacob!

—Cuidado con lo que dices. Es un buen chico.

—¿Sí? Si fuera tan bueno no estarías aquí.

—Ve con cuidado con lo que dices, te he dicho.

—¿Y qué problemas tiene el pequeño Jacob?

—Asesinato.

—¿Asesinato? Asesinato. ¿Cuántos años tiene?

—Catorce.

Mi padre bajó el auricular hasta el regazo y se recostó en la silla. Cuando volvió a incorporarse, dijo:

—¿A quién mató?

—A nadie. Es inocente.

—Ya, como yo.

—Él es inocente de verdad.

—Vale, vale.

—¿No sabías nada de todo esto?

—Aquí nunca me entero de nada. Este sitio es una mierda.

—Debes de ser el preso más viejo de todos.

—Uno de ellos.

—No sé cómo sobrevives.

—El acero es indestructible —las esposas le obligaron a levantar los dos brazos cuando cogió el teléfono con la izquierda y flexionó el brazo derecho libre—, el acero es indestructible. —Pero entonces aquella bravuconería desapareció—. Este sitio es un agujero —dijo—. Es como vivir en una jodida cueva.

Actuaba como si oscilara entre dos extremos: machismo exacerbado y autocompasión. Era difícil saber cuál era falso. Puede que ninguno. Ese tipo de volatilidad emocional se habría considerado locura en la calle. Allí, ¿quién sabe? Quizás era una reacción natural a ese sitio.

—Te metiste aquí tú solo.

—Yo solo me metí aquí y estoy pagando por ello y no me quejo. ¿Tú me has oído quejarme?

No contesté.

—Pues ¿qué quieres de mí? ¿Quieres que haga algo por el pobrecito e inocente Jacob?

—Puede que quiera que declares.

—¿Que declare el qué?

—Deja que te haga una pregunta. Cuando mataste a esa chica, ¿qué sentiste? No físicamente, me refiero a lo que tenías en la cabeza, ¿en qué pensabas?

—¿Qué quieres decir con en qué pensaba?

—¿Por qué lo hiciste?

—¿Qué quieres que te diga? Dime.

—Solo quiero que me digas la verdad.

—Ya, vale. Eso no lo quiere nadie. Sobre todo la gente que dice que quiere la verdad no quiere la verdad, créeme. Tú dime lo que quieres que diga para ayudar al chaval y lo diré. Me importa una mierda. Todo me importa una mierda.

—Lo diré de otro modo. Cuando pasó aquello, ¿pensaste algo? Lo que sea. ¿O fue una especie de impulso irresistible?

Torció hacia arriba la comisura de la boca.

—¿Un impulso irresistible?

—Tú limítate a contestar.

—¿Eso es lo que pretendes?

—No importa lo que pretendo. Yo no pretendo nada. Tú dime solo lo que sentiste.

—Sentí un impulso irresistible.

Resoplé, alto y fuerte.

—¿Sabes?, si mintieras mejor quizás no estarías aquí.

—Si tú mintieras mejor quizás no estarías aquí. —Me miró a los ojos—. Tú quieres que ayude a salvar al chico y yo te ayudaré. Es mi nieto. Dime qué necesitas.

Yo ya había decidido que Bloody Billy Barber no recorrería esos veinte kilómetros hasta la tribuna de los testigos. No es que mintiera, era algo peor, mentía mal.

—De acuerdo —dije—, ¿quieres saber por qué he venido? He venido por esto. —Saqué un bastoncillo esterilizado y un envoltorio de plástico para guardarlo—. Necesito que te lo pases por las encías. Para el ADN.

—Los guardias no te dejarán.

—Ya me ocuparé yo de los guardias. Necesito que tú me autorices.

—¿Para qué necesitas mi ADN?

—Estamos comprobando un tipo de mutación. Se llama MAOA Knock-out.

—¿Qué coño es MAOA Knock-out?

—Una mutación genética. Creen que es posible que condicione tu organismo hacia una mayor agresividad en determinados entornos.

—¿Quién lo cree?

—Los científicos.

Entornó los ojos. Prácticamente se podían leer sus pensamientos, el oportunismo egoísta de un convicto profesional: quizás allí había un argumento que permitiera darle la vuelta a su condena.

—Cuanto más hablas, más pienso que puede que Jacob no sea tan inocente.

—No he venido aquí para oír tu opinión. He venido para llevarme tu saliva en este bastoncito. Si te niegas, conseguiré una orden judicial, volveré y lo obtendré por las malas.

—¿Por qué iba a decir que no?

—Yo qué sé lo que puedes decir. Yo no entiendo a los tipos como tú.

—¿Qué hay que entender? Yo soy igual que todo el mundo. Igual que tú.

—Vale. De acuerdo, lo que tú digas.

—No me vengas con «vale, lo que tú digas». ¿Te has parado a pensar alguna vez que sin mí no existirías?

—Todos los días.

—¿Ves? Pues eso.

—No me gusta pensar en eso.

—Vale, pero yo sigo siendo tu padre, chaval, te guste o no. No tiene por qué gustarte.

—No me gusta.

Después de ciertas negociaciones y de llamar al funcionario de prisiones, llegamos a un acuerdo. No me permitirían extraer personalmente la muestra de la boca de mi padre, que habría sido el método mejor porque era la forma más clara de custodiar la muestra: yo habría podido testificar que la muestra era auténtica, porque el bastoncillo no había pasado por otras manos. Pero en Northern no: «Prohibido el contacto» significaba prohibido el contacto. Lo máximo que me permitieron fue que le entregara el kit a un guardia que se lo pasó a mi padre.

Yo le expliqué el procedimiento paso por paso, a través del teléfono de la cabina de visitas. «Lo único que has de hacer es abrir el envoltorio y pasarte el bastoncillo por dentro de la mejilla. Para que se impregne de saliva. Primero traga. Después pásatelo por dentro de la mejilla, por la parte interna de la boca, donde se juntan los labios. Después quiero que metas el bastoncillo en esa botellita de plástico de ahí, sin tocar la punta ni nada, y después enroscas el tapón. Luego quiero que pongas esa etiqueta en el tapón y escribas la fecha en la etiqueta. Y yo he de ver cómo lo haces todo, así que no me lo impidas».

Con las manos esposadas, abrió el envoltorio de papel donde estaba el bastoncillo. El palito de madera era largo, más que el de un bastoncillo normal. Se lo metió directamente en la boca como si fuera una piruleta e hizo como que lo mordía. Luego, mirándome a través de la ventana, me enseñó los dientes y pasó el algodoncillo por la encía del labio superior. Luego la hizo girar por detrás de los labios, y en el hueco de la mejilla. Levantó el bastón frente a la ventana.

—Ahora tú.

Tercera parte

«Tengo pensado un experimento. Escoges a un niño —sin tener en cuenta el origen, la raza, el talento o los gustos, siempre que esté básicamente sano— y le convertiré en lo que quieras. Crearé un artista, un soldado, un médico, un abogado, un sacerdote; o le educaré para que sea un ladrón. Tú decides. El niño es igualmente capaz de todas esas cosas. Lo único que hace falta es preparación, tiempo, y un entorno convenientemente controlado».

John F. Watkins
Principles of Behaviorism (1913)

24

Para las madres es distinto

Yo me pasé años creyendo que nunca perdería un juicio. En la práctica los perdía, claro. Todos los abogados pierden, igual que el setenta por ciento de las bolas que batean los jugadores de béisbol van fuera. Pero yo nunca me amilané, y despreciaba a los fiscales que lo hacían —políticos y marrulleros que tenían miedo de meterse en un caso que no fuera cosa segura, que no se arriesgaban a una sentencia exculpatoria—. Para el fiscal una sentencia exculpatoria no es una deshonra, no cuando la alternativa es un mal pacto. Nosotros no nos medimos por meras estadísticas de éxitos o fracasos. La verdad es que los mejores porcentajes de éxitos y fracasos no se consiguen a base de hacer un buen trabajo en los tribunales. Se consiguen escogiendo bien los casos más concluyentes para llevarlos a juicio, y pactando una condena menor para el resto, al margen de que sea justa o injusta. Ese era el modo de proceder de Logiudice, no el mío. Mejor luchar y perder que traicionar a la víctima.

Por eso me encantaban los homicidios. En Massachusetts no puedes declararte culpable de asesinato. Todos los casos han de ir a juicio. Esa norma era un vestigio de una época en que en este estado el asesinato se castigaba con la muerte. En un crimen capital no se admitían rebajas, ni pactos. Había demasiado en juego. Así que hasta el día de hoy todos los casos de homicidio, por intricados que sean, han de ir a juicio. Los fiscales no pueden escoger las piezas que son un éxito seguro para llevarlas ante el tribunal y desechar las más dudosas. *Bueno* —solía pensar yo—, *tanto mejor. Así marcaré la diferencia. Ganaré incluso los casos más endebles.* Así lo veía yo. Pero es verdad que todos nos engañamos a nosotros mismos. El tipo adinerado se dice a sí mismo que, de hecho, enriqueciéndose enriquece a los demás, el artista se dice que sus creaciones son objetos de una belleza inmortal, el soldado se dice que él lucha en el bando de los ángeles. Yo me decía a mí mismo que era capaz de hacer que las cosas acabaran bien en un tribunal, que cuando ganaba yo se hacía justicia. Pensando de ese modo puedes acabar borracho, y con el caso de Jacob yo lo estaba.

A medida que se acercaba el juicio, yo sentía la euforia familiar propia del campo de batalla. Nunca me pasó por la cabeza que perderíamos. Estaba lleno de energía; optimista, seguro, batallador. A posteriori todo eso me resulta extrañamente desconectado de la realidad. Pero si lo piensas, no es tan extraño. Trata a un hombre como si fuera un asno y te acabará dando una coz.

El juicio empezó a mediados de octubre de 2007, en pleno otoño. Los árboles pronto perderían las hojas, todos a la vez, pero por el momento el follaje estaba al final de su brillante efervescencia de tonos rojos, naranjas y ocres.

La víspera del juicio, un martes por la noche, hacía un viento cálido impropio de la estación. Durante la noche la temperatura no bajó de los quince grados y el aire era denso, húmedo, turbulento. Me desperté en plena noche notando algo raro en el ambiente, como me pasaba siempre que Laurie no podía dormir.

Ella estaba tumbada de lado, apoyada sobre un codo y la cabeza en una mano.

—¿Qué pasa? —le susurré.

—Escucha.

—¿El qué?

—Sss. Espera y escucha.

Fuera crujía la noche.

Se oyó un grito agudo. Empezó como el chillido de un animal y rápidamente aumentó y se convirtió en un alarido estridente y penetrante, como el chirrido de los frenos de un tren.

—¿Qué demonios es eso?

—No lo sé. ¿Un gato? ¿Un pájaro, quizás? Le están matando.

—¿Y qué mata a un gato?

—Un zorro, un coyote. Un mapache, a lo mejor.

—Es como si de repente viviéramos en un bosque. ¡Esto es la ciudad! Yo he vivido aquí toda mi vida. Nunca ha habido zorros ni coyotes. ¿Y esos enormes pavos salvajes que entran en el patio? Nunca habíamos tenido ninguno.

—Están construyendo mucho. La ciudad está creciendo. Su hábitat natural está desapareciendo. Les están echando.

—Escucha ese sonido, Andy. No soy capaz de captar de dónde viene ni lo lejos que está. Parece que esté justo aquí al lado. Debe de ser uno de los gatos de los vecinos.

Escuchamos. Se oyó otra vez. Esa vez los chillidos del animal moribundo parecían claramente de un gato. El grito empezó como un gemido gatuno y luego empezaron los aullidos salvajes e intensos.

—¿Por qué tarda tanto?

—A lo mejor está jugando con su presa. Yo sé que los gatos lo hacen con los ratones.

—Es espantoso.

—Es la naturaleza.

—¿Ser cruel? ¿Torturar a tu presa antes de matarla? ¿Cómo puede ser natural eso? ¿Qué ventaja evolutiva supone la crueldad?

—No lo sé, Laurie. Va así. Estoy seguro de que lo que ataca a un gato de esa manera, sea lo que sea (algún coyote hambriento o un perro salvaje o lo que sea), está desesperado. No debe de ser fácil cazar por aquí.

—Si está desesperado, debería matarle y comérselo ya.

—¿Por qué no intentamos dormir un poco? Mañana tenemos un día importante.

—¿Cómo voy a dormir con eso?

—¿Quieres una de mis pastillas?

—No. Al día siguiente me despierto atontada. Mañana quiero estar despejada. No sé cómo puedes tomar esas cosas.

—¿Estás de broma? Me las tomo como si fueran chocolatinas. No me atontan lo *suficiente.*

—Yo no necesito pastillas. Yo solo quiero que esto se acabe de una vez.

—Ven, túmbate.

Dejó caer la cabeza. Yo le rodeé la espalda con el cuerpo y ella se acomodó contra mí.

—Estás nerviosa, Laurie, nada más. Es comprensible.

—No sé si soy capaz de pasar por esto, Andy. No tengo fuerza suficiente.

—Lo superaremos.

—Para ti es más fácil. Has vivido todo el proceso antes. Y no eres madre. No es que para ti sea *fácil.* Ya sé que no. Pero para mí es distinto. Simplemente soy incapaz. No voy a poder.

—Ojalá pudiera ahorrártelo, Laurie, pero no puedo.

—No. Lo que estás haciendo ahora ayuda. Nos quedaremos aquí tumbados. Esto tiene que acabarse pronto.

Los aullidos continuaron unos quince minutos más. Pero tampoco cuando terminaron ninguno de los dos pudo dormir mucho.

Al día siguiente, cuando salimos de casa a las ocho de la mañana, había una camioneta de Noticias de la Fox aparcada en la acera de enfrente, con una espiral de humo saliendo del tubo de escape. Un reportero nos filmó cuando íbamos hacia el coche. Llevaba la cámara al hombro y no se le veía la cara. O más bien la cámara era su cara, su cabeza de insecto con un solo ojo.

Llegamos al tribunal de Cambridge y nos dirigimos a la entrada principal de Thorndike Street, donde había un enjambre de periodistas. Nuevamente tropezaron unos con otros mientras nosotros subíamos por la manzana. Nuevamente los cámaras se empujaron para conseguir una buena imagen, nuevamente los micrófonos sondearon el aire delante de nosotros. Ya habíamos pasado por aquello con motivo de la comparecencia, y esta vez fue mucho más fácil sortear aquella masa de periodistas. Estaban excitados sobre todo por la presencia de Jacob, pero curiosamente yo agradecí que el chico tuviera que aguantar aquel acoso. Yo tenía la teoría de que para el acusado siempre era mejor salir bajo fianza que seguir encerrado a la espera de juicio, como les había sucedido a la mayoría de los acusados de mis propios casos de asesinato. Los acusados a quienes se les denegaba la fianza abandonaban el edificio en una sola dirección, por la salida para los prisioneros que iban a Concord, no a casa. Esos acusados-prisioneros pasaban por el palacio de justicia como la carne por la picadora o como las bolas de acero que rebotan en una máquina de millón: los subían desde la celda a los pisos superiores, bajaban a través de diversas salas de juicio, y finalmente salían por el garaje del sótano, donde las furgonetas de la policía les expedían a las distintas cárceles. Mejor que Jacob entrara por la puerta principal, mejor que conservara la libertad y la dignidad el mayor tiempo posible. En cuanto ese edificio te atrapaba en su engranaje, ya no le gustaba soltarte.

25

La Maestra, la Chica de las Gafas, el Tío Gordo de Somerville, el Empollón, el Tipo del Estudio de Grabación, el Ama de Casa, la Mujer de la Ortodoncia y demás oráculos de la verdad

En el condado de Middlesex los casos se asignaban a los jueces por sorteo, aparentemente. De hecho nadie creía realmente en esa lotería. Un mismo grupo reducido de jueces conseguía una y otra vez los casos relevantes, y los jueces que seguían sacando los números premiados de la lotería solían ser prime donne, justo los que presionarían entre bambalinas para conseguir el papel. Pero nadie se quejaba nunca. Normalmente, oponerse a la enraizada rutina de aquel tribunal era como tirar piedras contra tu propio tejado y, en cualquier caso, que los jueces ególatras se eligieran a sí mismos seguramente era lo mejor. Hace falta una saludable dosis de ego para gobernar una sala de juicios conflictiva. Por eso y también porque favorecía el espectáculo: los grandes casos necesitan grandes personalidades.

Así que no fue una sorpresa que el juez asignado para el juicio de Jacob fuera Burton French. Todo el mundo sabía que sería él. Las señoras de la redecilla en el pelo de la cafetería, los conserjes de las instituciones mentales, incluso los ratones que arañaban detrás de las baldosas del techo, todos sabían que si en la sala de juicio iba a haber una cámara de televisión, el juez en el estrado sería Burt French. Era muy probable que fuera el único juez cuya cara reconocía el público, porque aparecía a menudo en los programas de noticias locales para perorar sobre asuntos legales. La cámara le adoraba. En persona resultaba un tanto cómico, se parecía un poco al Coronel Blimp* —un cuerpo como un tonel aguantado por dos piernecillas como alambres—, pero como busto parlante en la pantalla de televisión proyectaba ese tipo de seriedad tranquilizadora que nos gusta ver en nuestros jueces. Hablaba con afirmaciones irrefutables, nada de las consabidas «por un lado tal, por el otro cual», en las que se basan los periodistas. Y al mismo tiempo nunca era rimbombante; nunca parecía falso o provocador, generaba esa «calidez» que le encanta a la tele. Más bien era por su forma de mover la cara cuadrada y seria, de meter la barbilla y poner los ojos al nivel de la cámara y decir cosas como «la ley no permite [esto o aquello]». Era perfectamente comprensible que los espectadores pensaran: *Si la ley pudiera hablar, sonaría así.*

A los abogados que se reunían todas las mañanas para cotillear antes de la primera vista, o que comían en el Cinnabon de la zona de cafeterías del palacio de justicia, les resultaba muy difícil soportar todo eso. Y es que esa pose de severidad del juez French ante las sandeces era en sí misma una pura sandez. Ellos pensaban que aquel hombre que se presentaba en público como la personificación de la ley estaba en realidad ávido de publicidad, era intelectualmente mediocre, y mezquino y tiránico

---

* Personaje de tira cómica.

en el tribunal. Lo cual, si te parabas a pensarlo en serio, le convertía en la personificación perfecta de la ley.

Por supuesto, cuando empezó el juicio de Jacob, a mí me importaban una mierda los defectos del juez French. Lo único importante era el juego, y Burt French suponía una ventaja para nosotros. Era esencialmente conservador, no la clase de juez que se arriesgaría con una teoría legal novedosa como la del gen asesino. Y otra cosa igualmente importante: era un tipo de juez al que le gustaba poner a prueba a los abogados que tenía enfrente. Tenía el instinto de un matón para detectar la debilidad o la duda, y le encantaba torturar a abogados mal preparados o incompetentes. Lanzar a Neal Logiudice frente a un tipo así era como lanzar cebo a los peces, y Lynn Canavan se equivocó cuando hizo eso en un caso tan importante. Pero la verdad es que no tenía alternativa. A mí ya no podía enviarme.

Y así empezó.

Pero empezó —como suele ocurrir con un acontecimiento que llevas demasiado tiempo esperando con impaciencia— con una sensación de bajón. Nosotros esperamos en la tribuna abarrotada de la sala 12B mientras la aguja del reloj marcaba las nueve en punto, las nueve y cuarto, y la media. Jonathan estaba sentado a nuestro lado, sin inmutarse por el retraso. Fue a preguntarle a la secretaria del juzgado un par de veces, y en ambas ocasiones le dijeron que la instalación de la cámara del vídeo que emitirían de forma compartida los noticiarios de diversas cadenas, incluida la TV judicial, se estaba retrasando. Luego esperamos un rato más mientras organizaban a un grupo de jurados potenciales más numeroso del habitual, que habíamos convenido. Jonathan nos informó de todas esas cosas y después abrió su *New York Times* y se puso a leer tranquilamente.

En la parte delantera de la sala, la secretaria del juez French, una mujer llamada Mary McQuade, hojeaba unos papeles. Al poco se levantó satisfecha y examinó la sala con los brazos cruzados. Yo siempre me llevé bien con Mary. Me las ingenié para eso. Los secretarios judiciales eran como filtros de los jueces y por tanto influyentes. Mary en particular parecía disfrutar con su posición de prestigio de segunda mano, de la cercanía al poder. Y la verdad es que hacía bien su trabajo, y mediaba entre la furia del juez French y los constantes intentos de los abogados por obtener ventajas. La palabra *burócrata* tiene una connotación negativa, pero al fin y al cabo necesitamos la burocracia y a los buenos burócratas que la hacen funcionar. Estaba claro que Mary no pedía disculpas por el lugar que ocupaba en el sistema. Llevaba gafas caras y trajes buenos, como si tratara de diferenciarse de los chupatintas de otras salas del tribunal.

En una silla pegada a la pared opuesta estaba el oficial del juzgado, un enorme hombre gordo llamado Ernie Zinelli. Tenía más de sesenta años y pesaba más de ciento veinte kilos, y seguramente, si alguna vez había algún problema importante en la sala, el pobre tipo caería fulminado por un ataque al corazón. Su presencia como agente de la ley era puramente simbólica, como el mazo del juez. Pero yo apreciaba a Ernie. A lo largo de los años me había expresado cada vez más abiertamente sus opiniones sobre los acusados, que solían ser extremadamente desfavorables, y sobre jueces y abogados, que apenas eran ligeramente más positivas.

Aquella mañana, aquellos dos viejos colegas míos actuaron como si apenas me conocieran. Mary desvió la mirada hacia mí en algún momento, pero se comportó como si no me hubiera visto en su vida. Ernie se atrevió con una sonrisita. Parecía que tuvieran miedo de que alguien pensara que cualquier gesto amistoso estaba dedicado a Jacob, que estaba sentado a mi lado. Me pregunté si les habrían ordenado que me ignoraran. Probablemente pensaban que me había pasado al otro bando, simplemente.

Cuando finalmente el juez ocupó el estrado poco antes de las diez, llevábamos sentados tanto rato que estábamos agarrotados.

Todo el mundo se levantó al oír la familiar cantinela de Ernie: «Atención, la Corte Suprema del condado de Massachusetts abre la sesión», y Jacob no paró de moverse hasta el final: «Todo el que tenga algo que declarar ante este tribunal que se acerque y será escuchado». Tanto su madre como yo le pusimos una mano en la espalda para que se calmara.

Se abrió la sesión, Jonathan le hizo un gesto a Jacob, y los dos pasaron junto al banquillo y ocuparon sus asientos en la mesa de la defensa, como harían todas las mañanas durante las dos semanas siguientes.

Eso sería lo que Laurie vería durante todo el juicio. Se sentaría impasible hora tras hora, día tras día, en la primera fila de los bancos del público, mirando fijamente la parte de atrás de la cabeza de Jacob. Quieta en aquel banco entre los asistentes, mi esposa parecía muy pálida y delgada, como si la acusación de Jacob fuera un cáncer que debía soportar, una batalla física. Y aun así, por marchita que estuviera, yo no podía evitar ver en Laurie el fantasma de su versión más juvenil, a esa adolescente con una cara oronda y preciosa en forma de corazón. Yo opino que eso significa realmente el amor duradero. Tus recuerdos de la chica a los diecisiete años, tan reales y tan vívidos como la mujer de mediana edad que tienes sentada enfrente. Eso de ver y recordar es una especie de visión doble feliz. Verte de ese modo es conocerte.

Laurie se sentía muy desgraciada sentada allí. Los padres de acusados jóvenes están condenados a un peculiar purgatorio en esos juicios. Se esperaba de nosotros que asistiéramos, pero que estuviéramos callados. Nosotros estábamos implicados en el crimen de Jacob, como víctimas y como perpetradores a la vez. Nos compadecían, porque nosotros no habíamos hecho nada malo. Simplemente habíamos tenido mala suerte, no habíamos sido afortunados en la lotería del embarazo, y nos había tocado un hijo granuja. Esperma + óvulo = asesino, o algo parecido. Es inevitable. Y al mismo tiempo nos despreciaban: *alguien* tenía que responder por Jacob, y nosotros habíamos creado al chico y le criamos..., debíamos de haber hecho *algo* malo. Y lo que es peor, ahora teníamos el descaro de apoyar al asesino; de hecho queríamos que quedara libre, lo cual solo confirmaba nuestra naturaleza antisocial, nuestra maldad consustancial. Por supuesto, la visión que el público tenía de nosotros era tan contradictoria y estaba tan alterada por las emociones que no había manera de reaccionar ante ella, ni forma adecuada de actuar. La gente pensaría lo que quisiera, consideraría que éramos siniestros o que sufríamos interiormente, si le apetecía. Y durante las dos semanas siguientes Laurie representaría su papel. Estaría sentada ahí, al final de la sala, quieta e impávida como una estatua de mármol. Miraría la parte de atrás de la cabeza de su hijo intentando interpretar el menor movimiento. No reaccionaría ante nada. No importaba que un día hubiera tenido a aquel crío en brazos y le hubiera susurrado al oído: «Shh, shh». Llegados a ese punto, a nadie le importaba una mierda.

Cuando finalmente ocupamos el banco, el juez French echó un vistazo a la sala mientras el oficial leía la acusación. «Número cero ocho guión cuatro cuatro cero siete, el condado contra Jacob Michael Barber, una única acusación de asesinato en primer grado. En representación del acusado, Jonathan

Klein. En representación del condado, el ayudante del fiscal del distrito Neal Logiudice». El rostro serio y atractivo del juez se fijó brevemente en cada uno de los actores, en Jacob, en los abogados, incluso en nosotros, y nos otorgó a cada uno, mientras permanecimos bajo su mirada, una importancia momentánea que se desvaneció en cuanto desvió la vista.

A lo largo de los años yo había llevado varios casos ante el juez French, y aunque pensaba que en él había algo de fachada hueca, me gustaba bastante. Había jugado al fútbol americano, como defensa en línea, en Harvard. Cuando estaba en último curso y durante un partido contra Yale, se había caído sobre un balón parado en la zona de anotación, y ese singular momento brillante le había acompañado desde entonces. Tenía una foto enmarcada en la pared de su despacho de un Burt French enorme, con su uniforme púrpura y oro, tumbado en su lado del campo, abrazado al precioso huevo que había encontrado. Sospecho que esa fotografía me afectó de forma distinta que al juez French. Para mí, él era la clase de tío al que le pasan esas cosas. Rico y guapo y todo lo demás, a quien sin duda se le habían presentado otras muchas oportunidades parecidas a esa pelota de fútbol que fue a parar ahí, y él se había limitado a caer sobre ella, dando por supuesto en todo momento que su buena suerte era el resultado natural de su talento. Uno se pregunta cómo habría afectado un padre como Bloody Billy Barber a un hombre afortunado como ese. Toda esa tranquilidad, toda esa naturalidad, toda esa ingenua seguridad en sí mismo. Yo me había pasado años estudiando a hombres como Burt French, les había despreciado, les había copiado.

—Señor Klein —dijo el juez, calzándose un par de anteojos—, ¿alguna petición antes de que empecemos el proceso de selección del jurado?

Jonathan se levantó.

—Un par de cosas, Señoría. Primero, el padre del acusado, Andrew Barber, desearía comparecer en el caso en nombre del acusado. Con el permiso del tribunal, actuará como mi ayudante durante el juicio.

Jonathan fue hasta el oficial y le entregó la petición, una sola página para comunicar que yo formaría parte del equipo de la defensa. El oficial le entregó la hoja al juez, que frunció el ceño.

—Eso no me corresponde decidirlo a mí, señor Klein, pero no estoy seguro de que sea prudente.

—Es deseo de la familia —dijo Jonathan, distanciándose de la decisión.

El juez garabateó su nombre en la hoja, autorizando la petición.

—Señor Barber, puede acercarse.

Yo pasé junto al banquillo y me senté en la mesa de la defensa junto a Jacob.

—¿Algo más?

—Señoría, he presentado una petición *in limine* para que se excluyan las pruebas científicas basadas en una supuesta predisposición genética a la violencia.

—Sí, he leído su petición y me inclino a autorizarla. ¿Desea decir algo más antes de que dictamine? Según entiendo, su postura es que la ciencia no se ha pronunciado y que, aunque lo hubiera hecho, en este caso no existe evidencia específica de una predisposición violenta, genética o de otro tipo. ¿Es así en esencia?

—Sí, Señoría, así es en esencia.

—¿Señor Logiudice? ¿Quiere añadir algo o se ceñirá al expediente? Yo opino que la defensa tiene derecho a conocer pruebas de ese tipo antes de que aparezcan. Eso sí, no estoy excluyendo definitivamente este tipo de pruebas. Simplemente estoy dictaminando que si opta usted por presentar pruebas de una predisposición genética a la violencia, celebraremos una audiencia en su momento, sin la presencia del jurado, para decidir si la admito o no.

—Sí, Señoría, me gustaría pronunciarme sobre este punto.

El juez pestañeó. Su cara decía con una claridad meridiana: *Siéntese y cállese.*

Logiudice se levantó y se abrochó la americana del traje, ajustada y con tres botones, que no le quedaba bien cuando se la abrochaba de ese modo. Tenía que echar el cuello ligeramente hacia delante y la americana se quedaba rígida, lo cual hacía que el cuello de la prenda, separada del cuello del fiscal, flotara un milímetro o dos como el de un monje.

—Señoría, la postura del condado —y estamos preparados para presentar declaraciones de expertos en este punto— es que la ciencia sobre la conducta genética ha avanzado mucho y sigue haciéndolo todos los días, y está lo suficientemente madura como para ser admitida aquí. Diríamos que este es incluso un caso extremo en el que excluir ese tipo de pruebas sería inadecuado...

—Se aprueba la moción.

Logiudice se quedó un momento de pie, sin saber si le acababan de robar la cartera.

—Señor Logiudice —explicó el juez mientras firmaba la petición, *Autorizada. French, J.*—, no he excluido la prueba. Dictamino simplemente que, si quiere presentarla, tendrá que informar de ello a la defensa y que celebraremos una audiencia antes de que la presente al jurado. ¿Comprendido?

—Comprendido, Señoría.

—Se lo diré claramente: ni una palabra hasta que yo lo dictamine.

—Comprendido, Señoría.

—No convertiremos esto en un circo. —El juez suspiró—. Muy bien, ¿algo más antes de hacer entrar a los miembros del jurado?

Los abogados dijeron que no con la cabeza.

Tras una serie de asentimientos —el juez al funcionario, el funcionario al oficial del juzgado— fueron a buscar a los jurados potenciales a uno de los pisos inferiores. Entraron arrastrando los pies, fisgoneando toda la sala como turistas de paseo por Versalles. La sala debió decepcionarles. Era tribunal cutre de estilo moderno: techos altos y cuadrados, mobiliario minimalista de madera de arce y plafones negros, matizado por una iluminación indirecta. Había dos banderas colgadas de dos mástiles listados, una bandera americana a la derecha del juez y la bandera de Massachusetts a la izquierda. La bandera americana al menos mantenía los intensos colores originales; la bandera del estado, que un día fue blanca, había adquirido un deslucido tono marfil. Aparte de esto no había nada, ni estatuas, ni inscripciones grabadas en latín, ni el retrato de un juez olvidado, nada que suavizara la austeridad del diseño escandinavo. Yo había estado en esa sala de juicio miles de veces, pero la decepción de los jurados provocó que finalmente la observara y me diera cuenta de lo marchito que parecía todo aquello.

Los miembros del jurado ocuparon todos los asientos del final de la sala, dejando libres únicamente los dos bancos que se habían reservado para la familia del acusado, los periodistas y un par de personas más con contactos en el tribunal, que les daban derecho a quedarse. Los jurados potenciales eran una mezcla de gente trabajadora, amas de casa y parados. Normalmente los jurados tienden a estar compuestos por obreros y parados, ya que esas personas suelen tener más probabilidades de atender a la citación. Pero yo pensé que los miembros de aquel jurado tenían un aspecto ligeramente profesional. Muchos buenos cortes de pelo, zapatos nuevos, fundas de BlackBerry y bolígrafos asomando por los bolsillos. Decidí que para nosotros eso también era bueno. Nosotros queríamos jurados inteligentes, fríos, gente con el cerebro suficiente para entender una defensa técnica o las limitaciones de las pruebas científicas, y los cojones para decir *inocente.*

Empezamos el proceso de *voir dire,* * la serie de preguntas y respuestas por las que se elige a los miembros de un jurado. Jonathan y yo teníamos ambos nuestros gráficos de los asientos de los jurados, una tabla con dos filas, seis columnas —doce plazas en total, más dos cuadrados extras a la derecha de la página— correspondientes a los asientos del banquillo del jurado. Doce jurados, más dos suplentes, que oirían todas las pruebas pero no tomarían parte en las deliberaciones, a menos que abandonara algún jurado. Llamaron a los catorce candidatos, que ocuparon las catorce sillas, nosotros garabateamos los nombres, más unas cuantas notas en las casillas de nuestras tarjetas de puntuación, y empezó el proceso.

Jonathan y yo escogimos juntos a cada jurado potencial. Teníamos seis impugnaciones perentorias, que podíamos utilizar para eliminar a un jurado sin argüir un motivo, un número ilimitado de impugnaciones «con causa», es decir, impugnaciones basadas en alguna razón explícita para pensar que ese jurado sería parcial. Pese a toda esa estrategia, la selección de jurados siempre ha sido una especie de apuesta a ciegas. Hay expertos muy caros partidarios de eliminar parte de esas conjeturas utilizando grupos de discusión, perfiles psicológicos,

---

* Selección.

estadísticas y demás —el método científico—, pero predecir cómo un desconocido juzgará tu caso, sobre todo basándose en la muy limitada información de un cuestionario judicial, es francamente un arte más que una ciencia, y más aún en Massachusetts, donde las normas limitan estrictamente el alcance de las preguntas a los jurados. Y sin embargo, intentamos seleccionarlos. Nosotros buscábamos gente educada; urbanitas de las afueras que pudieran simpatizar con Jacob y no utilizar su confortable estatus contra él; profesionales desapasionados como contables, ingenieros, programadores. Logiudice intentaba llenarlo de trabajadores, padres, cualquiera que se sintiera escandalizado ante el crimen y que no tuviera problemas para creer que un chico era capaz de asesinar por una mera provocación.

Los miembros del jurado avanzaron, se sentaron, fueron rechazados, y entraron nuevos candidatos y se sentaron, y nosotros escribimos detalles sobre ellos en nuestros gráficos de los asientos.

Y al cabo de dos horas teníamos a nuestro jurado.

Le pusimos un apodo a cada uno de los miembros para poder recordarlos. Eran: la Maestra (presidenta), la Chica de las Gafas, el Abuelo, el Tío Gordo de Somerville, el Tipo del Estudio de Grabación, el Empollón, Canal (una mujer nacida en Panamá), la Mamá de Waltham, la Camarera, el Constructor (en realidad era instalador de suelos de madera, un tipo receloso y maleducado que nos preocupó desde el principio), el Ama de Casa de Concord, el Conductor del Camión (en realidad era repartidor de una empresa de alimentos), la Mujer de la Ortodoncia (suplente) y el Barman (suplente). No tenían nada en común salvo su obvia falta de cualificación para esa tarea. Resultaba casi cómica su ignorancia de la ley y del funcionamiento de los tribunales, aunque este caso había salido en la primera página de los periódicos y en los informativos. Les escogieron por su total ignorancia de esas cosas. Así funciona el sistema. Al final, los abogados y los jueces se hacen a un lado, encantados, y entregan todo el proceso a una docena de aficionados totales. Sería divertido si no fuera tan perverso. Qué fútil es todo el proceso. Seguramente Jacob debía de haberse dado cuenta al mirar a esas catorce caras inexpresivas. La impresionante falsedad del sistema de justicia criminal —que seamos capaces de determinar la verdad de forma fiable, que podamos saber «más allá de la duda razonable» quién es culpable y quién no— se basa en admitir una gran mentira: después de perfeccionar el proceso durante mil años más o menos, ni los jueces ni los abogados son más capaces de decir qué es verdad que una docena de cabezas de chorlito seleccionadas arbitrariamente en la calle. Jacob debió de echarse a temblar al pensarlo.

26
Alguien vigila

Aquella noche, en la seguridad de nuestra cocina, tuvimos una charla apasionada durante la cena. Las palabras salían a borbotones, quejas, fanfarronadas, miedos. Estábamos liberando tensión nerviosa más que otra cosa.

Laurie hacía todo lo posible por mantener viva la conversación. Era evidente que, después de una noche sin dormir y un día tan largo, estaba agotada, pero ella siempre creyó que, cuanto más habláramos, mejor estaríamos. Así que hacía preguntas y confesaba sus propios miedos, y no paraba de pasar platos de comida, invitándonos a hablar y hablar. En esos momentos fugaces, yo atisbaba a la Laurie eufórica de antaño... o, mejor, la oía, porque su voz nunca envejeció. En todos los demás sentidos Laurie se marchitó durante la crisis de Jacob: sus ojos parecían hundidos y angustiados, su cutis de color crema de melocotón se volvió amarillento y ajado. Pero su voz estaba gloriosamente incólume. Cuando abría la boca, surgía la misma voz de adolescente que yo había oído por primera vez treinta y cinco años antes. Era como una llamada telefónica desde 1974.

En un momento dado Jacob dijo del jurado:

—No creo que les guste, lo digo por cómo me miran.

—Jacob, solo llevan un día en el estrado. Dales tiempo. Además hasta ahora lo único que saben de ti es que estás acusado de asesinato. ¿Qué quieres que piensen?

—Se supone que no han de pensar nada todavía.

—Son humanos. Tú limítate a no darles ningún motivo para no gustarles, eso es lo único que puedes hacer. Mantente frío. No reacciones. No pongas esas caras.

—¿Qué caras?

—Cuando no estás atento pones una cara. Arrugas la frente.

—¡Yo no arrugo la frente!

—Sí.

—Mamá, ¿yo arrugo la frente?

—No me he dado cuenta. A veces tu padre exagera con la estrategia.

—Sí que lo haces, Jake. Es como... —Y puse aquella cara.

—Papá, eso no es arrugar la frente. Pareces estreñido.

—Oye, que estoy hablando en serio. Esa es la pinta que tienes cuando no prestas atención. Parece que estés enfadado. No dejes que el jurado vea esa cara.

—¡Es la cara que tengo! ¿Qué le voy a hacer?

—Tú enséñales lo guapo que eres, Jacob —dijo Laurie con dulzura, y le dedicó un amago de sonrisa. Llevaba la sudadera al revés. Por lo visto no se daba cuenta, aunque la etiqueta le rascaba el cuello.

—Oye, hablando de lo guapo que soy, ¿sabéis que hay un hashtag en Twitter sobre mí?

Laurie:

—¿Y eso qué quiere decir?

—Es la forma que usa la gente para hablar de mí en Twitter. ¿Y qué dicen? Cosas como: *Jacob Barber es guapísimo. Quiero tener un hijo suyo. Jacob Barber es inocente.*

Yo:

—Ya, ¿y qué más dicen?

—Vale, hay *algunas* cosas malas, pero la mayoría es positivo. El setenta por ciento más o menos.

—¿Setenta por ciento positivo?

—Más o menos.

—¿Lo has estado siguiendo de cerca?

—Solo ha sido hoy. Pero sí, claro que lo he leído. Tienes que verlo, papá. Simplemente vas a Twitter y buscas «almohadilla Jacob Barber» sin espacios —lo escribió en su servilleta de papel: *#jacobbarber*—. ¡Yo era un trending topic! ¿Sabéis lo que quiere decir eso? Normalmente eso es para gente como Kobe Bryant o Justin Timberlake o gente así.

—Vaya, es... estupendo, Jacob. —Miré a la madre del chico con aire escéptico.

No era la primera vez que nuestro hijo había aparecido como una celebridad en Internet. Alguien —probablemente un amigo del colegio— había creado una página web, JacobBarber.com, para apoyarle. La página consistía en un foro en el que la gente podía defender la inocencia de Jacob o desearle buena suerte, o hablar de la santidad de su carácter. Los mensajes negativos se eliminaban. También tenía un grupo de apoyo en Facebook. En la red la opinión general era que Jacob era un poco raro, posiblemente maníaco, innegablemente atractivo, conclusiones que estaban relacionadas. También recibía ocasionalmente mensajes de texto de desconocidos en el móvil. La mayoría eran de viciosos, pero no todos. Algunos eran de chicas que decían que era mono o le hacían proposiciones sexuales. Él defendía que los mensajes positivos eran el doble que los negativos y aparentemente con eso le bastaba. Al fin y al cabo, Jacob sabía que era inocente. En cualquier caso, no quería cambiar el número del móvil.

Laurie:

—Quizás deberías mantenerte al margen de Facebook y todo eso, Jacob. Como mínimo hasta que esto termine.

—Solo leo, mamá. Nunca escribo nada. Soy un mirón.

—¿Un mirón? No digas esa palabra. Hazme un favor y aléjate de Internet una temporada, ¿quieres? Podría perjudicarte.

—Jacob, yo creo que lo que dice tu madre es que durante las dos próximas semanas quizás sería más fácil si intentamos mantenernos al pairo. Así que quizás lo mejor es que nos hagamos los sordos un poquito.

—Echaré de menos mis quince minutos de fama —dijo. Sonrió, inconsciente, despreocupado y valiente, como solo puede ser un crío.

Laurie parecía horrorizada.

—Eso sería una auténtica lástima —lamenté yo.

—Jacob, esperemos que vivas tus quince minutos de fama por algo distinto.

Todos nos quedamos en silencio. Los cubiertos resonaron contra los platos.

Laurie dijo:

—Me gustaría que ese tío parara el motor.

—¿Qué tío?

—Ese tío. —Hizo un gesto con el cuchillo en dirección a la ventana—. ¿No le oís? Ahí fuera hay un tío sentado en su coche con el motor en marcha. Me está dando dolor de cabeza. Ese zumbido en los oídos que no para. ¿Cómo se llama eso, cuando notas un zumbido en el oído?

—Tinnitus —dije yo.

Ella hizo una mueca.

—Crucigramas —aclaré.

Me levanté a mirar por la ventana, más curioso que preocupado. Era un sedán grande. No podía precisar el modelo. Uno grande de cuatro puertas, de la etapa final de la industria automovilística americana, quizás un Lincoln. Estaba aparcado en la acera de enfrente, dos casas más abajo, en una zona en sombra entre farolas, donde era imposible ver al conductor, ni siquiera la silueta. Dentro se veía un punto de luz ámbar, como una estrella, cuando el conductor daba una calada al cigarrillo, después la estrellita se apagó.

—Seguramente está esperando a alguien.

—Pues dejemos que espere con el motor apagado. ¿Ese tío no ha oído hablar del calentamiento global?

—Probablemente es un viejo. —Lo deduje por el cigarrillo, el motor al ralentí, el coche del tamaño de un portaaviones, costumbres que pertenecían a una generación mayor, pensé.

—Ese gilipollas debe de ser un periodista.

—¡Jake!

—Perdona, mamá.

—Laurie, ¿y si voy a hablar con él? Le diré que lo apague.

—No. ¿Quién sabe qué quiere? Sea lo que sea, no puede ser bueno. No te muevas.

—Cariño, te estás poniendo paranoica. —Yo nunca utilizaba palabras como *cariño* o *vida* o *tesoro*, pero me pareció que el tono afectuoso era necesario—. Seguramente es un viejales que se fuma un pitillo mientras escucha la radio. Seguro que no se da cuenta de que está molestando a alguien con el motor en marcha.

Ella frunció el ceño con escepticismo.

—Eres tú el que no para de decir que tenemos que pasar desapercibidos y no meternos en problemas. A lo mejor quiere que salgas e intentes algo. A lo mejor está intentando provocarte.

—Laurie, venga. Solo es un coche.

—Solo un coche, ¿eh?

—Solo un coche.

Pero no era solo un coche.

Hacia las nueve saqué la basura: un cubo de plástico con desperdicios y una cubeta de reciclaje verde rectangular, poco práctica. La forma de la cubeta hacía imposible que la transportaras cómodamente con una mano. Cuando estabas a mitad de camino empezabas a notar calambres en los dedos, así que, para poder llevar ambos objetos hasta la calle en un solo viaje, tenías que ir a toda prisa balanceándote como un pato para no derramar todo el material reciclado. Hasta que no hube colocado la basura y la cubeta de reciclado juntas en su sitio, no volví a fijarme en aquel coche. Se había movido. Ahora estaba aparcado unas cuantas casas más allá, siempre en la acera de enfrente, pero en la otra dirección. El motor estaba apagado. No se veía el destello del cigarrillo oculto en el interior. El coche debía de estar vacío. Estaba oscuro, era imposible saberlo.

Entorné los ojos en la penumbra para fijarme en algún detalle del coche.

Se encendió el motor, luego los faros. El coche no tenía placa de matrícula en la parte delantera.

Empecé a acercarme, intrigado.

El coche se alejó de mí despacio, como un animal que detecta el peligro, y después se fue corriendo. En el primer cruce dio la vuelta con mucha destreza y se largó. No había podido acercarme más de veinte metros. En la oscuridad no pude ver nada del coche, ni siquiera el color o la marca. Un conductor imprudente en una calle muy pequeña. Imprudente y bueno.

Pero más tarde, cuando Laurie ya había decidido sensatamente irse a dormir, me senté con Jacob a ver a Jon Stewart* en la salita. Me había repantigado en el sofá con el pie derecho encima del cojín y el brazo derecho colgando del respaldo. Tuve la leve e insistente sensación de que me observaban, y levanté el estor para volver a mirar.

El coche había vuelto.

Salí por la puerta de atrás, crucé el patio trasero de los vecinos y aparecí detrás del vehículo. Era un Lincoln Town Car, matrícula 75K S82. El interior estaba oscuro.

Caminé despacio junto a la puerta del conductor. Estaba dispuesto a golpear el cristal, a abrir la puerta, a sacar al tío del coche, a clavarle sobre la acera y advertirle que nos dejara tranquilos.

Pero el coche estaba vacío. Eché una ojeada buscando al conductor, un hombre con un cigarro. Pero estaba haciendo tonterías. Laurie me estaba contagiando la paranoia. Solo era un coche aparcado. Seguramente el conductor estaba en una de las casas contiguas profundamente dormido, o tirándose a su mujer, o viendo la tele, o haciendo cualquiera de las cosas que hace la gente normal, las cosas que nosotros solíamos hacer. Al fin y al cabo, ¿qué había visto?

Aun así, más vale prevenir que curar. Telefoneé a Paul Duffy.

---

* Comediante, actor, escritor y productor televisivo.

—Abogado —contestó con su estilo lacónico, como si se alegrara de oírme, se alegrara y no le sorprendiera, aun después de meses de silencio, a las once y media, la víspera de la apertura del juicio.

—Duff, perdona que te moleste.

—No te preocupes. ¿Qué pasa?

—Seguramente no es nada, pero creo que hay alguien vigilándonos. Lleva aparcado en la calle toda la noche.

—¿Es un hombre?

—No estoy seguro. No le he visto. Solo al coche.

—Has dicho «aparcado».

—Lo imagino.

—¿Qué estaba haciendo?

—Solo era un coche aparcado delante de nuestra casa con el motor en marcha. Eso fue a la hora de la cena, hacia las seis. Luego volví a verle a las nueve, más o menos. Pero, en cuanto quise acercarme, dio la vuelta y se fue.

—¿Te ha amenazado de algún modo?

—No.

—¿Habías visto el coche alguna vez?

—No, me parece que no.

Se oyó un profundo suspiro por teléfono.

—Andy, ¿puedo darte un pequeño consejo?

—Ojalá me lo diera alguien.

—Vete a la cama. Mañana es un día muy importante para ti. Todos estáis muy tensos.

—Tú crees que solo es un coche aparcado.

—A mí me parece que solo es un coche aparcado.

—¿Me harías un favor? ¿Comprobarías la matrícula? Solo para asegurarnos. Laurie está muy estresada. Me quedaría más tranquilo.

—¿Entre tú y yo?

—Claro, Duff.

—De acuerdo, dime.

—Massachusetts, número 75K S82. Se trata de un Lincoln Town Car.

—Vale, no cuelgues.

Hubo un largo silencio mientras él iba a comprobarla. Yo miraba a Steven Colbert sin sonido.

Cuando volvió, dijo:

—Esa matrícula es de un Honda Accord.

—Mierda. Es robado.

—No. Al menos no han denunciado el robo.

—Pues ¿por qué la lleva un Lincoln?

—A lo mejor la pidió prestada, por si alguien se fijaba y le daba la matrícula a la policía. Solo se necesita un destornillador.

—Mierda.

—Andy, has de informar a la policía de Newton. Seguro que no es nada, pero harán un informe y al menos quedará archivado.

—No quiero hacerlo ahora. Mañana empieza el juicio. Si informo, acabará saliendo en las noticias. Eso no me conviene. Ahora es importante que demos una apariencia de normalidad y estabilidad. Quiero que ese jurado vea a una familia normal, como ellos. Porque nosotros *somos* igual que ellos.

—Andy, si alguien te está amenazando...

—No. Nadie nos está amenazando. De hecho nadie está haciendo nada. Tu mismo lo dijiste, parece que solo es un coche aparcado.

—Pero te ha preocupado lo bastante como para telefonearme.

—No importa. Ya me ocuparé. Si el jurado oye hablar de esto, la mitad pensarán que estamos llenos de mierda. Pensarán que hacemos teatro para provocar solidaridad, como si estuviéramos intentando presentarnos como las víctimas de todo esto. Nada de teatro. Todo lo que nos haga parecer raros, poco de fiar, falsos, *extraños*, dificulta más que digan *inocente.*

—Pues ¿qué quieres hacer?

—A lo mejor podrías mandar un coche pero sin hacer un informe. Solo hacer que se vaya, asustarle. Solo eso, y así podré decirle a Laurie que no tiene de qué preocuparse.

—Más vale que lo haga yo mismo, si no tendrán que hacer un informe.

—Te lo agradezco. Nunca podré devolverte ese favor.

—Basta con que consigas llevarte a tu hijo a casa, libre, Andy.

—¿Lo dices en serio?

Hubo una pausa.

—No sé. Hay algo en todo esto que no está bien. A lo mejor es solo el veros a ti y a Jacob en la mesa del defensor. Conozco a ese crío desde que nació.

—Paul, no fue él. Te lo garantizo.

Gruñó, no muy convencido.

—Andy, ¿quién podría vigilar vuestra casa?

—¿La familia de la víctima? ¿A lo mejor algún chaval que conocía a Ben Rifkin? ¿Un chalado que se ha enterado del caso por los periódicos? Puede ser cualquiera. ¿Vosotros llegasteis a investigar a Patz?

—¿Quién sabe? Andy, yo no tengo ni idea de qué está pasando allí. Me trasladaron a una maldita unidad de relaciones públicas. Lo siguiente que harán será obligarme a recorrer la autopista de arriba abajo, poniendo multas por exceso de velocidad. Me apartaron del caso en cuanto acusaron a Jacob. Casi esperaba que me investigaran a *mí*, como si estuviera encubriéndole de algún modo contigo. Así que no tengo mucha información. Pero no hay motivo para que sigan investigando a Patz una vez que han acusado a otro. El caso ya está resuelto.

Ambos nos quedamos un momento pensando en eso.

—De acuerdo —dijo—, me acercaré. Dile a Laurie que no pasa nada.

—Ya le dije que no pasa nada. No me cree.

—Pues a mí tampoco me creerá. En fin, tú vete a la cama también. Si no, no aguantaréis. Solo es la primera noche.

Le di las gracias y subí a meterme en la cama con Laurie. Estaba acurrucada como un gato, de espaldas a mí.

—¿Quién era? —murmuró pegada a la almohada.

—Paul.

—¿Qué ha dicho?

—Ha dicho que seguramente solo es un coche aparcado. No pasa nada.

Gimió.

—Dijo que no le creerías.

—Tenía razón.

27

Inicios

¿En qué estaba pensando Neal Logiudice cuando se levantó para pronunciar su alegato inicial ante el jurado? Era perfectamente consciente de que había dos cámaras sin operador enfocándole. Algo que quedó claro cuando se abrochó meticulosamente los dos botones de arriba de la chaqueta. Aparentemente era un segundo traje, distinto al que había llevado el día anterior, aunque el traje de hoy era del mismo estilo a la moda, con tres botones. (Esas compras compulsivas eran una equivocación. Tenía tendencia a emperifollarse con esos trajes nuevos). Debía de verse como un héroe. Ambicioso, seguro, pero sus objetivos se correspondían con los del público —lo que era bueno para Neal era bueno para todo el mundo, menos para Jacob, claro—, de modo que no había nada malo en ello. También debía de pensar que era justo verme en la mesa de la defensa, literalmente desplazado. No pretendo insinuar que ese día la cabeza de Neal albergara ninguna sensación de venganza edípica. En cualquier caso, no dio la menor muestra de ello. Cuando se arregló la americana nueva y se puso de pie —una actuación dedicada al jurado, a dos jurados, debería decir: uno en el tribunal y el otro al otro lado de las cámaras de televisión—, yo solo vi la vanidad de un hombre joven. No podía odiarle, ni siquiera echarle en cara ese instante de petulancia. Se había graduado, había crecido, finalmente era El Hombre. Todos hemos sentido ese tipo de cosas en un momento dado. Edípico o no, después de tantos años ocupar el lugar de nuestros padres es un placer absolutamente inocente. De todos modos, ¿por qué culpar a Edipo? Él era una víctima. El pobre Edipo nunca quiso hacer daño a nadie.

Logiudice asintió frente al jurado *(Demuestra al jurado que eres respetuoso...).* Miró torvamente a Jacob al pasar *(... y que no tienes miedo del acusado, porque si tú no tienes el valor de mirarle a los ojos y decir «culpable», ¿cómo pretendes que el jurado lo haga?).* Se puso directamente delante del jurado con las puntas de los dedos apoyadas en el pasamanos frente al estrado *(Reduce el espacio que os separa, haz que sientan que eres uno de ellos).*

—Un adolescente —dijo—, a quien encuentran muerto. En un bosque llamado Cold Spring Park. A primera hora de una mañana de primavera. Un chico de catorce años con tres puñaladas en línea sobre el pecho, y tirado en un terraplén resbaladizo por el barro y las hojas húmedas, y abandonado a morir boca abajo a menos de quinientos metros del colegio al que se dirigía, a quinientos metros de la casa de donde había salido minutos antes.

Recorrió la tribuna del jurado con la mirada.

—Y todo eso: la decisión de hacer eso, la elección de arrebatar una vida, de arrebatar la vida de este chico, solo dura un segundo.

Dejó la frase colgada ahí.

—Una fracción de segundo y —chasqueó los dedos— clic. Solo hace falta un segundo para perder los nervios. Y eso es lo único que se necesita, un segundo, un instante, para crear la intención de matar. En este tribunal a eso se le llama *premeditación.* La decisión consciente de matar, por muy rápidamente que se geste dicha intención, por brevemente que permanezca en la mente del asesino. Un asesinato en primer grado puede suceder... simplemente... así.

Empezó a andar a lo largo de la tribuna del jurado, deteniéndose para mirar a los ojos a cada miembro al pasar.

—Pensemos un momento en el acusado. Este es un caso sobre un chico que lo tenía todo: buena familia, buenas notas, una casa preciosa en un barrio próspero. Él lo tenía todo, en cualquier caso más que la mayoría, mucho más. Pero el acusado tenía otra cosa también: tenía un carácter letal. Y cuando le presionaron, no demasiado, bromeando simplemente, enredando un poco, la clase de cosas que deben de suceder todos los días en todos los colegios del país; cuando le presionaron un poco demasiado y él decidió que ya estaba harto, ese carácter letal al final simplemente... reaccionó.

Has de contarle al jurado «la historia del caso», el relato que conduce a la escena final. Los hechos no bastan, debes tejer una historia con ellos. El jurado tiene que ser capaz de contestar a la pregunta «¿De qué trata este caso?». Contesta a esa pregunta por ellos y ganarás. Destila el caso por ellos y conviértelo en una sola frase, un tema, una sola palabra incluso. Graba esa frase en sus mentes. Deja que se la lleven a la sala de deliberaciones para que, cuando abran la boca para discutir el caso, surjan tus palabras.

—El acusado reaccionó. —Chasqueó los dedos otra vez.

Vino a la mesa de la defensa, se colocó muy cerca, faltándonos al respeto deliberadamente a base de invadir nuestro espacio. Levantó el dedo frente a Jacob, quien para evitarlo tenía la mirada puesta en el regazo en aquel momento. Logiudice era un mentiroso de mierda, pero tenía una técnica magnífica.

—Pero este no era un chico cualquiera de una buena familia en un buen barrio, y no era solo un chico con un mal pronto. El acusado tenía otra cosa que le distinguía.

Logiudice desvió el dedo de Jacob hacia mí.

—Él tenía un padre que era ayudante del fiscal del distrito, Y tampoco un ayudante del fiscal del distrito cualquiera. No, el padre del acusado, Andrew Barber, era el primer ayudante, el hombre importante, en la misma oficina donde yo trabajo, justo aquí en este edificio.

En ese momento yo podía haberme acercado a ese jodido dedo, cogerlo y arrancarlo de la mano pálida y pecosa de Logiudice. Le miré a los ojos, sin expresar nada.

—Este acusado...

Retiró el dedo, lo levantó por encima del hombro como si estuviera comprobando el viento, y luego lo agitó en el aire mientras volvía hacia la tribuna del jurado.

—Este acusado...

No llames al acusado por su nombre. Llámale solo «el acusado». Un nombre le humaniza, hace que el jurado le vea como una persona que merece comprensión, incluso misericordia.

—Este acusado no era un chico ignorante cualquiera. No, no. Él llevaba años viendo a su padre como responsable de la acusación de los asesinatos más graves de este condado. Había escuchado las conversaciones durante la cena, había oído las llamadas telefónicas, los comentarios en las tiendas. Él creció en una casa en la que el asesinato era el negocio familiar.

Jonathan dejó caer su bolígrafo sobre el bloc de notas, soltó un suspiro de exasperación y meneó la cabeza. La insinuación de que el «asesinato era el negocio familiar» se acercaba terriblemente al argumento que a Logiudice le habían prohibido esgrimir. Pero Jonathan no protestó. No podía parecer que estaba obstruyendo el proceso con una defensa legalista basada en tecnicismos. Su defensa no sería técnica: Jacob no lo hizo. Jonathan no quería emborronar ese mensaje.

Yo comprendía todo eso. Aun así, era indignante ver que nadie contradecía todas aquellas estupideces deleznables.

El juez miró a Logiudice.

Logiudice:

—Como mínimo, los *juicios* por asesinato eran el negocio familiar. El negocio de demostrar la culpabilidad del asesino, lo que estamos haciendo aquí, ahora, esto era algo de lo que el acusado sabía un poco, y no por los programas de la televisión. Así que cuando reaccionó, cuando llegó el momento, la última provocación mortal, y él atacó a uno de sus propios compañeros de clase con un cuchillo de caza, ya había preparado el terreno, por si acaso. Y cuando hubo terminado, ocultó sus huellas como un experto. Porque en cierto sentido era un experto.

»Solo había un problema. Incluso los expertos cometen errores. Y durante los próximos días nosotros vamos a destapar las huellas que nos llevan de vuelta hacia él. Y solo hacia él. Y cuando hayan visto ustedes todas las pruebas, sabrán más allá de una duda razonable, más allá de *toda* duda, que este acusado es culpable.

Una pausa.

—Pero ¿por qué?, se preguntarán ustedes. ¿Por qué asesinaría a un compañero de octavo curso? ¿Por qué un chico le haría esto a otro chico?

Hizo un gesto de perplejidad: arqueó las cejas, y encogió ostensiblemente los hombros.

—Bueno, todos hemos ido al colegio.

Sus labios empezaron a curvarse: una sonrisa cómplice, de satisfacción. *Hagamos travesuras en el tribunal y soltemos un par de carcajadas todos.*

—Venga, todos hemos estado allí, algunos más recientemente que otros.

Esbozó una sonrisa de cocodrilo que, ante mi sorpresa, provocó sonrisitas de complicidad por parte de los jurados.

—Es verdad, todos hemos estado allí. Y todos sabemos cómo pueden ser los críos. Reconozcámoslo: el colegio puede ser duro. Los críos pueden ser malos. Gastan bromas, hacen payasadas, se burlan. Van a oír ustedes declarar que la víctima de este caso, un chico de catorce años llamado Ben Rifkin, se burlaba del acusado. Nada especialmente escandaloso, nada que la mayoría de los chicos habría considerado grave. Nada que no se oiga en cualquier zona de juegos de cualquier ciudad, si salen de esta sala ahora mismo y se dan un paseo por ahí.

»Permítanme dejar clara una cosa: no es necesario convertir en un santo a Ben Rifkin, la víctima en este caso. Van ustedes a oír algunas cosas sobre Ben Rifkin que quizás no sean muy elogiosas. Pero quiero que recuerden esto: Ben Rifkin era un chico como cualquier otro. No era perfecto. Era un chico normal con todos los defectos y todos los conflictos propios del crecimiento de un adolescente normal. Tenía catorce años, ¡catorce!, y toda la vida por delante. No era un santo, no era un santo. Pero ¿quién querría que le juzgaran solo por los primeros catorce años de su vida? ¿Quién estaba ya hecho y... y... *terminado* a los catorce años?

»Ben Rifkin era todo lo que el acusado quería ser. Era guapo, admirado, popular. El acusado, por otro lado, era un extraño para sus propios compañeros de clase. Silencioso, solitario, sensible, raro. Un marginado.

»Pero Ben cometió un error fatal burlándose de ese chico raro. No sabía nada del mal carácter, desconocía la capacidad oculta del acusado..., el deseo incluso... de matar.

—¡Protesto!

—Se acepta. El jurado no tendrá en cuenta ese comentario sobre el deseo del acusado, que es pura especulación.

Logiudice no apartó la vista del jurado. Se quedó inmóvil como una roca, ignoró la protesta, fingió que no la había oído. *El juez y la defensa intentan privarte de ella, pero nosotros sabemos la verdad.*

—El acusado hizo planes. Se hizo con un cuchillo, y no un cuchillo para niños, no un cuchillo romo, no una navaja suiza... Un cuchillo de caza, un cuchillo diseñado para matar. Oirán hablar de ese cuchillo al propio mejor amigo del acusado, que lo vio en la mano del acusado, que oyó al acusado decir que pensaba utilizarlo contra Ben Rifkin.

»Oirán que el acusado lo pensó todo muy bien; planeó el asesinato. Incluso describió el asesinato varias semanas después en una historia que escribió e incluso colgó con arrogancia en Internet, una historia en la que describe cómo fue concebido el asesinato, planeado al detalle y ejecutado. Ahora bien, el acusado puede tratar de justificar esta historia, que incluye una detallada descripción del asesinato de Ben Rifkin, incluidos detalles que, de hecho, solo conocía el asesino. Puede que les diga: «Solo estaba fantaseando». A lo cual yo digo, como harán ustedes sin duda: ¿qué tipo de chico fantasea sobre el asesinato de un amigo?

Paseó arriba y abajo, dejó la pregunta en el aire.

—Esto es lo que sabemos. Cuando el acusado salió de su casa y se dirigió hacia Cold Spring Park la mañana del 12 de abril de 2007, mientras se adentraba en el bosque, llevaba un cuchillo en el bolsillo y una idea en la cabeza. Estaba preparado. A partir de este punto, lo único que hacía falta era el detonante, la chispa que hizo que el acusado... reaccionara.

»¿Y cuál fue el detonante? ¿Qué fue lo que convirtió una fantasía de asesinato en uno real?

Hizo una pausa. Aquella era la respuesta a la pregunta central, la adivinanza que Logiudice tenía que resolver, simplemente: ¿cómo un chico normal sin antecedentes de violencia se convierte de repente en alguien tan brutal? El motivo es un factor de todos los casos, no legalmente pero sí en la mente de todos y cada uno de los miembros del jurado. Por eso los crímenes sin motivo (o sin motivo conocido) son tan difíciles de probar. Los jurados quieren entender qué pasó; quieren saber *por qué.* Exigen una respuesta lógica. Aparentemente Logiudice no tenía ninguna. Solo podía ofrecer teorías, suposiciones, probabilidades, «genes asesinos».

—Puede que nunca lo sepamos —reconoció, esforzándose al máximo para quitar importancia al enorme agujero de este caso, la propia extrañeza del crimen, su aparente falta de explicación—. ¿Ben le insultó? ¿Le llamó *marica* o *nenaza* como había hecho antes? ¿U *obseso* o *perdedor*? ¿Le empujó, le amenazó, le acosó de algún modo? Probablemente.

Yo meneé la cabeza. ¿Probablemente?

—Fuera lo que fuera que encendió al acusado, cuando se encontró con Ben Rifkin en Cold Spring Park aquella fatídica mañana del 12 de abril de 2007, hacia las ocho y veinte de la mañana, dónde él sabía que Ben estaría, porque los dos habían pasado por esos bosques para ir al colegio durante años, escogió poner en marcha su plan. Apuñaló a Ben tres veces. Le metió el cuchillo en el pecho; lo demostró con tres golpes de espadachín con el brazo derecho: *uno, dos, tres.* Tres heridas limpias perfectamente espaciadas y en línea sobre el pecho. Incluso un tipo de heridas sugiere premeditación, frialdad, autocontrol.

Logiudice se detuvo, un tanto desconcertado esta vez.

Los miembros del jurado también parecían confusos. Le miraban con gesto de preocupación. Su alegato inicial, que había empezado con tanta fuerza, se había hundido en esa cuestión fundamental de *por qué*. Se diría que pretendía las dos cosas a la vez: Logiudice sugería en un momento dado que Jacob había estallado, que había perdido el control y había asesinado a su compañero de clase en un impulso repentino. Y un momento después, sugería que Jacob había planeado el asesinato y los detalles con deliberada frialdad, que usó la experiencia legal del hijo de un fiscal, y después esperó su oportunidad. El problema, obviamente, era que el propio Logiudice no había conseguido en ningún momento contestar la pregunta del motivo, por muchas teorías que expusiera. El asesinato de Ben Rifkin simplemente no tenía sentido. Incluso ahora, después de meses de investigación, nos lo preguntábamos. ¿Por qué? Yo estaba seguro de que el jurado captaría el problema de Logiudice.

—Una vez hecho eso, el acusado tiró el cuchillo. Y se fue al colegio. Fingió que no sabía nada, incluso cuando cerraron el colegio y la policía estuvo intentando frenéticamente resolver el caso. Conservó la tranquilidad.

»Ah, pero el acusado, este hijo de un fiscal, debería haber sabido por propio autoaprendizaje que el asesinato siempre deja una huella. No existe el asesinato inmaculado. El asesinato es caótico, sangriento, sucio. La sangre salpica y mancha. Con la emoción de matar se cometen errores.

»El acusado había dejado una huella dactilar en la sudadera de la víctima, impresa con la propia sangre húmeda de la víctima, una huella que solo pudo generarse en el instante posterior al asesinato.

»Y entonces empiezan a acumularse las mentiras. Cuando finalmente se identifica la huella dactilar, semanas después del asesinato, el acusado cambia su versión. Después de negar durante semanas que sabía algo del crimen, ahora afirma que estuvo allí, pero *después* del asesinato.

Una mirada escéptica.

—Un motivo: un escolar marginado que guarda rencor al compañero de clase que lleva tiempo burlándose de él.

»Un arma: el cuchillo.

»Un plan: detallado en una descripción del asesinato escrita por el propio acusado.

»La evidencia física: la huella dactilar en el cuerpo de la víctima, en la propia sangre de la víctima.

»Damas y caballeros, la evidencia es abrumadora. Es una montaña de evidencias. No deja lugar a dudas. Cuando termine este juicio y yo haya demostrado todas las cosas que acabo de describirles, voy a colocarme aquí, frente a ustedes, otra vez, para pedirles en esa ocasión que cumplan ustedes con su parte, para decir que está obviamente claro, para que saquen la única conclusión posible: culpable. Esta palabra, culpable, les resultará difícil de decir, se lo prometo. Juzgar a otro es duro para cualquiera. Durante toda la vida nos han enseñado a no hacerlo. «No juzgues», nos dice la Biblia. Es especialmente duro cuando el acusado es un niño. Nosotros creemos firmemente en la inocencia de nuestros niños. Queremos creer en ello; queremos que nuestros niños sean inocentes. Pero este niño no es inocente. No. Cuando vean todas las pruebas contra él, sabrán en el fondo de sus corazones que solo hay un veredicto justo en este caso: culpable. *Veredicto*, viene del latín y significa «decir la verdad». Eso es todo lo que voy a pedirles, decir la verdad: culpable. Culpable. Culpable. Culpable. Culpable.

Les dirigió una mirada decidida, justa, suplicante.

—Culpable —volvió a decir.

Inclinó la cabeza con pesar y luego volvió a su silla y se dejó caer, aparentemente agotado o absorto en sus pensamientos o penando por el chico muerto, Ben Rifkin.

Detrás de mí, una mujer sollozaba entre el público. Se oyó un ruido de pisadas y el movimiento de la puerta cuando abandonó la sala a toda prisa. No me atreví a darme la vuelta para mirar.

Tenía la sensación de que el alegato inicial de Logiudice había sido bastante bueno. Era de lejos el mejor que le había oído pronunciar. Pero no era el *home run* que necesitaba. Seguía habiendo un margen de duda. ¿Por qué lo hizo? Los jurados debían de haber notado la debilidad de su acusación, el agujero de donut que había en el centro. Eso era un auténtico problema para el fiscal, ya que no hay momento en un juicio en el que la exposición de la acusación tenga más fuerza que en el alegato inicial, donde la historia es prístina y nada la contradice, antes de que las pruebas de un juicio se hayan visto afectadas por la realidad: testigos favorables incompetentes, testigos expertos hostiles, contrainterrogatorios, y todo lo demás. Yo tenía la impresión de que nos había abierto una oportunidad.

—¿Defensa? —dijo el juez.

Jonathan se puso de pie. En aquel momento me impresionó —y me sigue pasando hoy en día, cuando le veo— que fuera uno de esos hombres a quienes es fácil imaginar de chicos, aunque sea un sesentón canoso. Llevaba el pelo siempre despeinado, la chaqueta desabrochada, la corbata y el cuello de la camisa eternamente torcidos, como si todo aquello fuera el uniforme de un colegio masculino que llevaba solo porque lo dictaban las normas. Se colocó frente a la tribuna del jurado, se rascó la parte de atrás de la cabeza y puso cara de perplejidad, como si lo estuviera reflexionando en aquel momento.

Todo el mundo pensó que no se había preparado nada que decir, y que necesitaba un momento para ordenar sus ideas. Después del extenso alegato inicial de Logiudice, que de algún modo había conseguido parecer tanto incoherente como ensayado, la desordenada espontaneidad de Jonathan era una ráfaga de aire fresco. Ahora bien, yo admiro a Jonathan, y le aprecio también, de modo que puede que le vea con especiales buenos ojos, pero me pareció que, incluso antes de que abriera la boca para hablar, él era el más fiable de los dos abogados, lo cual no es poco. Comparado con Logiudice, que parecía incapaz de emitir un suspiro sin calcular cómo lo juzgarían los demás, Jonathan era todo naturalidad, todo relajación. Sentado cómodamente en la sala de juicio con su traje desastrado, absorto en sus propios pensamientos, parecía tan en casa como un hombre que va en pijama en su propia cocina, y come junto al fregadero.

—¿Saben? —empezó—, pienso en una cosa que ha dicho el fiscal del estado. —Movió el brazo a su espalda hacia la zona donde estaba Logiudice—. La muerte de un joven como Ben Rifkin es espantosa. Comparado con todos los demás crímenes, todos los asesinatos, todas las cosas terribles que vemos aquí, es simplemente trágico. Solo era un crío. Y todos los años que ese crío tenía por delante, todo en lo que podía haberse convertido, un gran médico, un gran artista, un líder sabio, todo se ha perdido. Todo perdido.

»Cuando uno presencia una tragedia tan enorme como esta, quiere hacerlo bien, quiere arreglarlo de algún modo. Quiere comprobar que se hace justicia. Quizás ustedes estén enfadados; ustedes quieren ver que alguien paga. Todos sentimos esas cosas, al fin y al cabo somos humanos.

»Pero Jacob Barber es inocente. Quiero decirlo otra vez para que no haya ningún malentendido: Jacob Barber es completamente inocente. Él no hizo nada en absoluto, no tuvo nada que ver con este asesinato. No fue él.

»Todas las pruebas que acaban de oír al final no son nada. En cuanto rascan la superficie, en cuanto las observan, comprenden lo que realmente pasó y la exposición del fiscal se volatiliza como el humo. Esa huella dactilar, por ejemplo, a la que el abogado del gobierno le da tanta importancia. Van a oír cómo esa huella dactilar fue a parar allí, tal como le dijo Jacob al policía que le arrestó, en cuanto se lo preguntaron. Encontró a su compañero de clase tirado en el suelo y herido, e hizo lo que habría hecho cualquier buena persona: intentó ayudar. Le dio la vuelta a Ben para examinarle, para ver si estaba bien, para ayudarle. Y cuando vio que Ben estaba muerto, hizo exactamente lo que hubiéramos hecho muchos de nosotros. Se asustó. No quería verse implicado. Le preocupaba que si le contaba a alguien que había visto el cuerpo, y no digamos que lo había tocado, podía convertirse en sospechoso, podían acusarle de algo que no había hecho. ¿Era esa la reacción correcta? Claro que no. ¿Le gustaría haber sido más valiente y haber dicho la verdad desde el primer momento? Claro que sí. Pero es un chico, es humano y cometió un error. No hay nada más que eso.

»No...

Se detuvo, bajó la mirada, meditó su siguiente frase.

—No dejen que vuelva a pasar. Ha muerto un chico. No destruyan a otro chico inocente por ello. No dejen que este caso se convierta en una segunda tragedia. Ya hemos vivido bastante tragedia.

El primer testigo fue Paula Giannetto, la corredora que descubrió el cuerpo. Yo no conocía a aquella mujer pero la reconocí de verla por ahí, en el mercado, en el Starbucks o en la tintorería. Newton no es una ciudad pequeña, pero está dividida en varios «pueblos» y en esos barrios siempre ves las mismas caras. Curiosamente no recordaba haberla visto haciendo jogging en Cold Spring Park, aunque por lo visto ambos corríamos por allí a menudo a la hora del asesinato.

Logiudice la condujo a lo largo de toda su declaración, que se prolongó demasiado. Fue supermeticuloso, ansioso por conseguir de ella hasta el mínimo detalle y todo el patetismo que pudiera. Normalmente, el fiscal sufre una curiosa transformación con el primer testigo: después de estar de pie en el centro de la escena durante su alegato inicial, ahora se aparta de los focos. Estos se desplazan a los testigos, y las normas dictan que el fiscal sea prácticamente pasivo en sus preguntas. Dirige al testigo o le va empujando con preguntas neutrales como «¿Qué pasó después?» o «¿Qué vio entonces?». Pero Logiudice fue bastante quisquilloso con los detalles que quería sonsacarle a Paula Giannetto. La interrumpía constantemente para hurgar en esto o aquello. Jonathan no protestó ni una vez, ya que no hubo nada en la declaración que relacionara a Jacob con el asesinato, ni remotamente. Pero yo volví a detectar que Logiudice manejaba torpemente su acusación, no porque le fallara ninguna gran estrategia, sino poco a poco, en miles de pequeñas cuestiones. (¿Me hacía ilusiones? Puede. No pretendo ser objetivo). Giannetto estuvo en el estrado casi una hora contando su historia, que en esencia no había cambiado desde que la contó la primera vez el día del asesinato.

Había sido una mañana de primavera fría y húmeda. Ella iba corriendo por una zona accidentada del sendero que recorría Cold Spring Park, cuando vio lo que parecía un chico tumbado boca abajo en un terraplén cubierto de hojas, que bajaba hasta un pequeño estanque lleno de algas. El chico llevaba tejanos, zapatillas de deporte y una sudadera. La mochila había caído a su lado, por la pendiente. Giannetto iba corriendo sola y no vio a nadie cerca del cuerpo. Había pasado a un par de corredores más y a chicos que iban andando al colegio (el parque era una ruta habitual hacia la escuela McCormick, que lindaba con él). Pero ella no vio a nadie cerca del cuerpo. Tampoco había oído nada, ni gritos, ni ruido de pelea, porque había estado escuchando música en su iPod, que llevaba en una funda atada al brazo. Incluso fue capaz de decir qué canción estaba sonando cuando vio el cuerpo. «This is the Day», de un grupo llamado The The.

Giannetto se paró, se quitó los auriculares del iPod y miró hacia el chico desde el sendero de arriba. Desde menos de un metro vio las suelas de sus zapatillas, su cuerpo escorzado. Dijo: «¿Estás bien? ¿Necesitas ayuda?». Al ver que no le contestaba, bajó la pendiente para ver qué le pasaba, de lado y con cuidado, para no resbalar con las hojas. Dijo que ella era madre, y que no podía concebir no comprobar cómo estaba el chico, como daba por sentado que harían los demás por sus hijos. Se le ocurrió que el chico se había desmayado quizás por alguna enfermedad o una alergia, quizás incluso por drogas, por lo que fuera. Así que se arrodilló a su lado y le zarandeó un hombro, luego los dos hombros y después le agarró de ambos y le dio la vuelta.

Fue entonces cuando vio la sangre todavía húmeda y brillante, que manaba de los tres boquetes del pecho y le empapaba el torso y teñía de rojo las hojas que tenía debajo y alrededor. El chico tenía la piel gris pero en la cara tenía unas manchitas rosas, dijo. Recordaba vagamente que al tocarle le notó la piel fría, aunque no tenía el recuerdo de haberle tocado. Quizás el cuerpo que tenía sujeto se había movido, de forma que le había rozado la piel con una mano. El peso de la cabeza hizo que le cayera hacia atrás, con la boca entreabierta.

Ella tardó un momento en digerir el hecho surrealista de que el chico que tenía en los brazos estaba muerto. Dejó caer el cuerpo, que había estado sujetando por debajo de los hombros. Chilló. Se apartó arrastrándose sobre el trasero, luego se dio la vuelta y se las arregló para subir entre las hojas y a cuatro patas la pendiente, y volver al camino.

Durante un momento, dijo, no pasó nada. Se quedó allí de pie, sola en el bosque, mirando fijamente el cuerpo. Oyó el tenue sonido de la música que salía de sus auriculares. Seguía sonando «This is the Day». Todo aquello debía de haber pasado en menos de los tres minutos que dura una canción pop.

Tardó una cantidad de tiempo absurda en exponer esa simple historia. Después de un interrogatorio tan largo y directo, el contrainterrogatorio de Jonathan fue de una brevedad casi cómica.

—Usted no vio en ningún momento al acusado, Jacob Barber, en el parque aquella mañana, ¿verdad?

—No.

—No hay más preguntas.

Con el siguiente testigo, Logiudice se equivocó. No, más que eso. Pisó mierda. El testigo era el detective de la policía de Newton que había dirigido la investigación del departamento local. Era un tipo de testigo estándar, una formalidad. Logiudice tenía que empezar llamando a una serie de testigos que describirían esencialmente los hechos y los tiempos de aquel primer día, cuando se descubrió el asesinato. Llamar a un policía en la fase inicial de los interrogatorios, para que describa el lugar del crimen y los primeros pasos, cruciales, de la investigación, antes de que la CPAC, unidad estatal de la policía, se incorpore y se haga con el caso, es algo habitual. Así que en realidad Logiudice estaba obligado a llamar a aquel testigo. Seguía el manual, simplemente. Yo habría hecho lo mismo. El problema era que él no conocía al testigo tan bien como yo.

El teniente detective Nils Peterson se incorporó a la policía de Newton pocos años antes de que yo entrara en la oficina del fiscal del distrito, recién salido de la Facultad de Derecho. Lo cual significa que yo conocía a Nils desde 1984, cuando Neal Logiudice estaba en el instituto intentando cuadrar un apretado horario de clases para alumnos avanzados, un grupo de música y una masturbación compulsiva. (Estoy especulando. No puedo asegurar que estuviera en un grupo de música). Nils había sido guapo de joven. Tenía ese tono de pelo rubio que uno se imagina al oír su apellido. Ahora que pasaba de los cincuenta se le había oscurecido, y tenía la espalda un poco encorvada y el estómago más grueso. Sin embargo, en el estrado adoptó una actitud afable, sin un ápice de la chulería petulante que exhiben algunos policías. Los miembros del jurado se derritieron con él.

Logiudice le pidió que expusiera los hechos básicos. Que habían descubierto el cuerpo tumbado de espaldas y con la cara vuelta hacia arriba, porque la mujer que lo descubrió cuando corría le había dado la vuelta. Las tres puñaladas en línea. Sin sospechas ni motivo evidente. Sin signos de pelea, ni heridas que sugirieran que se había defendido de un ataque repentino o por sorpresa. Fotos del cuerpo y del área circundante que se incorporaron como pruebas. En los primeros minutos de la investigación cerraron el parque, que se registró durante horas sin resultado. En la zona cercana al cuerpo se encontraron huellas de pisadas, pero ninguna correspondía a la de ningún sospechoso. En cualquier caso se trataba de un parque público y, si te ponías a buscar huellas de pisadas, podías encontrar miles.

Y entonces esto.

Logiudice:

—¿Asignar inmediatamente un ayudante del fiscal del distrito para que dirija una investigación de un asesinato es el procedimiento habitual?

—Sí.

—¿Qué ayudante del fiscal asignaron al caso aquel día?

—¡Protesto!

Juez French:

—Hablaré con los letrados en privado.

Logiudice y Jonathan se acercaron al extremo de la tribuna del juez y hablaron en voz muy baja. El juez French se incorporó para hablar con ellos, como tenía por costumbre. La mayoría de los jueces iban rodando con la silla hasta la barandilla o se inclinaban para acercarse y cuchichear mejor con los abogados. El juez French no.

La conversación privada tuvo lugar fuera del alcance de los oídos del jurado y de los míos. Los párrafos siguientes los he cortado y pegado de la transcripción del juicio.

El juez:

—¿Adónde quiere ir a parar con esto?

Logiudice:

—Señoría, el jurado tiene derecho a saber que el propio padre del acusado estuvo a cargo de las primeras fases de la investigación, sobre todo si la defensa va a sugerir que se hizo algo mal, como sospecho que hará.

—¿Abogado?

Jonathan:

—Bien, el motivo de nuestra protesta es doble. Primero, es irrelevante. Es culpabilidad por asociación. Aun en el caso de que el padre del acusado no hubiera debido haberse hecho cargo del caso, y aunque hubiera cometido algún error (no estoy sugiriendo que nada de eso sea verdad), todo esto sigue sin tener nada que ver con el acusado en sí. A menos que la intención del señor Logiudice sea insinuar que padre e hijo estaban implicados en una especie de conspiración para ocultar pruebas del crimen, no hay forma de probar nada que incrimine al padre como si tuviera algo que ver con la inocencia o culpabilidad del hijo. Si el señor Logiudice quiere acusar al padre de obstrucción a la justicia o algo parecido, debería hacerlo, y entonces volveremos todos aquí otro día y celebraremos un juicio por eso. Pero ese no es el caso que estamos tratando aquí hoy.

»La segunda objeción es por prejuicio impropio. Culpabilidad por insinuación. Logiudice intenta influir en el jurado insinuando que el padre debería haber sabido que su hijo estaba implicado y por tanto habría hecho algo impropio. Pero tampoco hay pruebas de que el padre sospechara de su hijo, cosa que ciertamente no era así, ni de que hiciera nada impropio cuando estaba dirigiendo la investigación. Seamos sinceros: el fiscal quiere tirar una bomba fétida en este tribunal para distraer al jurado del hecho de que casi no hay pruebas que señalen directamente al acusado. Es...

—Vale, vale, lo he entendido.

Logiudice:

—Señoría, si eso es o no importante debe decidirlo el jurado. Pero tienen derecho a saberlo. El acusado no puede argumentar en dos sentidos: no puede aducir que los policías metieron la pata y después omitir el hecho de que el policía al mando era el propio padre del acusado.

El juez:

—Voy a permitirlo. Pero señor Logiudice, se lo advierto, si este juicio deriva en un debate sobre si el padre metió la pata, intencionadamente o no, lo suspenderé. La defensa tiene parte de razón: este no es el caso que estamos juzgando. Si quiere acusar al padre, hágalo.

La transcripción no recoge la reacción de Logiudice, pero yo la recuerdo bien. Se volvió a la sala y me miró directamente a mí.

Volvió al pequeño atril que había junto a la tribuna del jurado, miró a Nils Peterson y reemprendió el interrogatorio.

—Detective, repetiré la pregunta. ¿Quién era el ayudante del fiscal del distrito aquel día?

—Andrew Barber.

—¿Ve usted a Andrew Barber aquí en la sala, hoy?

—Sí, está aquí mismo, al lado del acusado.

—¿Y conocía usted al señor Barber cuando era ayudante del fiscal del distrito? ¿Trabajaron alguna vez los dos juntos?

—Claro que le conocía. Trabajamos juntos muchas veces.

—¿Se llevaba usted bien con el señor Barber?

—Sí, yo diría que sí.

—¿Pensó usted en aquel momento que era raro que el señor Barber estuviera llevando un caso sobre un compañero de clase de su propio hijo, un chico del que incluso podía tener cierta información?

—No, la verdad es que no.

—Bien. ¿Le pareció extraño que el hijo del señor Barber pudiera fácilmente convertirse en testigo del caso?

—No, no lo pensé.

—¿Pero insistió el padre del acusado, cuando estaba llevando el caso, en un sospechoso que resultó que no estaba implicado, un hombre que vivía cerca del parque y que tenía antecedentes por acoso sexual?

—Sí. Se llamaba Leonard Patz. Tenía antecedentes por atacar sexualmente a niños y cosas así.

—Y el señor Barber —Andrew Barber, el padre— quería investigar a ese hombre como sospechoso, ¿verdad?

—Protesto. No es relevante.

—Se acepta.

Logiudice:

—Detective, mientras el padre del acusado estaba dirigiendo la investigación, ¿consideró usted como sospechoso a Leonard?

—Sí.

—Y posteriormente, cuando acusaron al propio hijo del señor Barber, ¿Patz fue desestimado?

—Protesto.

—Denegada.

Ahí Peterson vio la trampa y dudó. Era indudable que si iba demasiado lejos para ayudar a su amigo, ayudaba a la defensa. Intentó encontrar el camino intermedio.

—A Patz no le acusaron.

—Y cuando acusaron al hijo del señor Barber, ¿le sorprendió en aquel momento la implicación inicial del señor Barber en el caso?

—Protesto.

—Denegada.

—Pensé que era sorprendente, sí, en el sentido...

—¿Ha oído hablar alguna vez de un fiscal o un policía que acabara implicado en una investigación a su propio hijo?

Acorralado, Peterson suspiró profundamente.

—No.

—Eso sería conflicto de intereses, ¿verdad?

—Protesto.

—Se acepta. Siga, señor Logiudice.

Logiudice hizo un par de preguntas metódicas más, sin ganas, disfrutando de los laureles de la victoria. Cuando se sentó, tenía la expresión acalorada y grogui de un hombre que acaba de echar un polvo, y mantuvo la cabeza baja hasta que consiguió borrarla.

En el contrainterrogatorio, Jonathan tampoco se molestó en combatir casi nada de lo que Peterson había dicho sobre el lugar del crimen, porque tampoco hubo casi nada en su exposición que incriminara a Jacob. De hecho, hubo muy pocas muestras de antagonismo entre aquellos dos hombres afables, y las preguntas fueron tan intrascendentes que parecía que Jonathan estaba interrogando a un testigo de la defensa.

—¿El cuerpo estaba tumbado y retorcido cuando llegó usted allí, detective?

—Sí.

—De manera que, dado que habían movido el cuerpo, podía haber desaparecido alguna prueba incluso antes de que usted llegara. Por ejemplo, a menudo la posición del cuerpo ayuda a reconstruir el ataque, ¿es así?

—Sí, así es.

—Y cuando se le da la vuelta al cuerpo, la lividez, el efecto de la gravedad en la sangre, también se invierte. Es como darle la vuelta a un reloj de arena: la sangre empieza a fluir en el sentido contrario, y las deducciones que normalmente se extraen de la lividez se pierden, ¿no es así?

—Sí. Yo no soy un experto forense, pero sí.

—Comprendido, pero usted *es* un detective de homicidios.

—Sí.

—Y es justo decir, como norma general, que, cuando el cadáver se modifica o se mueve del lugar del crimen, a menudo se pierden pruebas.

—Generalmente es cierto, sí. En este caso no hay forma de saber si efectivamente se perdió algo.

—¿Encontraron el arma del crimen?

—No, aquel día no.

—¿Se encontró en algún momento?

—No.

—Y aparte de una sola huella dactilar en la sudadera de la víctima, ¿no había nada en absoluto que señalara a algún acusado en particular?

—Correcto.

—Y naturalmente la huella dactilar no se identificó hasta mucho más tarde, ¿verdad?

—Sí.

—¿Así que el propio lugar del crimen, aquel primer día, no presentaba ninguna evidencia que señalara a un acusado en particular?

—No. Solo la huella dactilar no identificada.

—¿Así que es justo decir que cuando usted inició la investigación no tenía ningún sospechoso evidente?

—Sí.

—Y dada esa situación, ¿como investigador no habría querido saberlo?, ¿no habría sido un dato relevante que un pedófilo conocido y convicto vivía al lado del parque? ¿Un hombre con antecedentes de ataques sexuales a chicos jóvenes, más o menos de la misma edad que la víctima?

—Lo habría sido, sí.

Yo noté que los miembros del jurado me miraban fijamente, cuando por lo visto entendieron por fin adónde iba Jonathan, que no se conformaba con ganar unos pocos tantos.

—¿Así que no le pareció impropio, ni inusual, ni siquiera un poco extraño, cuando Andy Barber, el padre del acusado, se centró en ese hombre, en Leonard Patz?

—No, no me lo pareció.

—De hecho, según lo que usted sabía en aquel momento, no habría cumplido con su deber si no *hubiera* investigado a aquel hombre, ¿o sí?

—No, no creo.

—De hecho, usted averiguó en su investigación subsiguiente que efectivamente era sabido que Patz paseaba por ese parque por las mañanas, ¿es así?

—Sí.

—Protesto. —La voz de Logiudice no sonó demasiado convencida.

—Denegada. —Enorme convicción en la voz del juez—. Usted abrió esa vía, abogado.

Nunca me había gustado la tendencia del juez French a expresar sus simpatías. Era histriónico y normalmente dicha emotividad favorecía a la defensa. Siempre que él estaba en el tribunal parecía que el acusado jugaba en casa. Por supuesto, ahora que yo estaba en el bando del acusado, me encantó ver que el juez nos apoyaba tan abiertamente. En cualquier caso, la decisión era fácil. Logiudice había sacado aquel tema. No podía impedir que la defensa lo explorara.

Le hice una seña a Jonathan, que se acercó y aceptó el trozo de papel que le di. Cuando lo leyó arqueó las cejas. Yo había escrito tres preguntas en ese papel. Él lo dobló con cuidado y se acercó a la tribuna del testigo.

—Detective, ¿estuvo usted alguna vez en desacuerdo con las decisiones de Andy Barber cuando él dirigía la investigación?

—No.

—¿Y no es verdad que de hecho, al principio de la investigación, usted también quería seguir vigilando a ese hombre, a Patz?

—Sí.

Un miembro del jurado —el Tío Gordo de Somerville, en el asiento número siete— resopló y meneó la cabeza.

Jonathan oyó a sus espaldas aquel graznido procedente de la tribuna del jurado, y pareció que iba a sentarse.

Yo le lancé una mirada que decía: *continúa.*

Frunció el cejo. Excepto en las series televisivas, nadie entra a matar en el contrainterrogatorio. Lanzas un par de disparos y luego asientas el trasero. Hay que recordar que es el testigo y no uno quien tiene todo el poder. Por otro lado, la tercera frase de aquella notita era la arquetípica Pregunta que Nunca se Pregunta en un Contrainterrogatorio: subjetiva, abierta; el tipo de pregunta que invita a una respuesta larga e impredecible. Un abogado veterano experimenta una sensación parecida a ese momento de las películas de miedo en que la canguro oye un ruido en el sótano y abre una puerta chirriante para bajar a investigar. ¡No lo hagas!, dice el público.

Hazlo, insistía mi expresión.

—Detective —empezó Jonathan—, sé que esto es incómodo para usted. No le estoy pidiendo que exprese ninguna opinión sobre el acusado en sí. Entiendo que ya le cuesta bastante trabajo. Pero si hablamos exclusivamente del padre del acusado, Andy Barber, cuyo criterio e integridad se han puesto en cuestión aquí...

—Protesto.

—Denegada.

—¿Cuánto hace que conoce usted al señor Barber?

—Mucho tiempo.

—¿Cuánto?

—Veinte años. Seguramente, más.

—Y conociéndole desde hace más de veinte años, ¿qué opinión le merece como fiscal en cuanto a su capacidad, integridad y criterio?

—¿No estamos hablando del hijo? ¿Solo del padre?

—Eso es.

Peterson me miró directamente a mí.

—Es el mejor que tienen. El mejor que tenían, vaya.

—No haré más preguntas.

No haré más preguntas significaba *jódete.* Logiudice nunca volvió a centrarse de forma tan explícita en mi papel en la investigación, aunque tocó esa tecla algunas veces a lo largo del juicio. Aquel primer día, sin duda, consiguió plantar esa idea en la mente de los miembros del jurado. Quizás en aquel momento eso era lo único que necesitábamos todos.

Aun así, aquella tarde nosotros abandonamos el tribunal con sensación de victoria.

No duró mucho.

28

Un veredicto

La doctora Vogel nos comunicó, taciturna:

—Me temo que tengo cosas difíciles que decir.

Todos nos sentíamos exhaustos. El estrés de un día entero en el tribunal te provoca cansancio en los huesos y dolor en los músculos. Pero la reserva de la doctora nos puso en guardia. Laurie la miró fijamente con total atención, Jonathan con su habitual curiosidad distraída.

Yo:

—Le aseguro que ya estamos acostumbrados a las malas noticias. A estas alturas estamos inmunizados.

La doctora Vogel evitó mi mirada.

Ahora me doy cuenta de lo ridículo que debí de parecerle. Cuando se trata de nuestros hijos, nosotros, los padres, solemos actuar con una chulería ridícula. Juramos que somos capaces de encarar cualquier conflicto, de vencer cualquier desafío. Ninguna situación es demasiado difícil. Por nuestros hijos, lo que sea. Pero nadie es inmune y los padres menos que nadie. Nuestros hijos nos hacen vulnerables.

También me doy cuenta ahora de que aquella reunión llegó en el momento preciso para destruirnos. Solo había pasado una hora desde la decisión de aplazar el juicio hasta el día siguiente, y a medida que la adrenalina, unida a nuestra sensación de triunfo, fue descendiendo, nos fuimos quedando aturdidos, como drogados. No estábamos en forma para recibir malas noticias.

El escenario era el despacho de Jonathan, cerca de Harvard Square. Estábamos sentados alrededor de la mesa de roble de la biblioteca forrada de libros, solo nosotros cuatro: Laurie y yo, Jonathan y la doctora Vogel. Jacob estaba fuera, en la salita de espera, con Ellen, la joven socia de Jonathan.

Cuando la doctora Vogel apartó la vista, cuando no fue capaz de mirarme a los ojos, debía de haber estado pensando: ¿usted se cree inmune? Pues espere.

—¿Y usted, Laurie? —dijo la loquera con su voz solícita y terapéutica—. ¿Se siente capaz de soportar esta información ahora mismo?

—Absolutamente.

La doctora Vogel miró a Laurie de arriba abajo: tenía el pelo rizado en forma de muelle, y la tez mortecina con bolsas pronunciadas bajo los ojos. Había perdido tanto peso que le colgaban bolsas de piel en la cara y la ropa le caía sobre los hombros huesudos. Yo pensé: ¿cuándo ha sufrido todo este deterioro? ¿Fue algo repentino debido a la tensión del caso? ¿O fue algo gradual, por el paso del tiempo, sin que yo me diera cuenta? Aquella ya no era mi Laurie, la chica valiente que me inventó y a quien, por lo visto, yo mismo me había inventado ahora. Parecía tan destrozada que, de hecho, pensé que se estaba muriendo ante nuestros ojos. El caso la estaba consumiendo. Ella nunca estuvo preparada para este tipo de lucha. Nunca había sido dura. Nunca lo había necesitado. La vida nunca la había endurecido. No era culpa suya, naturalmente, pero para mí —que me sentía indestructible incluso a esas alturas de los acontecimientos— la fragilidad de Laurie era de un patetismo insoportable. Yo estaba dispuesto a ser duro por los dos, por los tres, pero no podía hacer nada para proteger a Laurie del estrés. Ya ven, no podía dejar de quererla, y sigo sin poder. Porque es fácil ser duro cuando eres frío por naturaleza. Pero imagino cuánto le costó a Laurie aquel día, sentada allí tan tiesa en la punta de la silla, atender valientemente a la doctora, dispuesta para un nuevo mazazo. Ella nunca dejó de defender a Jacob, nunca dejó de analizar el tablero, de calcular cada movimiento y contramaniobra. Nunca dejó de protegerle, ni siquiera al final.

La doctora Vogel dijo:

—¿Qué les parece si me limito a exponer brevemente mis conclusiones, y después contesto a sus preguntas si tienen alguna? ¿De acuerdo? Ya sé que es duro, muy duro, oír malas noticias en relación con Jacob, pero conténganse unos minutos, ¿de acuerdo? Ahora escuchen y después ya podremos hablar...

Asentimos.

Jonathan dijo:

—Solo para que conste: el fiscal no sabrá nada de todo esto. No tienen de qué preocuparse. Todo lo que hablemos aquí y todo lo que les diga la doctora Vogel es confidencial. Esta conversación es absolutamente confidencial. De manera que pueden hablar con franqueza, como dice la doctora, ¿de acuerdo?

Más asentimientos.

—No entiendo por qué hemos de hacer esto —dije yo—. Jonathan, ¿por qué necesitamos pasar por esto, si nuestra defensa se reduce a que Jacob no tuvo nada que ver?

Jonathan se acarició la perilla canosa con los dedos separados.

—Espero que tengas razón. Espero que el caso vaya bien y que nunca tengamos que sacar este tema.

—Entonces, ¿por qué lo hacemos?

Jonathan prescindió de mí y se dio la vuelta, un poco.

—¿Por qué lo hacemos, Jonathan?

—Porque Jacob parece culpable.

Laurie jadeó.

—No quiero decir que *sea* culpable, solo que hay muchas pruebas contra él. El fiscal todavía no ha recurrido a sus testigos más potentes. Esto se va a poner cada vez más difícil para nosotros. Mucho más difícil. Y cuando eso pase, quiero estar preparado. Tú deberías entenderlo mejor que nadie, Andy.

—Muy bien —intervino la doctora—. Acabo de entregarle mi informe a Jonathan. En realidad es una carta con mi opinión, un resumen de mis conclusiones, lo que diría si alguna vez me llamaran a declarar y lo que creo que deben esperar si este asunto se aborda en el juicio. Ahora, primero, quiero hablar con ustedes dos solos, sin Jacob. No he compartido mis conclusiones con Jacob. Cuando este lío termine, y dependiendo de cómo vaya, podemos tener una conversación más encaminada a cómo tratar estos asuntos en un contexto clínico. Pero por ahora nuestra preocupación no es la terapia sino el juicio. A mí se me contrató con un objetivo específico, como experta de la defensa. Por eso Jacob no está en esta habitación ahora. Tendrá mucho trabajo que hacer cuando haya terminado el juicio. Pero por ahora hemos de hablar llanamente de él, algo que quizás sea más fácil si no está presente.

»Hay dos trastornos que Jacob presenta con bastante claridad: trastorno de personalidad narcisista y trastorno de vinculación reactiva. Hay ciertos indicios también de personalidad antisocial, una patología que no es infrecuente que vaya asociada, pero como no estoy tan segura de ese diagnóstico no lo he incluido en mi informe.

»Es importante ser conscientes de que no todos los comportamientos que voy a describir son necesariamente patológicos, ni siquiera combinados. Hasta cierto punto todos los adolescentes son narcisistas, todos los adolescentes tienen problemas de vinculación. Es un problema de grado. No estamos hablando de un monstruo. Estamos hablando de un chico normal, ni más ni menos. Así que no quiero que consideren esto como una condena. Quiero que *utilicen* las cosas que les digo, no que se sientan superados por ellas. Quiero darles los instrumentos, el vocabulario, para ayudar a su hijo. La cuestión es entender mejor a Jacob, ¿de acuerdo?

Asentimos con fingida obediencia.

—De acuerdo. Bien, trastorno de personalidad narcisista. Es algo de lo que seguramente habrán oído hablar. Sus características principales son la afectación y la falta de empatía. En el caso de Jacob, la afectación no se presenta en forma de teatralidad, arrogancia, fanfarronería o altivez, que es con lo que normalmente lo asocia la gente. La afectación de Jacob es más silenciosa. Aparece en forma de engreimiento exagerado, una convicción de que él es especial, excepcional. Las normas que quizás valgan para los demás no valen para él. Siente que sus iguales no le comprenden, sobre todo los demás chicos de la escuela, con unas pocas y selectas excepciones que Jacob identifica como especiales igual que él, normalmente en base a su inteligencia.

»Otro aspecto clave del trastorno de personalidad narcisista, especialmente en el contexto de un caso criminal, es la falta de empatía. Jacob muestra una frialdad inusual hacia los demás, incluso, y eso me sorprendió, dadas las circunstancias, por Ben Rifkin y su familia. Cuando le pregunté a Jacob sobre ellos en una de nuestras sesiones, su respuesta fue que cada día mueren millones de personas; que los accidentes de coche son estadísticamente más graves que los asesinatos; que los soldados matan a miles de personas más y reciben medallas por ello; así que ¿por qué preocuparse por un chico asesinado? Incluso cuando intenté llevarle de nuevo al tema de los Rifkin y pincharle para que expresara algún sentimiento por ellos o por Ben, no pudo o no quiso. Todo lo cual corresponde con ese tipo de incidentes que ustedes han descrito durante la infancia de Jacob, cuando los niños que estaban con él acababan haciéndose daño, o salían volando de los toboganes o se caían de las bicicletas y esas cosas.

»Parece que considera a las demás personas no solo menos importantes que él, sino menos humanas. No es capaz de verse reflejado en los demás en ningún sentido. Parece que ni se le ocurre que los demás experimentan los mismos sentimientos universales que él, dolor, tristeza, soledad, un tipo de sensibilidad que los adolescentes de su edad comprenden sin problemas. No insistiré en el tema. La relevancia de estos sentimientos en un contexto legal es obvia. Sin empatía, todo está permitido. La moral se convierte en algo muy subjetivo y flexible.

»El aspecto positivo es que la personalidad narcisista no es un desequilibrio químico. Y no es genética. Es una alteración del comportamiento, un hábito profundamente arraigado. Lo cual significa que puede corregirse con el tiempo.

La doctora siguió sin detenerse apenas.

—De hecho, el otro trastorno es el más preocupante. La vinculación reactiva se diagnostica desde hace relativamente poco. Y como es nueva, no sabemos mucho sobre ella. Hay pocos estudios. Es poco común, es difícil de diagnosticar y difícil de tratar.

»El aspecto fundamental del trastorno de vinculación reactiva es que proviene de una alteración de los vínculos emocionales habituales en la infancia. La teoría dice que los niños normalmente se sienten vinculados a una sola persona responsable que se ocupa de ellos, y exploran el mundo a partir de esa base segura. Saben que otra persona se ocupará de sus necesidades emocionales y físicas. Si ese cuidador responsable no está presente o dicho cuidador cambia con demasiada frecuencia, puede que los niños se relacionen con los demás de forma inapropiada, a veces de forma extremadamente inapropiada: con agresividad, rabia, mentiras, rebeldía, falta de remordimientos, crueldad; o con una familiaridad excesiva, hiperactividad, imprudencia temeraria.

»Para que aparezca este trastorno es necesario algún tipo de alteración en los primeros cuidados, «cuidados patógenos»: normalmente malos tratos o abandono por parte de los padres o del cuidador. Pero hay cierta controversia sobre lo que significa eso exactamente. No estoy sugiriendo que ninguno de los dos fuera deficiente en ningún sentido. No hablo de cuidados paternos, hay investigaciones recientes que indican que el trastorno puede aparecer incluso sin cuidados deficientes. Parece que algunos niños simplemente son propensos a tener problemas de relación, de manera que incluso alteraciones menores, la guardería, por ejemplo, o pasar de un cuidador a otro con excesiva frecuencia, bastan para provocar un trastorno de relación.

—¿La guardería? —dijo Laurie.

—Solo en casos excepcionales.

—Jacob fue a la guardería cuando tenía tres meses. Trabajábamos los dos. Yo dejé de dar clases cuando él tenía cuatro años.

—Laurie, no sabemos bastante para hablar de causa y efecto. Tiene que evitar esa tendencia de culparse a sí misma. No hay razón para pensar que el abandono sea el motivo en este caso. Puede que Jacob haya sido uno de esos niños propensos, hipersensibles. Estamos hablando de un campo muy nuevo, y a los propios investigadores nos cuesta entenderlo.

La doctora Vogel quiso tranquilizar a Laurie con la mirada, pero la energía de su razonamiento tenía un matiz excesivo y me di cuenta de que no la había aplacado.

La doctora Vogel, incapaz de ayudar, se limitó a seguir. Por lo visto, pensaba que la mejor manera de soportar toda esa devastadora información era terminar rápidamente con aquello.

—En este caso, fuera cual fuera el detonante, Jacob presenta síntomas de vinculación atípica cuando era niño. Ustedes han comentado que de pequeño a veces se mostraba cauto y excesivamente alerta, y otras era imprevisible y tenía tendencia a tener ataques de rabia y a perder el control.

Yo:

—Pero *todos* los niños son imprevisibles y «tienen tendencia a tener ataques de rabia». Muchos niños van a la guardería y no...

—Es muy inusual detectar un caso de TVR (trastorno de vinculación reactiva) —lo dijo como si fuera una palabrota— sin que haya habido algún tipo de abandono, pero la verdad es que no lo sabemos.

—¡Basta! —Laurie levantó las dos manos para indicarle que parara—. ¡Pare! —Se puso de pie y le dio un empujón a la silla, que fue a parar al otro extremo de la sala—. Usted cree que fue él.

—Yo no he dicho eso —objetó la doctora Vogel.

—No hacía falta que lo dijera.

—No, Laurie, sinceramente no tengo forma de saber si fue él. Ese no es mi trabajo. Eso no es lo que me pidieron que determinara.

Yo:

—Todo esto es jerga psicológica, Laurie. Ella misma lo ha dicho, se podría decir lo mismo de cualquier crío: narcisista, egocéntrico. Preséntame a un adolescente que *no* sea así. Esto es una porquería. Yo no me creo ni una palabra.

—¡Claro que no! Tú esas cosas nunca las ves. Tú estás tan decidido a ser normal y a que *todos nosotros* seamos normales, que sencillamente cierras los ojos e ignoras todo lo que no cuadra.

—Nosotros *somos* normales.

—Oh, por Dios. ¿Tú crees que esto es normal, Andy?

—¿Esta situación? No. Pero ¿si creo que Jacob es normal? ¡Sí! ¿Te parece una locura?

—Andy, tú no te das cuenta de las cosas. Tengo la sensación de que yo tengo que pensar por los dos, porque tú no eres capaz de verlo.

Me acerqué a ella con ánimo de consolarla y apoyé la mano en sus brazos cruzados.

—Laurie, es nuestro hijo.

Ella movió las manos y apartó la mía.

—Basta, Andy. Nosotros no somos normales.

—Claro que lo somos. ¿De qué hablas?

—Tú llevas años fingiendo. Años. Has estado fingiendo durante todo este tiempo.

—No. Sobre las cosas importantes, no.

—¡Las cosas importantes! Andy, no me dijiste la verdad. Durante todo este tiempo no me dijiste la verdad.

—Nunca mentí.

—Todos esos días en que no lo dijiste, estuviste mintiendo. Todos los días. Todos los días.

Me apartó y se encaró otra vez con la doctora Vogel.

—Usted cree que fue Jacob.

—Laurie, siéntese, por favor. Está alterada.

—Dígalo y ya está. No se siente ahí a leerme su informe y a recitarme el Manual Diagnóstico de Trastornos Mentales. Eso ya puedo leerlo yo. Solo diga lo que piensa: fue él.

—Yo no puedo decir si fue él o no. Simplemente no lo sé.

—Así que está diciendo que *pudo* haber sido él. Cree que de hecho es posible.

—Laurie, por favor, siéntese.

—¡No quiero sentarme! ¡Contésteme!

—Veo ciertos rasgos y conductas en Jacob que me preocupan, sí, pero eso es una cosa muy distinta...

—¿Y eso es culpa nuestra? Perdone: *podría* ser culpa nuestra, es *posible* que *quizás pudiera ser* culpa nuestra, porque fuimos muy malos padres, porque tuvimos el valor, la... la crueldad de llevarle a la guardería como todos los demás niños de esta ciudad. ¡Todos los demás!

—No. Yo no diría eso, Laurie. Está claro que *no* es culpa suya en ningún sentido. Quíteselo de la cabeza.

—Y el gen, esa mutación que comprobó. ¿Cómo la llama? Mutación no sé qué.

—Mutación MAOA.

—¿Jacob la tiene?

—El gen no es lo que usted está insinuando. Ya he explicado que, como máximo, crea una predisposición...

—Doctora: ¿Jacob la tiene?

—Sí.

—¿Y mi marido?

—Sí.

—Y mi..., no sé ni cómo llamarle..., ¿mi suegro?

—Sí.

—Bien, ya lo ve. Claro que lo tiene. ¿Y eso que dijo el otro día sobre que Jacob tenía el corazón dos tallas más pequeño, como el Grinch?

—No debería haberlo expresado así. Fue una tontería decirlo. Perdone.

—No importa cómo lo expresó. ¿Sigue creyéndolo? ¿El corazón de mi hijo es dos tallas más pequeño?

—Hemos de esforzarnos en crear un vocabulario emocional para Jacob. No se trata del tamaño de su corazón. Su madurez emocional no está al mismo nivel que la de sus coetáneos.

—¿A qué nivel está su madurez emocional?

Suspiro profundo.

—Jacob presenta ciertas características de un niño que tendría la mitad de su edad.

—¡Siete años! ¡Mi hijo tiene la madurez emocional de un niño de siete años! ¡Esto es lo que está usted diciendo!

—Yo no lo expresaría así.

—¿Y yo qué hago? ¿Qué hago yo?

Sin respuesta.

—¿Qué se espera que haga?

—Shh —dije yo—, Jacob te va a oír.

29

El monje abrasado

Tercer día del juicio.

Sentado a mi lado en la mesa de la defensa, Jacob se rascaba un trocito de piel seca del pulgar derecho, junto a la uña. Llevaba un rato hurgando esa zona del dedo, nervioso, ausente, y se había hecho una llaguita de unos seis milímetros, desde la cutícula hacia el nudillo. Él no se mordía la cutícula, como suelen hacer los niños. Su método consistía en rascarse la piel con la uña, levantando pielecitas y trocitos hasta que conseguía levantar una capa, que presionaba hacia abajo, y empezaba a retirar ese bultito fibroso moviéndolo, estirando y, cuando todo lo demás fallaba, cortándolo con el extremo romo de la uña. Esa zona donde se hurgaba nunca se curaba del todo. Si se hacía un corte especialmente agresivo le salía sangre de la herida, y tenía que frotarse el pulgar con un Kleenex, si lo tenía, o meterse el dedo en la boca y limpiárselo chupando. Por lo visto y en contra de toda lógica, Jacob pensaba que aquel nauseabundo espectáculo no molestaba a nadie.

Yo cogí la mano que Jacob se estaba castigando y se la puse en el regazo, lejos de la mirada del jurado, y después apoyé el brazo en el respaldo de su silla con gesto protector.

Una mujer declaraba en el estrado. Ruthann Algo, o no sé qué. Cincuenta años más o menos. Cara agradable. Pelo corto, sencillo. Más gris que oscuro, cosa que ella no se molestaba en disimular. No llevaba joyas, solo un reloj y un anillo de casada. Zuecos negros. Era una de las vecinas que paseaban los perros por los caminos de Cold Spring Park cada mañana. Logiudice la había llamado para que declarara que aquella mañana se había cruzado, cerca del lugar del crimen, con un chico que, por así decirlo, se parecía a Jacob. Habría sido una prueba importante si aquella mujer hubiera sido capaz de exponerla en el estrado, pero era evidente que estaba sufriendo. Se frotaba las manos en la falda una y otra vez. Sopesaba cada pregunta antes de contestar. De hecho su ansiedad acabó siendo más patente que su declaración, que no fue gran cosa.

Logiudice:

—¿Puede describirnos a ese chico?

—Estatura media: metro setenta y cinco, metro ochenta. Delgado. Llevaba vaqueros y zapatillas de deporte. Pelo oscuro.

Lo que estaba describiendo no era un chico, era un prototipo. La mitad de los chavales de Newton correspondían a esa descripción. Pero no había terminado todavía. Dio un rodeo y luego otro, hasta que a Logiudice no le quedó otro remedio que provocar a su propio testigo colando en sus preguntas pequeños recordatorios —como si le diera la entrada— de lo que ella había contado inicialmente a la policía el día del asesinato. Esa constante provocación del fiscal hizo que Jonathan se levantara para protestar una y otra vez, y todo aquello se convirtió en un espectáculo cada vez más ridículo, con la testigo a punto de retractarse de la identificación, y Logiudice demasiado espeso para echarla del estrado antes de que ella lo declarara oficialmente, y Jonathan saltando arriba y abajo para protestar por la relevancia...

Y por algún motivo, todo aquello se desdibujó ante mí y pasó a un segundo plano. No conseguía concentrarme en aquello, y menos aún interesarme. Tenía la descorazonadora sensación de que aquel juicio no importaba. Ya era demasiado tarde. El veredicto de la doctora Vogel era como mínimo tan importante como el que saldría de allí.

A mi lado estaba Jacob, ese enigma que Laurie y yo habíamos creado. Su estatura, su parecido conmigo, la probabilidad de que engordara y se me pareciera aún más..., todo eso me destrozaba. Todo padre ha experimentado ese momento desconcertante en el que ve a su hijo como un doble raro y distorsionado de sí mismo. Es como si por un momento ambas identidades se superpusieran. Ves una idea, una concepción de tu propio yo rejuvenecido, delante de ti, de carne y hueso, real. Eres tú y no eres tú, familiar y extraño a la vez. Él eres tú rebobinado, otra vez en marcha, y al mismo tiempo es alguien tan desconocido e indescifrable como cualquier otra persona. Sumido en esa confusa acción/reacción, le toqué el hombro con el brazo que tenía apoyado en el respaldo de su silla.

Jacob, que había vuelto a rascarse la piel del pulgar derecho y había conseguido arrancarse otro trocito, se sintió culpable y puso las manos planas sobre los muslos.

Justo detrás de mí, estaba Laurie sentada sola en el primer banco. Se sentó sola todos los días del juicio. Ya no teníamos amigos en Newton, naturalmente. Yo quise convencer a los padres de Laurie para que se sentaran con ella en el tribunal. Estoy seguro de que lo habrían hecho. Pero Laurie no lo permitió. Se comportó un poco como una mártir ante todo aquello. Ella había traído la catástrofe a su propia familia al unirse a la mía por vía matrimonial; y ahora estaba decidida a pagar por ello sola. La gente que acudía a la sala del tribunal solía dejar medio metro de distancia más o menos a ambos lados de Laurie. Cada vez que me daba la vuelta, la veía sola en esa zona del banco, abstraída, con los brazos medio cruzados y la barbilla apoyada en una mano, escuchando, con la vista puesta en el suelo más que en los testigos. La noche anterior, Laurie se había quedado tan destrozada por el diagnóstico de la doctora Vogel que me pidió uno de mis somníferos y aun así no pudo dormir. Tumbada en la cama en la oscuridad, me dijo: «Si *es* culpable, Andy, ¿qué hacemos?». Yo le contesté que de momento no podíamos hacer nada más que esperar a que el jurado decidiera si era culpable o no. Intenté arrimarme a ella para consolarla, como creía que debía hacer un marido, pero mis caricias la enervaron todavía más y me apartó de su lado de la cama, donde se quedó tan quieta como pudo, pero evidentemente despierta, a juzgar por sus gimoteos y pequeños movimientos. Antes, cuando daba clases, Laurie tenía una capacidad para dormir que a mí me parecía milagrosa. Apagaba la luz muy pronto, a las nueve en punto, porque tenía que levantarse muy temprano, y se quedaba dormida en cuanto apoyaba la cabeza en la almohada. Pero esa era otra Laurie.

Entretanto, en la sala del juicio, Logiudice, por lo visto, había decidido aguantar a su testigo hasta el final, aun cuando era evidente que se estaba derrumbando. Es difícil justificar la decisión de Logiudice en términos estratégicos, así que imagino que solo quería impedir que Jonathan se llevara el mérito de conseguir que finalmente se retractara. O quizás seguía confiando, a la desesperada, en que al final recapacitaría. Pero ese tozudo bastardo no pensaba rendirse. De hecho, en cierto sentido fue algo noble, como el capitán que se hunde con su barco o el monje que se rocía con gasolina y se prende fuego. Cuando Logiudice planteó su última pregunta —había escrito todo el interrogatorio en su bloc de notas y se ciñó al guión aun cuando la testigo improvisó libremente—, Jonathan había dejado caer el bolígrafo y le observaba a través de los dedos.

Pregunta:

—¿El chico que vio usted en Cold Spring Park aquella mañana está sentado hoy en la sala?

Respuesta:

—No estoy segura.

—Bien, ¿ve usted a un chico que se corresponde con la descripción que dio del chico del parque?

Respuesta:

—No..., la verdad es que ya no estoy segura. Era un chaval. Eso es lo único que sé seguro. Fue hace mucho tiempo. Cuanto más lo pienso, menos quiero afirmarlo. No quiero enviar a la cárcel de por vida a un chico cualquiera, si existe la posibilidad de que me equivoque. No podría seguir viviendo con eso.

El juez French soltó un suspiro largo, irónico. Arqueó las cejas y se quitó las gafas.

—Señor Klein, deduzco que no hará usted ninguna pregunta.

—No, Señoría.

—Lo imaginaba.

Las cosas no mejoraron mucho para Logiudice durante el resto de aquel día. Había organizado a sus testigos en grupos, lógicamente, y hoy estaba dedicado a los testigos civiles. Eran personas que pasaron por allí. Ninguno había visto nada que perjudicara especialmente a Jacob. Pero la verdad es que la acusación tenía una base débil, y Logiudice tenía razón en tirar todo lo que pudiera al cesto. Así que oímos a dos personas más, un hombre y una mujer, y ambos declararon que vieron a Jacob en el parque, pero no cerca del lugar del crimen. Otro testigo vio una figura que salía corriendo de la zona donde se había cometido el asesinato. No pudo decir nada sobre la edad o identidad de esa persona, pero la ropa correspondía vagamente a lo que Jacob llevaba aquel día, aunque unos vaqueros y una cazadora ligera no eran exactamente un atavío singular, sobre todo en un parque lleno de críos que van al colegio.

La nota final de Logiudice fue terrible. Su último testigo era un hombre llamado Sam Studnitzer que aquella mañana estaba paseando al perro por el parque. Studnitzer llevaba el pelo muy corto, tenía las espaldas estrechas y una actitud afable.

—¿Adónde se dirigía usted? —preguntó Logiudice.

—Hay un terreno donde los perros pueden correr sin correa. Llevo allí a mi perro casi todas las mañanas.

—¿Qué tipo de perro es?

—Un labrador negro. Se llama Bo.

—¿Qué hora era?

—Las ocho y veinte, más o menos. Normalmente voy más pronto.

—¿En qué zona del parque estaban usted y Bo?

—Estábamos en uno de los senderos que atraviesan el bosque. El perro iba delante, husmeando.

—¿Y qué pasó?

Studnitzer vaciló.

Los Rifkin estaban en el primer banco de la sala, detrás de la mesa del fiscal.

—Oí la voz de un niño.

—¿Qué decía ese niño?

—Decía: «Para, me haces daño».

—¿Dijo algo más?

Studnitzer tuvo un bajón, frunció el entrecejo y añadió en voz baja:

—No.

—¿Solo «Para, me haces daño»?

Studnitzer no contestó, se puso las manos en las sienes y se tapó los ojos con los dedos.

Logiudice esperó.

La sala quedó en un silencio tal que se oyó perfectamente la respiración cargada de Studnitzer. Él se apartó la mano de la cara.

—Sí. Yo solo oí eso.

—¿Vio usted a alguien más por allí?

—No. No podía ver mucho más allá. El campo de visión es limitado. Es una zona del parque accidentada y con árboles muy frondosos. Nosotros bajábamos por una pendiente. No vi a nadie.

—¿Pudo averiguar de dónde procedía el grito?

—No.

—¿Miró alrededor, investigó? ¿Intentó ayudar al chico de algún modo?

—No. Yo no lo sabía. Pensé que era cosa de críos. No lo sabía. Hay tantos chicos en ese parque por las mañanas..., ríen, hacen tonterías. Parecía solo... jaleo.

Bajó los ojos.

—¿Cómo sonaba la voz del chico?

—Como si estuviera herido. Como si le doliera.

—¿Hubo otros sonidos después de ese grito? ¿Empujones, ruido de pelea, algo?

—No. Yo no oí nada de eso.

—¿Qué pasó después?

—El perro estaba raro, mucho, alerta. No sabía qué le pasaba. Tiré un poco de él y seguimos cruzando el parque.

—¿Vio a alguien mientras paseaba?

—No.

—¿Vio alguna otra cosa inusual aquella mañana?

—No, hasta después no. Cuando oí las sirenas y la policía empezó a invadir el parque. Entonces supe qué había pasado.

Logiudice se sentó.

En la mente de todos los presentes en la sala seguían sonando aquellas palabras, como en un bucle: *«Para, me haces daño». «Para, me haces daño».* Yo todavía no me las he sacado de la cabeza. Dudo que lo haga nunca. Pero la verdad es que ese detalle tampoco incriminaba a Jacob.

Para subrayar ese hecho, cuando llegó el momento del contrainterrogatorio, Jonathan se puso de pie para hacer una única y somera pegunta:

—Señor Studnitzer, en ningún momento vio usted a este chico, Jacob Barber, en el parque, aquella mañana, ¿verdad?

—No.

Jonathan dedicó un momento a menear la cabeza frente al jurado y decir: «Terrible, terrible», para demostrar que nosotros también éramos de los buenos.

Ahí estaba. A pesar de todo —del espantoso diagnóstico de la doctora Vogel y del trauma de Laurie, y de aquella frase común e inolvidable del chico mientras le apuñalaban—, después de tres días nosotros seguíamos arriba, muy arriba. Si aquello fuera un partido de la liguilla, podríamos estar hablando de *mercy rule.* * Resultó que aquel fue nuestro último día bueno.

Sr. Logiudice: Permita que le interrumpa un momento.
    Entiendo que su esposa estaba alterada.
Testigo: Todos estábamos alterados.

---

* Dar por terminado el partido por victoria aplastante.

Sr. Logiudice: Pero Laurie en particular estaba pasándolo mal.

Testigo: Sí, le estaba costando mucho aguantar la presión.

Sr. Logiudice: Más que eso. Estaba teniendo evidentes dudas sobre la inocencia de Jacob, sobre todo después de que ustedes hablaran con la doctora Vogel y conocieran todo el diagnóstico al detalle. Incluso le preguntó a usted a bocajarro, qué creía que debían hacer si era culpable, ¿verdad?

Testigo: Sí. Eso fue poco después. Pero en aquel momento estaba muy alterada. No tiene usted idea de la presión que supone algo así.

Sr. Logiudice: ¿Y usted? ¿No estaba alterado también?

Testigo: Claro que sí. Estaba aterrado.

Sr. Logiudice: ¿Aterrado porque finalmente empezaba a considerar la posibilidad de que Jacob podía ser culpable?

Testigo: No, aterrado porque el jurado podía condenarle, fuera realmente culpable o no.

Sr. Logiudice: ¿Todavía no se le había pasado por la cabeza siquiera que podía haber sido Jacob?

Testigo: No.

Sr. Logiudice: ¿Ni una vez? ¿Ni por un segundo?

Testigo: Ni una vez.

Sr. Logiudice: «Confirmación sesgada». ¿Es eso, Andy?

Testigo: Jódase, Neal, gilipollas sin entrañas.

Sr. Logiudice: No se enfade.

Testigo: Usted nunca me ha visto enfadado.

Sr. Logiudice: No. Pero me lo imagino.

[El testigo no contestó].

Sr. Logiudice: Muy bien, continuemos.

30

La tercera vía

Cuarto día del juicio.

Paul Duffy en el estrado. Con un blazer azul, una corbata a rayas y unos pantalones de franela gris, es decir, la vestimenta más formal que había llevado en la vida. Como Jonathan, él era uno de esos hombres cuyo aspecto prácticamente te fuerza a ver al chico que llevan dentro. Sus rasgos físicos no tenían nada de particular, pero sí la actitud juvenil de sus maneras. Quizás solo era porque hacía mucho tiempo que éramos amigos. Para mí, Paul siempre tendría veintisiete años, los que tenía cuando le conocí.

Para Logiudice, naturalmente, aquella amistad convertía a Duffy en un testigo poco fiable. Al principio, Logiudice adoptó una actitud indecisa y sus preguntas fueron manifiestamente cautas. Si me hubiera preguntado, yo le habría dicho que Paul Duffy no iba a mentir, ni siquiera por mí. (Y también le habría dicho que dejara su ridículo bloc de notas. Parecía un maldito aficionado).

—¿Podría decir su nombre para que conste, por favor?

—Paul Michael Duffy.

—¿En qué trabaja?

—Soy teniente detective de la policía estatal de Massachusetts.

—¿Cuánto tiempo lleva trabajando en la policía estatal?

—Veintiséis años.

—¿Y cuál es su puesto actualmente?

—Estoy en una unidad de relaciones públicas.

—Piense en el 12 de abril de 2007, ¿cuál era su puesto en esa fecha?

—Estaba a cargo de una unidad especial de detectives adjunta a la oficina del fiscal del distrito de Middlesex. La unidad se llama CPAC, Prevención y Control del Crimen. La componen unos quince o veinte detectives, dependiendo del momento, todos con el entrenamiento especial y la experiencia necesaria para colaborar con el departamento fiscal y los departamentos locales, en la investigación y el enjuiciamiento de casos complejos de varios tipos, especialmente homicidios.

Duffy recitó su pequeño discurso con voz monótona, de memoria.

—¿Y usted había participado en muchas investigaciones de homicidios antes del 12 de abril de 2007?

—Sí.

—¿Cuántas aproximadamente?

—Unas cien, aunque no estuve al mando de todas.

—De acuerdo, ¿el 12 de abril de 2007, recibió una llamada telefónica acerca de un asesinato en Newton?

—Sí. Hacia las nueve y cuarto de la mañana. Recibí una llamada de un tal teniente Foley de Newton, informándome de que se había producido un homicidio con un niño involucrado en Cold Spring Park.

—¿Y qué fue lo primero que hizo usted?

—Llamé a la oficina del fiscal del distrito para informarles.

—¿Ese es el procedimiento habitual?

—Sí. La ley obliga a los departamentos locales a informar a la policía estatal de todos los homicidios o muertes por causas no naturales; después nosotros informamos inmediatamente al fiscal del distrito.

—¿A quién llamó usted concretamente?

—A Andy Barber.

—¿Por qué Andy Barber?

—Era el primer ayudante, lo cual significa que era el inmediato responsable después del propio fiscal del distrito.

—¿Y qué pensó usted que haría el señor Barber con esa información?

—Asignaría a un ayudante del fiscal del distrito para que llevara la investigación en representación de la oficina.

—¿Podía quedarse el caso él mismo?

—Podía. Había llevado muchos homicidios personalmente.

—¿Supuso usted aquella mañana que el señor Barber se encargaría él mismo del caso?

Jonathan levantó el trasero varios centímetros de la silla.

—Protesto.

—Denegada.

—Detective Duffy, en aquel momento ¿qué creyó usted que haría el señor Barber con el caso?

—No lo sabía. Supongo que supuse que se lo quedaría. Desde el principio parecía un caso importante. Él solía quedarse con ese tipo de casos. Pero tampoco me habría sorprendido que se lo asignara a otro. Había mucha gente preparada aparte del señor Barber. Para ser sincero, la verdad es que no lo pensé mucho. Tenía que ocuparme de mi propio trabajo, y dejé que él se preocupara de la oficina del fiscal del distrito. Mi trabajo era llevar la CPAC.

—¿Sabe usted si la fiscal del distrito, Lynn Canavan, fue informada inmediatamente?

—No lo sé. Supongo.

—Muy bien, después de telefonear al señor Barber, ¿qué hizo usted?

—Fui al lugar del crimen.

—¿A qué hora llegó allí?

—A las nueve treinta y cinco de la mañana.

—Describa lo que vio al llegar.

—La entrada a Cold Spring Park está en Beacon Street. Hay un aparcamiento delante del parque. Detrás están las pistas de tenis y los campos de juego. Detrás de los campos es todo bosque y hay caminos que conducen allí. Había muchos coches de policía en el aparcamiento y en la calle de enfrente. Mucha policía alrededor.

—¿Qué hizo usted?

—Aparqué en Beacon Street y me acerqué allí a pie. Me encontré con el detective Peterson de la policía de Newton y con el señor Barber.

—Repito, ¿había algo inusual en la presencia del señor Barber en el lugar del crimen?

—No. Él vivía bastante cerca y normalmente visitaba el lugar donde se había cometido un homicidio, aunque no tuviera intención de quedarse con el caso.

—¿Cómo supo usted que el señor Barber vivía cerca de Cold Spring Park?

—Porque le conozco desde hace años.

—De hecho, son ustedes amigos.

—Sí.

—¿Amigos íntimos?

—Sí. Lo éramos.

—¿Y ahora?

Tardó un segundo en contestar.

—No puedo hablar en su nombre. Yo sigo considerándole un amigo.

—¿Se siguen viendo fuera del trabajo?

—No. No desde que acusaron a Jacob.

—¿Cuándo fue la última vez que usted y el señor Barber hablaron?

—Antes de la acusación.

Era mentira, pero una mentira inocente. La verdad habría sido mal interpretada por el jurado. Hubiera insinuado, erróneamente, que Duffy no era de fiar. Duffy era parcial pero sincero en los temas importantes. Declaró sin pestañear. Yo tampoco pestañeé al oírlo. El objetivo de un juicio es obtener un resultado justo, lo cual requiere una revaluación constante durante el proceso, como un velero que vira contra el viento.

—Muy bien, llega usted al parque, se encuentra con el detective Peterson y el señor Barber. ¿Qué pasa después?

—Ellos me explicaron la situación, que la víctima ya había sido identificada como Benjamin Rifkin, y me condujeron a través del parque hasta el lugar del crimen.

—¿Qué vio al llegar allí?

—El perímetro de la zona ya estaba cerrado. El forense y la policía científica todavía no habían llegado al emplazamiento. Había un fotógrafo de la policía local haciendo fotos. El cuerpo de la víctima seguía tumbado en el suelo sin casi nada alrededor. Básicamente acordonaron el lugar cuando llegaron allí, para preservarlo.

—¿Pudo usted ver el cuerpo?

—Sí.

—¿Puede describir la posición del cuerpo cuando lo vio por primera vez?

—La víctima estaba caída sobre una cuesta con la cabeza en la parte baja de la pendiente y los pies en la parte alta. Estaba torcido, de manera que la cabeza estaba mirando al cielo y la mitad inferior del cuerpo y las piernas estaban boca abajo.

—¿Qué hizo luego?

—Me acerqué al cuerpo con el detective Peterson y el señor Barber. El detective Peterson me estaba enseñando detalles de la situación.

—¿Qué le enseñaba?

—En la parte de arriba de la pendiente, cerca del camino, había bastante sangre en el suelo, sangre derramada. Vi cierto número de gotas bastante pequeñas, de menos de dos centímetros y medio de diámetro. También había unas cuantas manchas más grandes que parecían lo que llamamos manchas por contacto. Esas estaban en las hojas.

—¿Qué es una mancha por contacto?

—Es cuando una superficie con sangre húmeda entra en contacto con otra superficie y la sangre traspasa y deja una mancha.

—Describa las manchas por contacto.

—Estaban más abajo de la cuesta. Había varias. Las primeras tenían varios centímetros de largo y a medida que bajabas eran más grandes y espesas, con más sangre.

—Mire, ya entiendo que usted no es criminalista, pero ¿se formó alguna impresión en aquel momento, o alguna teoría sobre lo que sugería esa sangre?

—Sí. Aparentemente el homicidio había tenido lugar cerca del camino, donde estaban las gotas de sangre que habían caído, luego el cuerpo cayó o lo empujaron por la pendiente, provocando que se deslizara sobre el estómago, dejando esas manchas de sangre por contacto más grandes en las hojas.

—Muy bien, y una vez formada esa teoría, ¿qué hizo usted después?

—Bajé y examiné el cadáver.

—¿Qué vio?

—Tenía tres heridas sobre el pecho. Eran un poco difíciles de ver, porque la parte delantera del cuerpo, la camiseta de la víctima, estaba empapada de sangre. También había bastante sangre alrededor del cuerpo, donde aparentemente había ido a parar la que salió de esas heridas.

—¿Había algo inusual en esas manchas de sangre o en el charco alrededor del cuerpo?

—Sí. En la sangre se veía la silueta de unas huellas, huellas de zapatos, lo que indicaba que alguien había pisado la sangre húmeda y había dejado una huella allí, como un molde.

—¿Qué dedujo usted a partir de esos moldes de huellas?

—Obviamente alguien estuvo de pie o arrodillado junto al cuerpo poco después del asesinato, cuando la sangre todavía estaba bastante húmeda para dejar marca.

—¿Sabía usted que Paula Giannetto, una mujer que había salido a correr, descubrió el cadáver?

—Sí, lo sabía.

—¿Qué relación supuso que tenía eso con los moldes de las huellas?

—Pensé que podía haberlas dejado ella, pero no podía estar seguro.

—¿Qué más dedujo usted?

—Bueno, durante el ataque se había producido un derramamiento de sangre considerable, que había salpicado y se había impregnado. Yo no sabía qué posición había adoptado el atacante, pero por la situación de las heridas en el pecho de la víctima deduje que probablemente estaba justo de pie frente a él. Así que supuse que la persona que buscábamos podía estar manchada de sangre. También podía ir armada, aunque un cuchillo es algo pequeño y es bastante fácil deshacerse de él. Pero lo importante era la sangre. Era todo bastante truculento, lógicamente.

—¿Observó usted algo más en relación con la víctima, particularmente en relación con sus manos?

—Sí, que no tenía ni cortes, ni heridas.

—¿Y eso qué le sugirió?

—La ausencia de heridas sugería que no se resistió, ni se defendió, no peleó con su atacante, lo cual indica que o bien le sorprendió o que nunca imaginó el ataque y no tuvo oportunidad de levantar las manos para parar los golpes.

—¿Eso indica que quizás conocía a su atacante?

Nuevamente el trasero de Jonathan levitó unos centímetros por encima de la silla.

—Protesto. Especulación.

—Se acepta.

—Muy bien, ¿qué hizo usted después?

—Bien, el asesinato todavía era relativamente reciente. Habían sellado el parque e inmediatamente lo registraron para determinar si había alguna persona dentro. La búsqueda había empezado antes de que yo llegara.

—¿Y encontraron a alguien?

—Encontramos a unas cuantas personas que estaban bastante lejos del lugar. Ninguna parecía particularmente sospechosa. No había ningún indicio de que ninguno de ellos estuviera relacionado con el asesinato de ninguna manera.

—¿No tenían restos de sangre?

—No.

—¿Ni cuchillos?

—No.

—¿De manera que es justo decir que en las horas iniciales de la investigación no tenían sospechosos claros?

—No teníamos ningún sospechoso en absoluto.

—Y durante los días sucesivos, ¿cuántos sospechosos pudieron identificar e investigar?

—Ninguno.

—¿Qué hicieron después? ¿Cómo continuaron la investigación?

—Bien, interrogamos a todo el que pudiera tener alguna información. La familia y los amigos de la víctima, cualquiera que pudiera haber visto algo la mañana del asesinato.

—¿Incluyendo los compañeros de clase de la víctima?

—No.

—¿Por qué no?

—Tardamos un poco en poder entrar en la escuela. A los padres del municipio les preocupaba que interrogáramos a los niños. Hubo cierto debate sobre si tenía que haber un abogado presente durante los interrogatorios a los niños, y si podíamos entrar en la escuela sin una orden judicial, abrir las taquillas y esas cosas. También hubo cierta controversia sobre si era apropiado utilizar el edificio de la escuela para los interrogatorios y sobre a qué estudiantes se nos permitiría interrogar.

—¿Cómo reaccionó usted ante todos esos retrasos?

—Protesto.

—Denegada.

—Para serle sincero, estaba enfadado. Cuanto más se enfría un caso, más difícil es resolverlo.

—¿Y quién estaba trabajando en el caso con usted, en representación de la oficina del fiscal del distrito?

—El señor Barber.

—¿Andrew Barber, el padre del acusado?

—Sí.

—¿Se le ocurrió a usted en aquel momento que había algo inapropiado en que Andy Barber trabajara en este caso, estando involucrada la escuela de su hijo?

—No, la verdad. Quiero decir que era consciente de eso, pero no era un asunto tipo Columbine: no necesariamente nos enfrentábamos al asesinato de un alumno a manos de otro alumno. En realidad no teníamos ningún motivo para pensar que hubiera algún chico de la escuela implicado, y mucho menos Jacob.

—¿Así que usted nunca cuestionó el criterio del señor Barber en este sentido, ni siquiera lo pensó?

—No, nunca.

—¿Lo habló con él en alguna ocasión?

—Una vez.

—¿Podría relatarnos esa conversación?

—Simplemente le dije a Andy que, ya sabe, que se cubriera... las espaldas, que quizás podía pasar de aquello.

—¿Porque para usted había intereses en conflicto?

—Vi que la escuela de su hijo podía estar implicada y nunca se sabe, ¿por qué no mantenerse al margen?

—¿Y él que dijo?

—Dijo que no había conflicto, porque si se diera la circunstancia de que su hijo corriera algún peligro por culpa de un asesino él querría, con mayor motivo, que se resolviera el caso. Además, consideraba que tenía cierta responsabilidad porque vivía en la ciudad y aquí no había muchos homicidios, así que suponía que la gente estaría especialmente afectada. Quería cumplir con su deber por ellos.

Ante esa última frase, Logiudice se detuvo y se quedó mirando fijamente a Duffy un momento.

—El señor Barber, el padre del acusado, ¿le sugirió alguna vez que investigara la teoría según la cual uno de los compañeros de clase de Ben Rifkin podía haberle matado?

—No. Nunca lo sugirió ni lo descartó.

—Pero ¿no trabajó activamente en esa teoría de que a Ben le mató un compañero de clase?

—No. Pero uno no «trabaja activamente...».

—¿Intentó conducir la investigación en alguna otra dirección?

—No entiendo «conducir».

—¿Él tenía otros sospechosos en mente?

—Sí. Había un hombre llamado Leonard Patz que vivía cerca del parque y había algún indicio circunstancial de que podría estar implicado. Andy quería seguir a ese sospechoso.

—De hecho, ¿no era el señor Barber el único que insistía en que Patz era sospechoso?

—Protesto. Capciosa.

—Se acepta. El testigo es suyo, señor Logiudice.

—Retiro la pregunta. ¿Finalmente interrogó usted a los niños, a los compañeros de clase de Ben del colegio McCormick?

—Sí.

—¿Y qué averiguó?

—Bien, averiguamos hasta cierto punto, porque los chavales no fueron demasiado comunicativos, que desde hacía tiempo había un problema entre Ben y el acusado, entre Ben y Jacob. Ben había estado acosando a Jacob. Eso hizo que empezáramos a considerar a Jacob como sospechoso.

—¿Incluso mientras su padre dirigía la investigación?

—Algunos aspectos de la investigación tuvieron que llevarse a cabo sin que lo supiera el señor Barber.

Aquello me cayó como un mazazo. No lo había oído hasta entonces. Había supuesto algo así, pero no que el propio Duffy estuviera implicado. Él debió de captar mi gesto de desesperación, porque hizo una mueca de impotencia.

—¿Y eso cómo fue? ¿Nombraron a otro ayudante del fiscal del distrito para que investigara el caso sin que el señor Barber lo supiera?

—Sí. A usted.

—¿Y quién dio autorización para hacer eso?

—La fiscal del distrito, Lynn Canavan.

—¿Y qué reveló dicha investigación?

—Pruebas sólidas en contra del acusado puesto que tenía un cuchillo que correspondía al tipo de heridas, que tenía motivo suficiente y, lo más importante, que había manifestado su intención de defenderse con el cuchillo si la víctima continuaba acosándole. El acusado además había acudido aquella mañana al colegio con una pequeña cantidad de sangre en la mano derecha, gotas de sangre. Supimos esas cosas por el amigo del acusado Derek Yoo.

—¿El acusado tenía sangre en la mano derecha?

—Según su amigo Derek Yoo, sí.

—¿Y había anunciado su intención de utilizar el cuchillo con Ben Rifkin?

—Eso es lo que nos dijo Derek Yoo.

—¿En algún momento supo usted algo sobre un relato de una página web llamada la Sala de Montaje?

—Sí. Derek Yoo también nos contó eso.

—¿Y usted investigó esa página web, la Sala de Montaje?

—Sí. Es una página donde la gente cuelga relatos de ficción que son básicamente sobre sexo y violencia, e incluye algunos muy truculentos...

—Protesto.

—Se acepta.

—¿Encontraron un relato en la página web la Sala de Montaje relacionado con este caso?

—Sí. Encontramos un relato que describía esencialmente

el asesinato desde el punto de vista del asesino. Los nombres estaban cambiados y algunos detalles eran un poco inexactos, pero la situación era la misma. Era obviamente el mismo caso.

—¿Quién escribió ese relato?

—El acusado.

—¿Cómo lo sabe?

—Derek Yoo nos informó de que el acusado se lo había dicho.

—¿Pudo usted confirmar eso de algún modo?

—No. Pudimos determinar el ISP del ordenador desde el que originalmente se había colgado el relato, que es como una huella dactilar que identifica la localización del ordenador. Venía de la cafetería Peet's que está en Newton Centre.

—¿Pudieron identificar ustedes el aparato concreto que se usó para colgar el relato?

—No. Fue alguien que se conectó a la red inalámbrica de la cafetería. Eso fue lo único que pudimos establecer. Peet's no guarda los datos de los ordenadores que se conectan y se desconectan de esa red, ni exige a los usuarios que entren en la red un nombre ni una tarjeta de crédito ni nada. Así que no pudimos seguir el rastro más allá de eso.

—Pero ¿tenían ustedes la palabra de Derek Yoo de que el acusado había admitido que la escribió?

—Correcto.

—¿Y qué tenía ese relato que les convenció de un modo tan perentorio de que solo podía haberlo escrito el asesino?

—Tenía todos los detalles. Para mí el factor decisivo fue que describía el ángulo de las cuchilladas. El relato dice que las puñaladas estaban pensadas para que entraran en el pecho en un ángulo que permitiera que el filo penetrara entre las costillas y dañara al máximo órganos internos. No creo que hubiera nadie que supiera nada sobre el ángulo del cuchillo. Esa información no se hizo pública. Y no era fácil haber imaginado ese detalle, porque supone que el atacante sujete el cuchillo en un ángulo antinatural, en horizontal, para deslizarlo entre las costillas. También el nivel del detalle, la planificación... Aquello era básicamente el relato de una confesión. En aquel momento supe que probablemente teníamos motivo para un arresto.

—Pero ¿no arrestaron al acusado inmediatamente?

—No. Seguíamos queriendo encontrar el cuchillo y cualquier otra prueba que el acusado hubiera podido esconder en su casa.

—¿Y qué hicieron?

—Conseguimos una orden y entramos en la casa.

—¿Y qué encontraron?

—Nada.

—¿Se llevaron el ordenador del acusado?

—Sí.

—¿Qué tipo de ordenador era?

—Era un portátil Apple de color blanco.

—¿E hizo usted que expertos en recuperar material de discos duros de ese tipo registraran el ordenador?

—Sí. No encontraron nada que le incriminara directamente.

—¿Encontraron algo que fuera relevante para el caso?

—Encontraron un programa llamado Disk Scraper. Ese programa borra del disco duro rastros de documentos o de programas antiguos o borrados. Jacob era muy bueno con la informática. De manera que es posible que borrara el relato del ordenador aunque nosotros no pudimos encontrarlo.

—Protesto. Especulación.

—Se acepta. El jurado no tendrá en cuenta la última frase.

Logiudice:

—¿Encontraron pornografía?

—Protesto.

—Denegada.

—¿Encontraron pornografía?

—Sí.

—¿Algún otro relato violento o algo relacionado con el asesinato?

—No.

—¿Pudieron corroborar las afirmaciones de Derek Yoo de que Jacob tenía un cuchillo de algún tipo? ¿Había algún documento de la compra del cuchillo, por ejemplo?

—No.

—¿Encontraron finalmente el arma del crimen?

—No.

—Pero en un momento determinado ¿*encontraron* un cuchillo en Cold Spring Park?

—Sí. Después del crimen seguimos registrando el parque durante un tiempo. Pensábamos que el culpable debía de haberse deshecho del cuchillo en algún lugar del parque para evitar que le detuvieran. Finalmente encontramos un cuchillo en un estanque poco profundo. El cuchillo era más o menos del mismo tamaño, pero los análisis forenses subsiguientes determinaron que no era el que se utilizó en el asesinato.

—¿Cómo se determinó eso?

—La hoja del cuchillo era más ancha de lo que indicaban las heridas, y no tenía un filo dentado que correspondiera con la forma irregular de las de la víctima.

—¿Y qué conclusión sacó usted del hecho de que hubieran tirado el cuchillo allí, en el estanque?

—Pensé que lo habían puesto allí para despistarnos, para que siguiéramos una pista equivocada. Seguramente lo hizo alguien que no tenía acceso a los informes forenses que describían las heridas y las probables características del arma.

—¿Alguna suposición de quién pudo haber colocado ese cuchillo?

—Protesto. Incita a la especulación.

—Se acepta.

Logiudice se quedó pensando un momento. Emitió un profundo suspiro, satisfecho y aliviado por disponer finalmente de un testigo profesional con quien trabajar. El que Duffy me conociera y me apreciara —el que tuviera cierta tendencia a favorecer a Jacob y visibles sentimientos encontrados por estar en el estrado— hacía que su declaración fuera más condenatoria. *Por fin* —pensaba evidentemente Logiudice—, *por fin.*

—No hay más preguntas —dijo.

Jonathan dio un salto, se dirigió inmediatamente al extremo más alejado de la tribuna del jurado y se apoyó en el pasamano. Si hubiera tenido que subir a la propia tribuna del jurado para hacer sus preguntas, lo habría hecho.

—¿Podían haber tirado el cuchillo allí sin ningún motivo en especial? —dijo.

—Es posible.

—Porque en los parques se tiran cosas constantemente.

—Cierto.

—De modo que cuando usted dice que pudieron haberlo puesto allí para despistarles, solo es una suposición, ¿es así?

—Una suposición fundamentada, sí.

—Una suposición al azar, diría yo.

—Protesto.

—Se acepta.

—Retrocedamos un poco, teniente. Usted ha declarado que había mucha sangre en el lugar del crimen, sangre derramada, salpicaduras, manchas por contacto, y por supuesto la camiseta de la víctima estaba empapada de sangre.

—Sí.

—Había tanta sangre, de hecho, que usted ha declarado que, cuando registraron el parque buscando sospechosos, buscaban a alguien manchado de sangre. ¿No es eso lo que ha dicho usted?

—Buscábamos a alguien que *podía* tener manchas de sangre, sí.

—¿Mucha sangre?

—Yo no estaba seguro de eso.

—Oh, vamos, hombre. Usted ha declarado, basándose en la forma de las heridas, que quien atacó a Ben Rifkin probablemente estaba de pie frente a él, ¿correcto?

—Sí.

—Y ha declarado que hubo derramamiento de sangre.

—Sí.

—¿«Derramamiento de sangre» significa que salió, proyectada, disparada?

—Sí, pero...

—De hecho, en un caso tan sangriento y con heridas tan graves, usted debió de pensar que el atacante estaría bastante manchado de sangre porque las heridas habrían chorreado.

—No necesariamente.

—No necesariamente pero muy probablemente, ¿no es así, detective?

—Es probable.

—Y, por supuesto, en un apuñalamiento, el atacante tiene que estar de pie bastante cerca de la víctima, solo a un paso, obviamente.

—Sí.

—¿Dónde habría sido imposible evitar las salpicaduras?

—Yo no utilizaría la palabra *salpicadura*.

—¿Dónde sería imposible evitar empaparse de sangre?

—Eso no puedo decirlo con seguridad.

—Y sobre la sangre que tenía Jacob encima cuando llegó al colegio aquella mañana, de eso también le informó su amigo Derek Yoo, ¿es así?

—Sí.

—Y lo que Derek describió fue que Jacob tenía un poco de sangre en la mano derecha, ¿es así?

—Sí.

—¿En la ropa, nada?

—No.

—¿Nada en la cara ni en ninguna otra parte del cuerpo?

—No.

—¿En los zapatos?

—No.

—Todo lo cual concuerda perfectamente con la explicación que Jacob le dio a su amigo Derek Yoo, ¿verdad?, de que él descubrió el cuerpo *después* del ataque y que *entonces* le tocó con la mano derecha.

—Concuerda, sí, pero no es la única explicación posible.

—Y naturalmente Jacob fue al colegio aquella mañana.

—Sí.

—¿A qué hora abre el McCormick?

—A las ocho treinta y cinco.

—¿Y sabe usted a qué hora se cometió el crimen, según el forense?

—Entre las ocho y las ocho treinta.

—Pero Jacob estaba en su mesa del colegio a las ocho treinta y cinco sin sangre encima.

—Sí.

—Y si yo le sugiriera que, hipotéticamente, ese relato que Jacob escribió que le impresionó tanto y que usted ha descrito como prácticamente una confesión escrita, si yo le mostrara pruebas de que Jacob no inventó los hechos de ese relato, que todos los detalles del relato ya los conocían perfectamente los estudiantes del colegio McCormick, ¿afectaría eso a su criterio sobre lo importante que era como prueba?

—Sí.

—¡Sí, claro!

Duffy le miró con cara de póquer. Su trabajo allí era decir lo menos posible, limitar al máximo cualquier palabra de más. Aportar detalles voluntariamente solo podía ayudar a la defensa.

—Ahora, sobre esa cuestión del papel de Andy Barber en la investigación, ¿está usted sugiriendo que su amigo Andy hizo algo incorrecto o inapropiado?

—No.

—¿Puede destacar alguna decisión sospechosa o errónea que cometiera?

—No.

—¿Algo que usted cuestionara entonces o ahora?

—No.

—Se ha mencionado un par de veces a ese hombre, Leonard Patz. Aun sabiendo lo que sabemos ahora, ¿le parece a usted inapropiado que en algún momento se considerara a Patz como sospechoso legítimo?

—No.

—No, porque en las fases iniciales de la investigación, ustedes siguen todas las pistas razonables, amplían al máximo el territorio en el que echan la red, ¿no es cierto?

—Sí.

—De hecho, si yo le dijera que Andy Barber sigue creyendo que Patz es el verdadero asesino de este caso, ¿le sorprendería, teniente?

Duffy torció un poco el gesto.

—No. Es lo que pensó él siempre.

—¿No es cierto también que fue usted el detective que en un principio llamó la atención del señor Barber sobre Leonard Patz?

—Sí, pero...

—¿Y el criterio de Andy Barber sobre las investigaciones de homicidios era fiable, en general?

—Sí.

—¿A usted le pareció raro en algún sentido que Andy Barber quisiera dedicarse a investigar a Leonard Patz por el asesinato de Ben Rifkin?

—¿Raro? No. Tenía sentido, basándonos en la limitada información que teníamos en aquel momento.

—Y sin embargo a Patz nunca le investigaron a fondo, ¿verdad?

—Se suspendió en cuanto se tomó la decisión de acusar a Jacob Barber, sí.

—¿Y quien tomó esa decisión de dejar de centrarse en Patz?

—La fiscal del distrito, Lynn Canavan.

—¿Tomó ella sola esa decisión?

—No, creo que la aconsejó el señor Logiudice.

—¿Había alguna prueba en aquel momento que excluyera a Leonard Patz como sospechoso?

—No.

—¿Ha surgido alguna vez alguna prueba que le descarte directamente?

—No.

—No. Porque ese punto de vista simplemente se abandonó, ¿es así?

—Supongo.

—Se abandonó porque el señor Logiudice quiso que se abandonara, ¿no?

—Hubo un debate entre todos los investigadores, incluyendo la fiscal del distrito y el señor Logiudice...

—Se abandonó porque en ese debate el señor Logiudice presionó para que se abandonara, ¿no es cierto?

—Bueno, ahora estamos aquí, de manera que obviamente, sí. —La voz de Duffy tenía un deje de exasperación.

—De manera que, aun sabiendo lo que sabemos ahora, ¿tiene alguna duda de la integridad de su amigo Andrew Barber?

—No. —Duffy reflexionó sobre aquello, o lo fingió—. No, no creo que Andy haya sospechado nunca de Jacob en ningún sentido.

—¿Usted no cree que Andy sospechara nada?

—No.

—¿El propio padre del chico, que vivió con él toda su vida?, ¿no sabía nada?

Duffy se encogió de hombros.

—No puedo asegurarlo. Pero no lo creo.

—¿Cómo es posible vivir con un chico catorce años y saber tan poco de él?

—No sabría decirlo.

—No. De hecho, usted conoce a Jacob de toda la vida, ¿verdad?

—Sí.

—E inicialmente usted tampoco sospechó de Jacob, ¿no es cierto?

—No.

—No, por supuesto que no.

—Protesto. Ruego al señor Klein que no añada sus propios comentarios a las respuestas del testigo.

—Ha lugar.

—Le pido disculpas —dijo Jonathan con evidentes muestras de lo contrario—. No se repetirá.

El juez:

—Señor Logiudice. ¿Réplicas?

Logiudice reflexionó. Podía haberlo dejado allí. Ciertamente tenía base para argumentar ante el jurado que yo había sido deshonesto y había desviado la investigación para proteger a mi hijo perturbado. Qué narices, ni siquiera tenía que argumentarlo; el jurado había oído esa insinuación varias veces durante la declaración. En todo caso, no era a mí a quien juzgaban allí. Logiudice podía haberse limitado a recoger las ganancias y seguir adelante. Pero estaba crecido, acababa de descubrir un nuevo empuje, se le veía en la cara que se sentía preso de una extraordinaria inspiración. Como si creyera que el tiro de gracia estaba cerca, a su alcance. Otro niño en un cuerpo de adulto, incapaz de resistirse al tarro de caramelos que tenía delante.

—Sí, Señoría —dijo, y fue a colocarse justo delante de la tribuna del jurado.

Un leve estremecimiento en la sala.

—Detective Duffy, usted dice que no tiene ninguna duda sobre la forma como Andrew Barber llevó el caso.

—Así es.

—Porque él no sabía nada, ¿verdad?

—Sí.

—Protesto. Capciosa. Eso es juzgar a un testigo.

—Siga.

—¿Y cuánto tiempo diría usted que hace que conoce a Andy Barber, cuántos años?

—Protesto. No es relevante para este caso.

—Denegada.

—Supongo que conozco a Andy hace unos veinte años.

—¿Así que le conoce bastante bien?

—Sí.

—¿Exterior e interiormente?

—Claro.

—¿Cuándo supo usted que su padre era un asesino?

Boom.

Jonathan y yo, ambos dimos un salto en nuestros asientos que le dio un empujón a la mesa.

—¡Protesto!

—¡Se acepta! ¡El testigo no contestará esa pregunta y el jurado no la tendrá en cuenta! Ignórenla. Consideren que esa pregunta nunca se ha planteado. —El juez French se volvió hacia los abogados—. Hablaré en privado con ustedes ahora mismo.

Yo no acompañé a Jonathan a esa charla privada, de manera que nuevamente cito los comentarios que susurró el juez a partir de la transcripción del juicio. Pero observé al magistrado mientras hablaba, y puedo decirles que estaba claramente indignado. Tenía la cara colorada, puso la mano en el borde del estrado del juez y se inclinó para decirle a Logiudice entre dientes:

—Me sorprende, me deja atónito que hiciera usted eso. Le dije explícitamente en términos clarísimos que no fuera por ahí o declararía nulo el juicio. ¿Qué tiene usted que decir, señor Logiudice?

—Fue el abogado de la defensa quien optó por entrar en esta cuestión sobre el carácter del padre del acusado y la integridad de la investigación. Si él opta por hacer un tema de eso, la fiscalía tiene todo el derecho a expresar su visión del caso. Yo me limitaba a seguir la línea de interrogatorio del señor Klein. Él sacó claramente el tema de si el padre del acusado tenía algún motivo para sospechar de su hijo.

—Señor Klein, supongo que usted busca la nulidad del juicio.

—Sí.

—Vuelvan a sus asientos.

Los abogados volvieron a sus mesas respectivas.

El juez French se quedó de pie para dirigirse al jurado, como tenía por costumbre. Incluso se bajó un poco la cremallera y se cogió el cuello de la toga, como si estuviera posando para una estatua.

—Damas y caballeros, les ordeno que ignoren esta última pregunta. Bórrenla totalmente de sus mentes. En derecho hay un dicho, «no se puede desandar lo andado», pero yo voy a pedirles que hagan exactamente eso. La pregunta era inapropiada y el fiscal no debería haberla planteado, y quiero que ustedes sean conscientes de ello. Ahora, voy a permitirles que se retiren hasta mañana, mientras la corte atiende otros asuntos. La orden de aislamiento sigue vigente. Les recuerdo que no hablen sobre este caso con nadie en absoluto. No escuchen los noticiarios ni lean sobre él en la prensa. Apaguen sus radios y televisores. Aíslense totalmente de esto. Muy bien, el jurado puede retirarse. Nos veremos mañana por la mañana a las nueve en punto.

Los miembros del jurado salieron, intercambiando miradas entre ellos. Unos cuantos observaron de soslayo a Logiudice.

Cuando se hubieron marchado, el juez dijo:

—Señor Klein.

Jonathan se puso en pie.

—Señoría, el acusado solicita la nulidad. Este tema se debatió ampliamente antes del juicio, y la conclusión fue que el tema es tan volátil y tan perjudicial que mencionarlo provocaría la nulidad. Ese era un tema intocable que se le dijo explícitamente al fiscal que no abordara. Y lo ha hecho.

El juez se masajeó la frente.

Jonathan continuó:

—Si la corte no tiene intención de declarar la nulidad del juicio, el acusado ampliará su lista de testigos con dos personas: Leonard Patz y William Barber.

—¿William Barber es el abuelo del acusado?

—Exacto. Puede que necesite una orden del gobernador para que le trasladen aquí. Pero si el fiscal insiste en su extravagante insinuación de que el acusado es de algún modo culpable por herencia, de que es miembro de una familia criminal, un asesino nato, entonces nosotros tenemos derecho a rebatir eso.

El juez permaneció quieto un momento, chirriando los dientes.

—Lo consideraré. Mañana les comunicaré mi decisión. El juicio se aplaza hasta mañana a las nueve en punto.

Sr. Logiudice: Antes de que sigamos, señor Barber, sobre ese cuchillo, ese que tiraron al estanque para despistar a los investigadores. ¿Tiene usted alguna idea de quién pudo poner ahí ese cuchillo?

Testigo: Claro. Lo supe desde el principio.

Sr. Logiudice: ¿Lo supo? ¿Y cómo es eso?

Testigo: Desapareció un cuchillo de nuestra cocina.

Sr. Logiudice: ¿Un cuchillo idéntico?

Testigo: Un cuchillo que correspondía a la descripción que me dieron. Lo supe desde que vi el que sacaron del estanque, cuando nos enseñaron las pruebas de que disponía el estado. Era nuestro cuchillo. Era viejo, bastante peculiar. No era de la misma cubertería. Lo reconocí.

Sr. Logiudice: Entonces, ¿lo tiró al estanque alguien de su familia?

Testigo: Claro.

Sr. Logiudice: ¿Jacob? ¿Para impedir que se infiriera su culpabilidad por el hecho de que el cuchillo le pertenecía?

Testigo: No. Jake era demasiado listo para hacer eso. Y yo también. Yo sabía cómo eran las heridas; yo había hablado con el equipo forense. Yo sabía que ese cuchillo no podía haber provocado las heridas de Ben Rifkin.

Sr. Logiudice: ¿Laurie entonces?, ¿por qué?

Testigo: Porque nosotros creímos a nuestro hijo. Él nos dijo que no había sido él. No queríamos ver cómo le arruinaban la vida solo porque había cometido la tontería de comprar un cuchillo. Nosotros conocíamos a gente que en cuanto viera ese cuchillo sacaría la conclusión equivocada. Hablamos del peligro que entrañaba eso. De manera que Laurie decidió darle a la policía otro cuchillo. El único problema era que ella era la menos retorcida de los tres con esas cosas y también era la más alterada. No fue suficientemente cuidadosa. Se equivocó al escoger el tipo de cuchillo. Dejó un cabo suelto.

Sr. Logiudice: ¿Ella habló con usted antes de hacer eso?

Testigo: Antes, no.

Sr. Logiudice: ¿Después, sí?

Testigo: Yo se lo pregunté. No lo negó.

Sr. Logiudice: ¿Y qué le dijo usted a esa persona que acababa de interferir en la investigación de un homicidio?

Testigo: ¿Qué le dije? Le dije que ojalá hubiera hablado conmigo antes. Yo le habría dado el cuchillo adecuado para que lo tirara.

Sr. Logiudice: ¿Eso es lo que siente realmente ahora, Andy? ¿Que todo esto es una broma? ¿Realmente siente tan poco respeto por lo que hacemos aquí?
Testigo: Cuando le dije eso a mi esposa, le aseguro que no bromeaba. Dejémoslo así.
Sr. Logiudice: De acuerdo. Continúe con su historia.

Cuando volvimos al garaje, a una manzana del tribunal, donde estaba aparcado nuestro coche, había un pedazo de papel blanco bajo el limpiaparabrisas. Estaba doblado en cuatro. Lo abrí y lo leí.

SE ACERCA EL DÍA DEL JUICIO
MORIRÁS, ASESINO

Jonathan seguía con nosotros, de manera que éramos cuatro. Al ver la nota frunció el ceño y la metió en su maletín.

—Yo me ocuparé de esto. Escribiré un informe para la policía de Cambridge. Vosotros idos a casa.

Laurie dijo:

—¿Eso es lo único que podemos hacer?

—Debemos informar también a la policía de Newton, por si acaso —sugerí yo—. Quizás ha llegado el momento de tener un coche patrulla aparcado frente a nuestra casa. El mundo está lleno de lunáticos.

Me distrajo una figura, de pie en un rincón del garaje. Estaba a cierta distancia pero claramente nos observaba. Era un hombre mayor, de unos setenta años probablemente. Llevaba chaqueta, una camiseta de golf y una boina. Tenía el mismo aspecto que millones de tipos en Boston. Un irlandés viejo y duro. Estaba encendiendo un cigarrillo —fue el destello del encendedor lo que me llamó la atención— y el brillo de la punta del cigarrillo le relacionó con aquel coche que había estado aparcado delante de casa hacía un par de noches con el interior totalmente a oscuras, salvo por el pequeño destello de la punta de un cigarrillo en la ventanilla del coche. ¿Y no era exactamente la clase de dinosaurio excéntrico que conduciría un Lincoln Town Car?

Nuestras miradas coincidieron un momento. Él se metió el encendedor en el bolsillo de los pantalones y siguió caminando, cruzó por una puerta hacia una escalera y se fue. ¿Antes de que yo le hubiera visto estaba andando? Parecía que hubiera estado quieto y observando, pero yo solo le había echado una ojeada. A lo mejor se había parado un momento para encender el cigarrillo.

—¿Habéis visto a ese tío?

Jonathan:

—¿Qué tío?

—Ese tío que estaba justo ahí mirándonos.

—Yo no le he visto. ¿Quién era?

—No lo sé. No le había visto nunca.

—¿Crees que tenía algo que ver con la nota?

—No sé. Ni siquiera sé si nos estaba mirando. Pero lo parecía, ¿sabes?

—Vamos —Jonathan nos llevó hacia el coche—, últimamente hay mucha gente que nos mira. Pronto se cansarán.

31
Colgar

Aquella tarde hacia las seis, mientras nosotros tres acabábamos de cenar —Jacob y yo permitiéndonos cierto optimismo prudente, despreciando a Logiudice y sus tácticas desesperadas; Laurie intentando aparentar normalidad y confianza, aunque hubiera empezado a desconfiar un poco de nosotros dos—, sonó el teléfono.

Contesté yo. Una operadora me informó de que la llamada era a cobro revertido. ¿Aceptaba el cargo? Me sorprendió que todavía hubiera gente que llamaba a cobro revertido. ¿Era una broma? ¿Todavía quedan teléfonos de cabina desde donde hacer llamadas a cobro revertido? Solo en las cárceles.

—¿Una llamada a cobro revertido de quién?

—Bill Barber.

—Dios. No, no la acepto. Espere un momento, espere. —Me apoyé el teléfono en el pecho, como si mi corazón fuera a hablar con él directamente. Luego—: De acuerdo. Acepto el cargo.

—Gracias. Por favor, no cuelgue mientras le paso. Buenos días.

Un clic.

—¿Hola?

—¿Quién es?

—¿Quién es? Creía que ibas a venir otra vez a verme.

—He estado un tanto ocupado.

Él me imitó:

—*Oh, he estado un tanto ocupado.* Relájate, ¿quieres? Yo aquí me muero de asco, imbécil. ¿Qué te creías? *¡Eh, júnior, ven a verme, que te llevaré a pescar!* Te llevaré a pescar... ¿Sabes qué? ¡Peces!

Yo no tenía ni idea de qué quería decir aquello. Argot carcelario, seguramente. Fuera lo que fuera, le hacía gracia. Se desternilló por teléfono.

—Dios santo, no paras de hablar.

—No, joder, es que en este sitio de mierda no puedo hablar con nadie. Mi hijo no viene a verme nunca.

—¿Querías algo? ¿O solo has llamado para charlar?

—Quiero saber cómo va el juicio del chico.

—¿Y a ti qué te importa?

—Es mi nieto. Quiero saberlo.

—Te has pasado toda la vida sin saber ni cómo se llamaba.

—¿Y de quién es la culpa?

—Tuya.

—Ya, seguro que piensas eso.

Una pausa.

—He oído que hoy salió mi nombre en el juicio. Aquí lo estamos siguiendo todo. Para los presos es como el Campeonato del Mundo.

—Sí, salió tu nombre. ¿Lo ves?, aun sentado en tu celda sigues jodiendo a tu familia.

—Oye, júnior, no seas tan minga floja. El chico se librará de esta.

—¿Eso piensas?, como eres un abogado tan bueno..., ¿eh, señor condena perpetua?

—Yo sé unas cuantas cosas.

—Tú sabes unas cuantas cosas. Pff. Hazme un favor, Clarence Darrow.* No me telefonees ni te metas en mis asuntos. Ya tengo abogado.

—Nadie se está metiendo en tus asuntos, júnior. Pero si tu abogado habla de llamarme a declarar, pasan a ser mis asuntos también, ¿no te parece?

—Eso no pasará. Solo nos faltaría que subieras al estrado. Todo esto se convertiría en un circo.

—¿Tenéis una estrategia mejor?

—Sí que la tenemos.

—¿Cuál es?

—Ni siquiera habrá caso. El estado tendrá que asumir su responsabilidad. Han... ¿Por qué me molesto en hablar de esto contigo?

—Porque quieres. Todos los hijos necesitan a su padre cuando las cosas se ponen feas.

—¿Es una broma?

—¡No! Yo sigo siendo tu padre.

—No, no lo eres.

—¿Ah, no?

—No.

—Entonces, ¿quién es?

—Yo.

—¿No tienes padre? ¿Qué eres?, ¿un árbol?

* Abogado norteamericano de la Unión por las Libertades Civiles.

—Eso es, no tengo, ni necesito ninguno ahora.

—Todo el mundo necesita un padre, todo el mundo necesita un padre. Tú me necesitas ahora más que nunca. ¿Cómo si no vais a demostrar eso del «impulso irresistible»?

—No necesitamos demostrarlo.

—¿No? ¿Por qué no?

—Porque Logiudice no puede probar la acusación. Es obvio. Así que nuestra defensa es simple: no fue Jacob.

—¿Y si eso cambiara?

—No cambiará.

—Entonces, ¿por qué viniste hasta aquí y me contaste todo eso? ¿Y la muestra de saliva? ¿De qué iba todo aquello?

—Nos cubríamos las espaldas, nada más.

—Solo os cubríais las espaldas. O sea que el chico no fue, pero por si acaso sí fue.

—Algo parecido.

—Entonces tu abogado ¿qué quiere que diga?

—No quiere que digas nada. No debería haber dicho lo que dijo hoy en el tribunal. Fue un error. Seguramente estaba pensando que te haría venir a declarar que nunca has tenido nada que ver con tu nieto. Pero ya te lo dije, no te acercarás a la sala de juicio.

—Más vale que hables con tu abogado de esto.

—Escúchame, Bloody Billy. Es la última vez que lo digo: tú no existes. Solo eres una pesadilla que yo solía tener de pequeño.

—Eh, júnior, ¿quieres herir mis sentimientos? Dame una patada en los huevos.

—¿Y eso qué quiere decir?

—Quiere decir que no te molestes en insultarme. No me ofendo. Yo soy el abuelo del chico digas lo que digas. No puedes evitarlo. Puedes negarme tanto como quieras, y fingir que no existo. No importa. Eso no cambia la realidad.

Me senté, repentinamente confuso.

—¿Quién es ese tipo, Patz, del que habló tu amigo policía cuando declaró?

Yo estaba indignado y confuso e inquieto, así que no me paré a pensar y solté:

—Ese es el culpable.

—¿El que mató a ese crío?

—Sí.

—¿Estás seguro?

—Sí.

—¿Cómo lo sabes?

—Tengo un testigo.

—¿Y vas a dejar que mi nieto cargue con las culpas de eso?

—¿Dejar? No.

—Pues haz algo, júnior. Háblame de ese tío, Patz.

—¿Qué quieres saber? Le gustan los jovencitos.

—¿Es un pederasta?

—Más o menos.

—¿Más o menos? O lo es o no lo es. ¿Cómo se puede ser más o menos pederasta?

—Del mismo modo que tú eras un asesino incluso antes de que mataras a alguien.

—Oh, basta ya, júnior. Ya te he dicho que no puedes herir mis sentimientos.

—¿Podrías dejar de llamarme «júnior»?

—¿Te molesta?

—Sí.

—¿Cómo debería llamarte?

—No me llames de ninguna manera.

—Pss. Tengo que llamarte de algún modo. Si no ¿cómo voy a hablar contigo?

—No hables.

—Júnior, tienes mucha rabia dentro, ¿sabes?

—¿Querías algo más?

—¿Querer? Yo no quiero nada de ti.

—Pensé que a lo mejor querías una tarta con una lima dentro.

—Muy gracioso. Con una lima dentro. Ya lo pillo, «porque estoy en la cárcel».

—Eso es.

—Escúchame, júnior, yo no necesito ninguna tarta con una lima dentro, ¿vale? ¿Sabes por qué? Te lo diré. «Porque yo no estoy en la cárcel».

—No. ¿Te han dejado salir?

—No hace falta que me dejen salir.

—¿No? Deja que yo te dé una pista, viejo. ¿Ese enorme edificio con barrotes? ¿Ese del que nunca te dejan salir? Eso se llama cárcel y claramente tú estás dentro.

—No. ¿Ves?, eres tú el que no lo pilla, júnior. Lo único que tienen encerrado ahí es mi cuerpo. Eso es lo único que tienen, mi cuerpo, no a mí. Yo estoy en todas partes, ¿sabes? Mires donde mires, júnior, vayas donde vayas. ¿Vale? Ahora, tú limítate a mantener a mi nieto fuera de este sitio. ¿Lo has entendido, júnior?

—¿Por qué no lo haces tú? Tú estás en todas partes.

—A lo mejor lo haré. A lo mejor vuelo hasta allí...

—Mira, tengo que dejarte, ¿vale? Voy a colgar.

—No. No hemos terminado...

Le colgué. Pero tenía razón, él *estaba* justo aquí conmigo, porque su voz seguía resonando en mis oídos. Levanté el auricular y volví a colgarlo con fuerza —una, dos, tres veces— hasta que dejé de oírle.

Jacob y Laurie me estaban mirando con los ojos como platos.

—Era tu abuelo.

—Ya me he dado cuenta.

—Jake, no quiero que hables con él nunca, ¿vale? Lo digo en serio.

—Vale.

—No hables nunca con él, aunque te telefonee. Limítate a colgar el teléfono, ¿entiendes?

—Vale, vale.

Laurie me miró a los ojos.

—Eso también vale para ti, Andy. No quiero que ese hombre telefonee a mi casa. Es venenoso. La próxima vez que llame, cuelgas el teléfono, ¿vale?

Asentí.

—¿Estás bien, marido?

—No lo sé.

32
Falta de pruebas

Quinto día del juicio.

Cuando dieron las nueve, el juez French irrumpió en el tribunal y anunció entre dientes que denegaba la solicitud del acusado de declarar nulo el juicio. Dijo —mientras la taquígrafa repetía sus palabras con un micrófono cónico que mantenía pegado a la cara como una máscara de oxígeno— «La protesta del acusado ante la mención del abuelo del acusado queda anotada y el tema queda pendiente de apelación. He dado instrucciones preventivas al jurado. Creo que con eso será suficiente. El fiscal queda advertido de no volver a mencionar el asunto, y no oiremos nada más al respecto. Ahora, a falta de cualquier otra objeción, oficial, haga entrar al jurado y empecemos».

No puedo decir que me sorprendiera. Rara vez se anula un juicio. El juez no echaría por la borda todo lo que el estado había invertido para que ese juicio llegara hasta el final. No, si podía evitarlo. También podía ser que considerara la anulación como algo vergonzoso. Podía dar la impresión de que había perdido el control de su tribunal. Por supuesto, todo eso Logiudice lo sabía. A lo mejor se había extralimitado intencionalmente, intuyendo que un juicio de alto riesgo como ese difícilmente se anularía. Pero eso es una maldad.

El juicio continuó.

—¿Puede decirnos su nombre, por favor?

—Karen Rakowski. R-A-K-O-W-S-K-I.

—¿Dónde trabaja y qué puesto ocupa actualmente?

—Soy criminalista de la policía estatal de Massachusetts. Actualmente trabajo en el Laboratorio Criminal de la Policía.

—¿Qué es exactamente un criminalista?

—Un criminalista es alguien que aplica los principios de las ciencias naturales y físicas para identificar, conservar y analizar pruebas del escenario de un crimen. Posteriormente comunica sus descubrimientos en un juzgado.

—¿Cuánto tiempo hace que es usted criminalista de la policía estatal?

—Once años.

—¿Aproximadamente cuántos escenarios criminales diría que ha investigado usted en sus años de profesión?

—Aproximadamente unos quinientos.

—¿Es usted miembro de alguna organización profesional?

Rakowski procedió a enumerar los nombres de media docena de organizaciones, luego sus diversos títulos, un puesto académico y varias publicaciones, todo lo cual lo vimos pasar nosotros como a un tren de mercancías: difícil de distinguir al detalle pero de una longitud impresionante. La verdad es que nadie escuchó esa aburrida información de Rakowski, porque en realidad nadie cuestionaba sus títulos. Era muy conocida y respetada. Debe tenerse en cuenta que el oficio de «criminalista» se ha convertido en algo mucho más profesional y riguroso de lo que era cuando yo empecé. Incluso se ha puesto de moda. La ciencia forense se ha convertido en algo mucho más complejo, especialmente en lo relacionado con las pruebas de ADN. Sin duda el trabajo también ha adquirido glamour por series de televisión como *CSI*. Por la razón que sea, ahora esa profesión atrae a más y mejores candidatos, y Karen Rakowski formaba parte de la primera oleada de criminalistas de nuestro país que no eran simples policías pluriempleados como científicos aficionados. Ella iba en serio. Era mucho más fácil imaginarla con una bata blanca de laboratorio que con los pantalones y las botas de la policía estatal. A mí me encantó que le hubieran asignado el caso. Sabía que actuaría con justicia.

—El 12 de abril de 2007, hacia las diez de la mañana, ¿recibió usted una llamada telefónica sobre un asesinato en Cold Spring Park de Newton?

—Sí.

—¿Qué hizo usted en consecuencia?

—Me dirigí al lugar en cuestión, donde me encontré con el teniente Duffy, que me informó brevemente de lo que había en el lugar el crimen y lo que quería que hiciera. Me llevó donde estaba el cuerpo.

—¿Habían movido el cadáver, por lo que tiene usted entendido?

—Me dijeron que no lo habían tocado desde que llegó la policía.

—¿Había llegado ya el médico forense?

—No.

—¿Es preferible para el criminalista llegar antes que el forense?

—Sí. El médico forense no puede tratar el cadáver sin moverlo. Una vez que se mueve el cadáver, obviamente no se puede sacar ninguna conclusión a partir de su posición.

—Bien, en este caso usted sabía que la corredora que descubrió el cuerpo ya lo había movido.

—Sí, lo sabía.

—No obstante, ¿pudo sacar alguna conclusión a partir de la posición del cuerpo y los alrededores cuando lo vio por primera vez?

—Sí. Parecía que el ataque había tenido lugar en la cima de una pendiente que había junto a un sendero, y que el cuerpo se había deslizado después por esa pendiente. Lo evidenciaba el rastro de sangre que bajaba por el lado de la cuesta hasta la posición en la que finalmente quedó el cuerpo.

—¿Son esas las manchas de contacto que se mencionaron ayer?

—Sí. Cuando yo llegué, habían colocado el cuerpo boca arriba y vi que la camiseta de la víctima estaba empapada de sangre húmeda, aparentemente.

—¿Qué importancia le dio usted, si es que le dio alguna, a esa gran cantidad de sangre en el cuerpo de la víctima?

—En aquel momento ninguna. Obviamente las heridas eran graves y fatales, pero eso yo ya lo sabía antes de llegar.

—Pero la gran cantidad de sangre que había allí, ¿no indicaba un forcejeo sangriento?

—No necesariamente. La sangre circula de modo constante por nuestro cuerpo. Es un sistema hidráulico que la bombea arriba y abajo. Pasa por el sistema circulatorio, a través de las venas, por efecto de la presión. Cuando matan a alguien, la sangre deja de estar bajo la presión del bombeo y su movimiento pasa a ser controlado por las leyes normales de la física. Es decir que la gran cantidad de sangre que había en el lugar del crimen, tanto en la propia víctima como en el suelo debajo y alrededor, la podía haber perdido simplemente por efecto de la gravedad, por el modo como estaba tumbado el cuerpo.

Los pies por encima de la cabeza y boca abajo. Así que la sangre que había en el cuerpo pudo haber sido por una hemorragia post mórtem. Todavía no podía saberlo.

—De acuerdo, ¿y qué hizo usted después?

—Examiné la situación más atentamente. Observé que había varias salpicaduras de sangre cerca de la cumbre de la pendiente, donde aparentemente se había producido el ataque. Allí solo había unas pocas salpicaduras.

—Permítame usted que la interrumpa un momento. ¿Existe una disciplina de la ciencia forense que analiza salpicaduras de sangre?

—Sí. Estudia la forma de dichas salpicaduras, que puede aportar información útil.

—¿Pudo extraer usted alguna información útil de las salpicaduras de sangre en este caso?

—Sí. Como estaba diciendo, en el punto justo del ataque había unas pocas salpicaduras de sangre, pequeñas, de menos de dos centímetros, y por el tamaño se deducía que habían caído más o menos directamente al suelo, salpicando uniformemente en todas direcciones. Esto se denomina goteo a poca velocidad o también «hemorragia pasiva».

Logiudice:

—Bien, ayer la defensa planteó el tema de si después de un ataque como ese era esperable que hubiera restos de sangre en el cuerpo del atacante o en su ropa. Basándose en las salpicaduras de sangre, ¿tiene usted opinión sobre eso?

—Sí. No es *necesariamente* cierto que en este caso el atacante hubiera quedado manchado de sangre. Volviendo al sistema circulatorio que bombea sangre a través del cuerpo: recuerden que, en cuanto la sangre sale del cuerpo al exterior, está sujeta a las leyes ordinarias de la física como cualquier otra cosa. Ahora bien, es verdad que si se corta una arteria, dependiendo del lugar del cuerpo, lo normal es que la sangre salga a borbotones. Es lo que llamamos «derrame arterial». Con una vena, lo mismo. Pero si es un capilar, puede que se produzca solo un goteo, como este. Yo no vi ninguna salpicadura en el lugar del crimen que pareciera producto de un derrame. La sangre que se derrama de ese modo cae al suelo en un ángulo determinado y salpica en todas direcciones uniformemente, así. —Lo demostró deslizando el puño a lo largo del brazo para mostrar cómo las gotas de sangre se expandirían por la superficie al impactar—. También es posible que el atacante estuviera de pie detrás de la víctima cuando le apuñaló, lo cual le mantendría apartado de la trayectoria de cualquier salpicadura de sangre. Y naturalmente es posible que el atacante se cambiara de ropa después del ataque. Todo lo cual simplemente quiere decir que no se puede asumir de modo automático que en este caso el asaltante quedaría cubierto de sangre tras el ataque, pese a la gran cantidad de sangre encontrada en el entorno del crimen.

—¿Conoce usted el dicho «la ausencia de prueba no es prueba de ausencia»?

—Protesto. Capciosa.

—Puede proceder. Conteste la pregunta.

—Sí.

—¿Qué significa ese dicho?

—Significa que, solo porque no haya evidencia física que pruebe la presencia de una persona en un lugar y en un momento determinados, no se puede concluir necesariamente que no estuvo allí. Probablemente es más fácil de entender si lo digo de esta manera: una persona puede estar presente en un crimen y no dejar ninguna evidencia física allí.

Rakowski siguió declarando un rato más. Aquella era una parte crucial del caso de Logiudice y le dedicó tiempo. Ella declaró con detalle que la sangre que encontraron era toda de la víctima. Cerca del cuerpo no encontraron ninguna evidencia física que pudiera vincularse a ninguna otra persona —ni huellas dactilares, ni de manos, ni de zapatos, ni cabellos, ni fibras, ni sangre, ni materia orgánica ninguna—, con la única excepción de esa maldita huella dactilar.

—¿Dónde estaba exactamente esa huella dactilar?

—La víctima llevaba una sudadera con cremallera, que estaba abierta. En el interior de esa sudadera, más o menos aquí —señaló un punto en el interior de su propia chaqueta, en el lado izquierdo del forro, donde suele estar el bolsillo interior—, había una etiqueta de plástico con el nombre del fabricante. La huella se encontró en esa etiqueta.

—¿La superficie en la que se encuentra una huella dactilar afecta a su relevancia?

—Bien, las huellas se imprimen mejor en determinadas superficies. En ese caso era una superficie plana. Había quedado empapada de sangre, casi como un tampón, y mostraba la huella dactilar muy claramente.

—¿Así que era una huella limpia?

—Sí.

—Después de examinar esa huella dactilar, ¿de quien concluyó usted que era?

—Del acusado, Jacob Barber.

Jonathan se puso de pie y dijo con tono despectivo:

—Estipularemos que la huella dactilar es del acusado.

El juez dijo:

—Conforme. —Se volvió hacia el jurado—: La estipulación significa que la defensa acepta la veracidad de un hecho sin que el fiscal tenga que probarlo. Ambas partes se ponen de acuerdo en la veracidad de este hecho, de manera que ustedes lo puedan considerar cierto y demostrado. De acuerdo señor Logiudice.

—En su opinión, ¿qué significaba, si es que significaba algo, el hecho de que la huella dactilar estuviera en la propia sangre de la víctima?

—Obviamente, para que el dedo del acusado quedara impreso en la etiqueta, esta tendría que haber estado previamente impregnada de sangre. De manera que eso significaba que la huella fue a parar allí después de que hubiera empezado el ataque, o al menos después de que la víctima hubiera recibido una cuchillada como mínimo, y casi inmediatamente después de que le atacaran, para que la sangre de la etiqueta todavía estuviera húmeda, ya que la sangre seca no habría recogido la huella del mismo modo, o de ninguno. Así que la huella fue a parar allí durante o inmediatamente después de que le atacaran.

—¿De qué margen estamos hablando? ¿Cuánto tiempo tenía que pasar para que la sangre de la etiqueta estuviera demasiado seca para que quedara impresa la huella dactilar?

—Hay muchos factores en juego. Pero no más de quince minutos al exterior.

—Menos incluso, ¿es posible?

—Es imposible decirlo.

Buena chica. No muerde el anzuelo.

La única controversia tuvo lugar cuando Logiudice intentó aportar como prueba el cuchillo, una cosa brillante y siniestra llamada Spyderco Civilian, que era el cuchillo que Jacob nombraba explícitamente en su relato imaginario del asesinato de Rifkin. Jonathan se opuso vehementemente a que se mostrara ese cuchillo al jurado, ya que no había ninguna prueba de que Jacob tuviera en algún momento aquel cuchillo. Yo había tirado el cuchillo de Jacob mucho antes de que la policía registrara su habitación, pero al ver el Spyderco Civilian palidecí. Se parecía mucho al de Jacob. No me atreví a volverme para mirar a Laurie, de manera que solo puedo informar de lo que me dijo más tarde. «Al verlo creí que me moría». Finalmente el juez French no permitió que Logiudice presentara el cuchillo como prueba. Dijo que presentarlo ante el tribunal era «incendiario», vista la fragilidad del vínculo que el fiscal había establecido entre Jacob y el cuchillo. Lo cual era la manera que el juez French tenía de decir que no estaba dispuesto a permitir que Logiudice se paseara por la sala con aquel cuchillo de aspecto letal en las manos, para convertir al jurado en una turba dispuesta al linchamiento —no, hasta que el estado aportara un testigo que pudiera afirmar que Jacob tenía un cuchillo de ese tipo—. Pero permitiría que un experto declarara sobre el cuchillo en términos generales.

—¿Se corresponde este cuchillo con las heridas de la víctima?

—Sí. Examinamos el tamaño y la forma de la hoja en relación con las heridas y correspondían. La hoja de ese cuchillo en particular es curva y tiene el borde dentado, lo cual se correspondía con los desgarrones del contorno de las heridas. Este es un cuchillo diseñado para apuñalar al oponente, como se haría con un cuchillo de pelea. Un cuchillo pensado para provocar un corte limpio normalmente tendría un filo muy afilado y uniforme, como un bisturí.

—¿Así que el asesino pudo haber usado exactamente este tipo de cuchillo?

—Protesto.

—Denegada.

—Podría, sí.

—A partir del ángulo de las heridas y del diseño del cuchillo, ¿cómo pudo el asesino haber infligido esas heridas letales, qué tipo de movimiento pudo haber realizado?

—Basándonos en el hecho de que las heridas que presentaba el cuerpo son esencialmente rectas, es decir, en un plano horizontal, se diría que el atacante muy probablemente estaba de pie justo frente a la víctima, que tenía una altura similar y que apuñaló con el brazo recto hacia delante en tres golpes.

—¿Podría mostrarnos el movimiento al que se refiere, por favor?

—Protesto.

—Denegada.

Rakowski se puso de pie y empujó el brazo derecho tres veces. Volvió a sentarse.

Durante unos segundos Logiudice no dijo nada. En momentos así se producía un silencio tal en el tribunal que oí que alguien que estaba en la tribuna, detrás de mí, emitía un intenso suspiro, *uf.*

Jonathan peleó con bravura en el contrainterrogatorio. No atacó a la testigo directamente. Rakowski era una mujer obviamente competente y que jugaba con honradez, y no ganaría nada despellejándola. Siguió centrado en la prueba física y en lo débil que era.

—El fiscal mencionó la frase «la ausencia de prueba no es prueba de ausencia». ¿Lo recuerda?

—Sí.

—¿No es cierto también que la ausencia de prueba es precisamente esto: una ausencia de pruebas?

—Sí.

Jonathan sonrió con ironía ante el jurado.

—En ese caso tenemos una falta de pruebas sustancial, ¿verdad? No hay evidencias sanguíneas que incriminen al acusado.

—No.

—¿Pruebas genéticas? ¿ADN?

—No.

—¿Cabellos?

—No.

—¿Fibras?

—No.

—¿Algo en absoluto que coloque al acusado en ese lugar aparte de esa huella dactilar?

—No.

—¿Huellas de manos? ¿Dactilares? ¿De zapatos? ¿Todo desaparecido?

—Es verdad.

—¡Bien! ¡Eso sí que es lo que yo llamo una ausencia de pruebas!

El jurado se echó a reír. Jacob y yo reímos también, más por alivio que por otra cosa. Logiudice se levantó de un salto para protestar y la protesta fue aceptada, pero apenas tuvo importancia.

—Y esa huella dactilar que encontraron, la huella dactilar de Jacob en la sudadera de la víctima... ¿No es verdad que el valor como prueba de esa huella dactilar es muy limitado? ¿Que no puede saberse *cuándo* fue a parar allí?

—Eso es verdad, salvo por la inferencia que se deduce del hecho de que la sangre todavía estaba húmeda cuando el acusado la tocó con el dedo.

—Sí, la sangre húmeda. Exacto. ¿Puedo exponerle una hipótesis, señora Rakowski? Supongamos, hipotéticamente, que el acusado, Jacob, se encontró con la víctima, su amigo y compañero de clase, tirado en el suelo del parque cuando él, Jacob, iba andando al colegio. Supongamos, de nuevo hipotéticamente, supongamos que eso pasó pocos minutos después del ataque. Y supongamos finalmente que Jacob agarró a la víctima por la sudadera para intentar ayudarle o para asegurarse de que estaba bien. ¿Justificaría eso que usted descubriera la huella donde lo hizo?

—Sí.

—Y finalmente, con respecto a ese cuchillo del que hemos oído hablar, el ¿cómo se llama? El Spyderco Civilian. ¿No es verdad que hay muchos cuchillos que pueden provocar esas heridas?

—Sí. Supongo.

—Porque lo único de lo que dispone para decidirlo son las características de esas heridas, el tamaño y la forma, la profundidad de penetración y demás, ¿es así?

—Sí.

—Y por tanto, lo único que usted sabe es que, por lo visto, el arma del crimen tenía el borde dentado y un filo de un determinado tamaño, ¿no es verdad?

—Sí.

—¿Intentó usted de algún modo determinar cuántos cuchillos hay por ahí que correspondan a esa descripción?

—No. El fiscal del distrito solo me pidió que determinara si ese cuchillo en particular coincidía con las heridas de la víctima. No me entregaron ningún otro cuchillo para poder comparar.

—Bien, eso es como meter el conejo en la chistera, ¿no?

—Protesto.

—Se acepta.

—¿Los investigadores no hicieron ningún esfuerzo para determinar cuántos cuchillos podrían haber provocado esas heridas?

—No me pidieron nada con relación a otros modelos, no.

—¿Tiene usted alguna idea aproximada? ¿Cuántos cuchillos provocarían una herida de unos cinco centímetros de ancho y que penetraría unos siete u ocho centímetros?

—No lo sé. Sería mera especulación.

—¿Mil? Venga, como mínimo debe de haber mil de esos.

—No sabría decirlo. Serían muchos. Debe tener presente que un cuchillo pequeño puede provocar una hendidura más ancha que el propio filo, porque el atacante puede usarlo para rebanar la herida abierta. Un bisturí es algo bastante pequeño, pero obviamente puede provocar una incisión muy grande. De modo que, cuando hablamos del tamaño de la herida con relación al filo, de lo que estamos hablando es del tamaño máximo del filo, del contorno exterior, porque obviamente el filo no puede ser más ancho que la hendidura en la que fue insertado, al menos si estamos hablando de una herida por penetración como en este caso. Aparte del límite del contorno, por el tamaño de la herida no puede deducirse lo grande que era el cuchillo. Así que no puedo contestar a su pregunta.

Jonathan ladeó la cabeza. No pensaba ceder.

—¿Quinientos?

—No lo sé.

—¿Cien?

—Es posible.

—Ah, es posible. ¿Así que usted apostaría por cien?

—Protesto.

—Se acepta.

—¿Por qué estaban los investigadores interesados en ese cuchillo en particular, señora Rakowski, en el Spyderco Civilian? ¿Por qué le pidieron que contrastara ese modelo con las heridas?

—Porque se mencionaba en un relato del asesinato que escribió el acusado...

—Según Derek Yoo.

—Correcto. Y por lo visto ese mismo testigo vio un cuchillo similar en posesión del acusado.

—¿Derek Yoo otra vez?

—Eso creo.

—¿Así que lo único que relaciona este cuchillo con Jacob es ese chico confundido, Derek Yoo?

Ella no contestó. Logiudice protestó precipitadamente. No importó.

—Nada más, Señoría.

33

Padre O'Leary

Yo tenía la impresión de que el caso se estaba convirtiendo en un tema cerrado, pero seguía siendo optimista. Logiudice esperaba sacar un as de la manga: conseguir una combinación ganadora a partir de una mala mano de cartas. La realidad es que no tenía alternativa. Tenía malas cartas. No tenía ese as, una prueba tan irrefutable que *exigiera* un veredicto de culpabilidad del jurado. Su última esperanza era una serie de testigos escogidos entre los compañeros de clase de Jacob. Para mí era inimaginable que ninguno de los chicos del McCormick inspirara ese grado de respeto al jurado.

Jacob se sentía como yo, y lo pasamos en grande ridiculizando los argumentos de Logiudice, tranquilizándonos a nosotros mismos porque todas las cartas que sacaba eran malas. Esa salida de Jonathan sobre la «ausencia de prueba» y el rapapolvo que se llevó Logiudice por sacar el tema del gen asesino nos tenían especialmente encantados. No pretendo sugerir que Jacob no estaba muerto de miedo. Lo estaba. Todos lo estábamos. Simplemente la ansiedad de Jacob se manifestaba en forma de desafío y arrogancia. La mía también. Yo me sentía agresivo, todo adrenalina y testosterona. Era un motor de carreras al ralentí. La cercanía de una catástrofe tan inmensa como un veredicto de culpabilidad agudizaba cualquier sensación.

Laurie estaba mucho más decaída. Ella asumía que, en caso de empate, el jurado creería que su deber era condenar. No correrían riesgos. Encerrarían sin más a ese niño-monstruo, protegerían a todos los demás críos inocentes, y acabarían con aquello. Suponía también que el jurado querría ver cómo colgaban a alguien por el asesinato de Ben Rifkin. Cualquier otra solución significaría que no se había hecho justicia. Si finalmente el cuello que colgaba de la soga era el de Jacob, lo asumirían. En todo aquel catastrofismo de Laurie, yo detecté indicios de algo más sombrío, pero no me atreví a planteárselo a ella. Algunos sentimientos es mejor que no afloren. Hay cosas que una madre nunca debería verse obligada a decir sobre su hijo, aunque las crea.

De modo que aquella noche declaramos una tregua. Decidimos dejar de repasar hasta la saciedad el testimonio forense que habíamos oído ese día. No hablar más de restos de sangre, ni de ángulos de entrada del cuchillo y todo eso. En lugar de eso, nos sentamos en el sofá y vimos la televisión satisfechos con el silencio. Cuando Laurie subió a acostarse alrededor de las diez, yo tuve la vaga idea de seguirla. En otro tiempo lo habría hecho. Mi libido me habría arrastrado escaleras arriba como la correa de un gran danés. Pero aquello se había terminado. El interés de Laurie por el sexo había desaparecido, y para mí era impensable tumbarme a dormir a su lado, ni dormir en cualquier caso. De todas formas, cuando llegara el momento, alguien tenía que apagar la televisión y decirle a Jacob que se fuera a la cama; si no no se acostaría hasta las dos.

Justo después de las once —acababa de aparecer en pantalla Jon Stewart — Jake dijo:

—Ahí está otra vez.

—¿Quién?

—El tipo del cigarrillo.

Yo atisbé entre las persianas de madera de la sala.

El Lincoln Town Car estaba al otro lado de la calle. Aparcado con un descaro total en la acera de enfrente, justo delante de nuestra casa, debajo de una farola. La ventanilla tenía una rendija abierta para que el conductor pudiera tirar la ceniza del cigarrillo a la calle.

Jacob dijo:

—¿No deberíamos llamar a la policía?

—No. Ya me ocuparé yo.

Rebusqué en el armario del vestíbulo donde guardábamos los abrigos y saqué un bate de béisbol que llevaba años allí embutido entre los paraguas y las botas, donde Jacob debía de haberlo dejado en cuanto se terminó la Liga Infantil. Era de aluminio, un Louisville Slugger rojo, de tamaño infantil.

—A lo mejor no es buena idea, papá.

—Es una idea fantástica, créeme.

Cuando lo pienso ahora, admito que de hecho la idea no era fantástica. Yo no era consciente del perjuicio que podía suponer para nuestra imagen pública, ni para la de Jacob. Creo que tenía la vaga idea de asustar al Hombre del Cigarrillo sin hacerle daño de verdad. Es más, me sentía capaz de atravesar una pared y tenía ganas de hacer *algo* de una vez. No estoy seguro de hasta dónde pretendía llegar, sinceramente. El hecho es que nunca tuve la oportunidad de averiguarlo.

Cuando llegué a la acera de enfrente, un coche de la policía sin identificar —un Ford Interceptor negro— se colocó a toda velocidad entre ambos. Fue como si surgiera de la nada, e iluminó la calle con sus intermitentes y sus luces azules. El coche de policía aparcó en diagonal delante del Lincoln, bloqueándole la salida.

Y apareció Paul Duffy vestido de paisano, salvo por un chaleco de uniforme y la insignia sujeta al cinturón. Me miró —me parece que a esas alturas yo ya había dejado caer el bate, al menos, aunque de todas formas debía de tener un aspecto ridículo— y arqueó las cejas.

—Vuelve a entrar en casa, Babe Ruth.*

No me moví. Estaba tan atónito, y mis sentimientos en relación con Duffy eran tan confusos en aquel momento, que en realidad era incapaz de escucharle.

Duffy no me hizo el menor caso y se acercó al Lincoln.

La ventanilla del conductor se abrió con un zumbido eléctrico, y el conductor preguntó:

—¿Pasa algo?

—Papeles, por favor.

—Tengo derecho a estar sentado en mi coche, ¿no?

—¿Se niega usted a enseñarme su documentación, señor?

—Yo no me niego a nada. Solo quiero saber por qué me molesta. Solo estoy sentado aquí ocupándome de mis asuntos en una calle pública.

Pero el conductor cedió. Se metió el cigarrillo en la boca e inclinó el cuerpo para poder sacar la cartera de debajo de su trasero. Cuando Duffy cogió el permiso de conducir y volvió a su coche, el tipo me miró por debajo de la visera de la boina y dijo:

—¿Cómo te va, tío?

No contesté.

---

* Uno de los jugadores de béisbol profesional más populares de la historia.

—¿Todo bien contigo y tu familia?

Yo continué impasible.

—Es bueno tener familia.

Yo seguí sin contestar, y el tío volvió a fumarse el cigarrillo con exagerada indiferencia.

Duffy salió del coche policial otra vez y le entregó al tipo el permiso y los papeles de la matrícula.

Duffy:

—¿Usted estuvo aparcado aquí la otra noche?

—No, señor. Yo no sé nada de eso.

—¿Por qué no se marcha, señor O'Leary? Buenas noches. No vuelva por aquí.

—Esta calle es pública, ¿no?

—Para usted no.

—De acuerdo, agente. —Volvió a inclinarse hacia delante y gruñó mientras se metía la cartera en el bolsillo de atrás—. Perdone. Soy lento. Me hago viejo. Eso le pasa a todo el mundo, ¿verdad? —Sonrió a Duffy y luego a mí—. Que pasen una buena noche, caballeros. —Se colocó el cinturón sobre el pecho y lo abrochó con mucha parsimonia—. O te lo abrochas o te multan —dijo—. Agente, me temo que tendrá que mover su coche. Me está interceptando el paso.

Duffy subió al coche y lo apartó un poco.

—Buenas noches, señor Barber —dijo el hombre, y se alejó despacio.

Duffy se colocó a mi lado.

Yo dije:

—¿Quieres decirme de qué iba todo esto?

—Creo que hemos de hablar.

—¿Quieres pasar?

—Mira, Andy, comprendo que no me quieras cerca, ni en tu casa, y todo eso. No pasa nada. Podemos hablar aquí.

—No. No hay problema. Entra.

—Preferiría...

—Te digo que no pasa nada, Duff.

Frunció el ceño.

—¿Laurie está levantada?

—¿Te da miedo enfrentarte a ella?

—Sí.

—Pero no te dará miedo enfrentarte a mí...

—No me emociona demasiado, la verdad.

—Vale, no te preocupes. Creo que duerme.

—¿Te importa si me quedo con esto?

Le entregué el bate.

—¿De verdad pensabas utilizarlo?

—Tengo derecho a permanecer en silencio.

—Seguramente es buen momento para hacerlo.

Tiró el bate dentro de su coche y entró conmigo.

Laurie estaba en lo alto de la escalera con pantalones de pijama, una sudadera, y los brazos cruzados. No dijo nada.

Duffy dijo:

—Hola, Laurie.

Ella se dio la vuelta y volvió a la cama.

—Hola, Jacob.

—Hola —dijo Jacob, reprimiendo por educación y por costumbre cualquier sentimiento de rabia o traición.

En la cocina le pregunté qué estaba haciendo en la puerta de nuestra casa.

—Me telefoneó tu abogado. Me dijo que no encontraba ni rastro del coche ni en Newton ni en Cambridge.

—¿Así que te llamó a ti? Yo creía que ahora estabas en relaciones públicas.

—Sí, bueno, esto lo hago como una especie de proyecto personal.

Asentí. En aquel momento no sabía qué opinar sobre Paul Duffy. Supongo que comprendía que hizo lo que tenía que hacer cuando declaró contra Jacob. No podía considerarle mi enemigo. Pero tampoco volveríamos a ser amigos nunca. Si mi hijo acababa en Walpole con la perpetua y sin libertad condicional, sería Duffy quien le habría metido allí. Eso lo sabíamos los dos. Ninguno era capaz de encontrar palabras para hablar abiertamente de aquello, de manera que lo ignoramos. Eso es lo mejor de la amistad entre hombres: casi todas las cuestiones incómodas se ignoran de mutuo acuerdo, por lo que una conexión auténtica es algo inimaginable y puedes seguir adelante dedicándote a temas más fáciles, en paralelo.

—¿Y quién es?

—Se llama James O'Leary. Le llaman padre O'Leary. Nació en febrero de 1943, así que tiene sesenta y cuatro años.

—Más bien abuelo O'Leary.

—No le tomes a broma. Es un antiguo gánster. Está fichado desde hace cincuenta años y su ficha parece el código penal: hay de todo. Armas, drogas violencia. En los ochenta los federales le detuvieron con un grupo de tíos, y le acusaron de crimen organizado pero ganó. Según me han dicho era un tipo musculoso. Un matón. Ahora ya es demasiado viejo.

—¿Y qué hace ahora?

—Es un factótum. Ofrece sus servicios, pero solo asuntos de poca monta. Consigue que los problemas desaparezcan. Cualquier cosa que necesites, cobros, desalojos, cerrarle la boca a alguien.

—Padre O'Leary. ¿Y qué tiene contra Jacob?

—Nada, estoy seguro de ello. La cuestión es quién le paga y para qué.

—¿Y?

Duffy se encogió de hombros.

—No tengo ni idea. Debe de ser alguien que tiene algo contra Jacob. En este momento ese grupo es numeroso: cualquiera que conociera a Ben Rifkin, cualquiera que esté indignado con este caso; caray, cualquiera que esté mínimamente relacionado.

—Estupendo. ¿Y qué hago si le vuelvo a ver?

—Cruzas la calle. Luego me llamas.

—¿Enviarás al departamento de relaciones públicas?

—Enviaré a la 82 aerotransportada si es necesario.

Sonreí.

—Todavía tengo algunos amigos —me aseguró.

—¿Te dejarán volver a la CPAC?

—Depende. Veremos si Rasputín se lo permite cuando sea fiscal del distrito.

—Todavía necesita atrapar a un pez gordo antes de presentarse a fiscal del distrito.

—Sí, esa es la otra cuestión: no lo conseguirá.

—¿No?

—No. He estado investigando a tu amigo Patz.

—¿Porque salió su nombre cuando te interrogaron?

—Por eso, y porque recuerdo que tú preguntaste sobre Patz y Logiudice, sobre si había alguna relación entre ellos. ¿Por qué Logiudice no quería investigarle por este asesinato?

—¿Y?

—Bien, puede que no sea nada, pero existe una relación. Logiudice tuvo un caso con él cuando estaba en la Unidad contra el Abuso Infantil. Hubo una violación. Logiudice lo redujo a un delito de acoso sexual con una pena mínima.

—¿Y?

—Puede que no sea nada. Quizás la víctima se echó atrás o no era capaz de seguir adelante por la razón que fuera, y Logiudice cumplió con su deber. O quizás se equivocó al desestimar la acusación. Pero es algo que no queda demasiado bien en un cartel de propaganda electoral. —Se encogió de hombros—. Yo no tengo acceso a los archivos de la fiscalía del distrito. No podía ir más allá sin llamar la atención sobre lo que estaba haciendo. Oye, no es mucho, pero algo es.

—Gracias.

—Sí, ya veremos —murmuró—. No importa demasiado si es verdad o no, ¿no crees? Basta con que menciones algo así en el tribunal y confundas un poco al jurado, ¿sabes lo que quiero decir?

—Sí, se lo que quieres decir, Perry Mason.

—Y si Logiudice se cae con todo el equipo, mejor que mejor, ¿no?

Sonreí.

—Sí.

—Andy, ya sabes que lo siento.

—Lo sé.

—A veces este trabajo es una mierda.

Nos quedamos mirándonos unos segundos.

—De acuerdo —dijo—. Bien, dejaré que te vayas a dormir. Mañana es un día importante. ¿Quieres que me quede sentado aquí fuera por si tu amigo vuelve?

—No. Gracias. No nos pasará nada, creo.

—De acuerdo. Pues ya nos veremos, supongo.

Veinte minutos después, antes de meterme en la cama, levanté la persiana del dormitorio para atisbar la calle. El coche negro de la policía seguía allí, tal como había pensado.

34

Jacob estaba loco

Sexto día del juicio.

Cuando el juicio empezó a la mañana siguiente, el padre O'Leary estaba entre el público, al final de la sala.

Laurie, visiblemente agotada y abatida, estaba sola en su puesto de la primera fila de la tribuna.

Logiudice, con su confianza a flote gracias a las actuaciones de una serie de testigos profesionales, se movía con cierta arrogancia. Los juicios tienen la peculiaridad de que, aunque el testigo sea claramente la estrella, el abogado que hace las preguntas es el único que puede pasearse a su antojo por la sala. Los buenos abogados tienden a no moverse demasiado, ya que quieren que los miembros del jurado mantengan la vista fija en el testigo. Pero, por lo visto, Logiudice no conseguía estar cómodo en ningún sitio, porque revoloteaba del estrado de los testigos a la tribuna del jurado, y entre la mesa del fiscal y diversos puntos, hasta que finalmente se posaba en el atril. Supongo que le ponían nervioso los testigos civiles programados aquel día, compañeros de clase de Jacob: no estaba dispuesto a permitir que esos testigos aficionados le robaran el caso como habían hecho los últimos.

En la tribuna estaba Derek Yoo. Derek, que había comido en nuestra cocina miles de veces, que había visto partidos de fútbol tumbado en nuestro sofá desparramando los Doritos por la alfombra. Derek, que había saltado por la sala cuando jugaba a GameCube y a la Wii con Jacob. Derek, que se había pasado horas cabeceando de placer, seguramente colocado, mientras seguía el ritmo de su iPod, y Jacob, a su lado, hacía lo mismo, con el volumen tan alto que nosotros oíamos el murmullo de la música que salía de sus auriculares. Como si oyéramos sus pensamientos. Ahora, al ver a ese mismo Derek Yoo en el estrado, con ese pelo eternamente despeinado de grupo musical de garaje y esa expresión de zángano medio dormido, que amenazaba con enviar a mi hijo a Walpole de por vida, me habría encantado despellejarle vivo. Derek se había puesto para la ocasión una chaqueta deportiva de pata de gallo que le caía sobre los hombros estrechos. El cuello de la camisa también le venía grande. La corbata ajustada, arrugada y torcida, colgaba de su cuello escuálido como una horca inminente.

—¿Cuánto hace que conoces al acusado, Derek?

—Creo que desde el parvulario.

—¿Fuisteis juntos a la escuela primaria?

—Sí.

—¿Dónde fue eso?

—Mason-Rice, en Newton.

—¿Y desde entonces sois amigos?

—Sí.

—¿Buenos amigos?

—Supongo. A veces.

—¿Habéis estado uno en casa del otro?

—Sí.

—¿Salíais por ahí juntos después de clase y los fines de semana?

—Sí.

—¿Habéis estado en la misma aula?

—A veces.

—¿Cuándo fue la última vez?

—El curso pasado, no. Este año Jacob no viene al colegio. Me parece que tiene un profesor particular. O sea que hace dos años.

—Pero incluso en los años que no compartisteis aula, ¿seguisteis siendo buenos amigos?

—Sí.

—Entonces, ¿cuántos años hace que sois buenos amigos?

—Ocho.

—Ocho. ¿Y tú cuántos años tienes?

—Tengo quince años.

—¿Es apropiado decir que el día que Ben Rifkin fue asesinado, 12 de abril de 2007, Jacob Barber era tu mejor amigo?

Derek se quedó callado. Pensar en aquello le entristecía o le avergonzaba.

—Sí.

—De acuerdo. Ahora concéntrate en la mañana del 12 de abril de 2007, ¿recuerdas dónde estabas aquella mañana?

—En el colegio.

—¿Sobre qué hora llegaste al colegio?

—A las ocho y media.

—¿Cómo fuiste al colegio aquel día?

—A pie.

—¿Pasaste por Cold Spring Park?

—No, yo vengo de la dirección contraria.

—Muy bien. Cuando llegaste al colegio, ¿adónde fuiste?

—Me paré en la taquilla para guardar mis cosas y luego fui al aula.

—Y el acusado no estaba en tu aula ese año, ¿verdad?

—Así es.

—¿Le viste aquella mañana antes de ir al aula?

—Sí, le vi en las taquillas.

—¿Qué estaba haciendo?

—Simplemente estaba metiendo sus cosas en su taquilla.

—¿Había algo raro en su aspecto?

—No.

—¿En la ropa?

—No.

—¿Tenía algo en la mano?

—Tenía una mancha grande. Parecía sangre.

—Describe la mancha.

—Era, bueno, como una mancha roja, como una moneda de un cuarto de dólar.

—¿Le preguntaste por eso?

—Sí. Le dije: «Tío, ¿qué te has hecho en la mano?» y él dijo algo así como: «Ah, no es nada. Una rascada».

—¿Viste al acusado limpiarse la sangre?

—En ese momento no.

—¿Negó él que la mancha que tenía en la mano fuera sangre?

—No.

—De acuerdo, ¿qué pasó después?

—Me fui al aula.

—¿Ben Rifkin estaba en tu aula ese año?

—Sí.

—Pero aquella mañana no estaba en el aula.

—No.

—¿Eso te pareció raro?

—No. No sé ni si me di cuenta. Supongo que habría pensado que estaba enfermo.

—¿Y qué pasó en el aula?

—Nada. Lo normal: pasaron lista, dieron algunos avisos y luego nos fuimos a clase.

—¿Qué clase tenías primero ese día?

—Inglés.

—¿Fuiste?

—Sí.

—¿Estaba el acusado en tu clase de inglés?

—Sí.

—¿Le viste en la sala de clase aquel día?

—Sí.

—¿Hablaste con él?

—Nos saludamos y ya está.

—¿Había algo raro en la actitud del acusado o en algo que dijo?

—No, la verdad es que no.

—No parecía alterado.

—No.

—¿Algo raro en su aspecto?

—No.

—¿No tenía sangre en la ropa, ni nada parecido?

—Protesto.

—Se acepta.

—¿Podrías describir el aspecto del acusado cuando le viste en clase de inglés aquella mañana?

—Creo que llevaba como ropa normal: vaqueros, deportivas, eso. No tenía sangre en la ropa, si es lo que quiere decir.

—¿Y en las manos?

—La mancha ya no estaba.

—¿Se había lavado las manos?

—Supongo.

—¿Tenía algún corte o rascada en las manos? ¿Algún motivo para que hubiera sangrado?

—Que yo recuerde, no. La verdad es que no me fijé mucho. En aquel momento no era importante.

—De acuerdo. ¿Qué pasó después?

—Tuvimos clase de inglés durante unos quince minutos, y luego nos avisaron de un bloqueo de emergencia en la escuela.

—¿Qué es un bloqueo de emergencia?

—Es cuando has de volver al aula y pasan lista y cierran todas las puertas y todo el mundo se tiene que quedar allí.

—¿Tú sabes por qué se produce un bloqueo de emergencia en la escuela?

—Porque hay algún peligro.

—¿Qué pensaste cuando oíste que el colegio aplicaba un bloqueo de emergencia?

—Columbine.

—¿Creíste que había alguien armado en el colegio?

—Sí.

—¿Tenías idea de quién podía ser?

—No.

—¿Tenías miedo?

—Sí, claro. Como todo el mundo.

—¿Recuerdas cómo reaccionó el acusado cuando el director anunció el bloqueo?

—No dijo nada. Hizo como una sonrisita. No pasó mucho tiempo. En cuanto lo oímos, todo el mundo echó a correr.

—¿El acusado parecía nervioso o asustado?

—No.

—¿Alguno de vosotros sabía de qué iba el bloqueo en aquel momento?

—No.

—¿Alguien lo relacionó con Ben Rifkin?

—No. Quiero decir que nos lo contaron aquella mañana, más tarde, pero al principio no.

—¿Qué pasó después?

—Nos quedamos en las aulas con las puertas cerradas. Luego anunciaron por el altavoz que no había ningún peligro, que no había armas ni nada, así que los profesores abrieron la puerta y nos quedamos allí, esperando. Era como un simulacro o algo así.

—¿Habías hecho un simulacro de bloqueo anteriormente?

—Sí.

—¿Qué pasó después?

—Nos quedamos allí. Nos dijeron que sacáramos los libros y leyéramos o hiciéramos los deberes o lo que fuera. Después suspendieron las clases del día y nos fuimos a casa hacia las once.

—¿Nadie te hizo preguntas ni a ti, ni a los demás estudiantes?

—No, ese día no.

—¿Nadie registró el colegio o las taquillas de ningún estudiante?

—Que yo viera, no.

—Así que cuando suspendieron las clases y saliste por fin del aula, ¿qué viste?

—Fuera del colegio había un montón de padres esperando para recoger a sus hijos. Todos los padres vinieron al colegio a buscarnos.

—¿Cuándo volviste a ver al acusado?

—Me parece que aquella tarde nos mandamos SMS.

—Cuando dices mandarse SMS, ¿quieres decir que intercambiasteis mensajes de texto en los teléfonos móviles?

—Sí.

—¿De qué hablasteis?

—Bueno, a esas alturas todos sabíamos que habían matado a Ben. No sabíamos exactamente qué pasaba ni nada. Así que los dos estábamos en plan «¿Te has enterado de algo? ¿Qué has oído? ¿Qué pasa?».

—¿Y que te dijo el acusado?

—Bueno, yo estaba en plan como «Tío, ¿tú no pasas por ahí para ir al colegio? ¿Viste algo?». Y Jake simplemente dijo que no.

—¿Dijo que no?

—Eso.

—¿No dijo que había visto a Ben tirado en el suelo y que trató de revivirle o de ver si le pasaba algo?

—No.

—¿Qué más dijo en esos mensajes?

—Bueno, hicimos broma porque Ben llevaba un tiempo metiéndose con Jacob. Así que estábamos en plan «Podía haberle pasado a un tío más simpático» y «Tus deseos se han cumplido» y cosas así. Ya sé que suena muy mal, pero solo eran como bromas.

—Describe a qué te refieres cuando dices que Ben Rifkin había estado metiéndose con Jacob. ¿Qué había estado pasando entre ellos dos?

—Ben era como..., estaba en un grupo diferente. Era como... No quiero decir cosas malas sobre él después de lo que pasó y todo eso, pero no era muy simpático ni con Jake ni conmigo, ni con nadie de nuestro grupo.

—¿Quién estaba en ese grupo?

—Solo éramos yo, Jake y ese otro chico, Dylan.

—¿Y cómo era vuestro grupo? ¿Tú de qué tenías fama en el colegio?

—Éramos bichos raros. —Derek lo dijo sin vergüenza ni resentimiento. No le molestaba. Simplemente era así.

—Y Ben, ¿cómo era?

—No sé. Era guapo.

—¿Era guapo?

Derek se ruborizó.

—No sé. Simplemente estaba en un grupo distinto al nuestro.

—¿Tú eras amigo de Ben Rifkin?

—No. Quiero decir que le conocía, en plan de saludarle, pero no éramos amigos.

—Pero ¿contigo no se metió nunca?

—No sé. Seguramente me llamaba marica o algo. Yo no lo llamaría acoso ni nada. Alguien te llama marica, y es como..., no importa. No era para tanto.

—¿Ben utilizaba otros insultos con los demás?

—Sí.

—¿Como cuáles?

—No sé, marica, cretino, guarra, puta, perdedor, lo que sea. Él era así, hablaba así.

—¿Con todo el mundo?

—No, con todo el mundo no. Solo con los chicos que no le gustaban. Los chicos que no molaban.

—¿Jacob molaba?

Amago de sonrisa.

—No. Ninguno de nosotros molaba.

—¿A Ben le caía bien Jacob?

—No. Claramente no.

—¿Por qué no?

—Pues porque no.

—¿Sin ningún motivo? ¿Tenían algún asunto pendiente? ¿Algo concreto?

—No. Era solo que Ben pensaba que Jake no molaba. Ninguno de nosotros molaba. Se metía con todos.

—Pero ¿era peor con Jacob que contigo o con Dylan?

—Sí.

—¿Por qué?

—Supongo que veía que a Jake le afectaba. Ya le he dicho que a mí, si alguien me llama marica o cretino o lo que sea, ¿qué le voy a hacer? Así que yo no contestaba. Pero Jake se indignaba, así que Ben seguía haciéndolo.

—¿Haciendo qué?

—Insultándole.

—¿Qué tipo de insultos?

—Marica, sobre todo. Y otras cosas, cosas peores.

—¿Qué cosas peores? Venga. Puedes decirlo.

—Básicamente decía que era gay. No paraba de preguntarle a Jacob si había hecho cosas de gays. No paraba de repetirlo y repetirlo y repetirlo.

—¿Qué repetía?

Derek suspiró profundamente.

—No sé si puedo decir esas palabras.

—No pasa nada. Venga.

—Decía algo así como: «¿Le has mamado a alguien la...?». La verdad es que no quiero decirlo. Eran cosas así. No paraba.

—¿En la escuela había alguien que creyera realmente que Jacob era gay?

—Protesto.

—Denegada.

—No. Quiero decir, no creo. De todos modos, no creo que le importara a nadie. A mí no me importa. —Miró a Jacob—. Sigue sin importarme.

—¿Jacob te dijo alguna vez si era gay o no?

—Me dijo que no lo era.

—¿En qué contexto? ¿Por qué te dijo eso?

—Porque yo le decía, en plan, que ignorara a Ben. Le decía cosas tipo: «Eh, Jake, si no eres gay, ¿qué más te da?». Y él decía que no lo era, y que la cuestión no era que fuese gay o no; la cuestión era que Ben le tiraba mierda encima, se metía con él, quiero decir, y que cuánto tenía que durar eso para que alguien hiciera algo para pararlo. Él simplemente sabía que aquello no estaba bien y que nadie hacía nada para impedirlo.

—¿Así que Jacob estaba afectado por eso?

—Sí.

—¿Sentía que le acosaban?

—*Le* acosaban.

—¿Tú interviniste para intentar que Ben dejara de acosar a tu amigo?

—No.

—¿Por qué no?

—Porque no habría conseguido nada. Ben no me habría hecho caso. No funciona así.

—¿El acoso era solamente verbal? ¿O alguna vez llegó a ser físico?

—A veces Ben le daba patadas o empujones al pasar, tipo golpes en el hombro. A veces le cogía cosas a Jake, como cosas de la mochila o la comida o lo que sea.

—A ver, el acusado parece un tipo grande. ¿Cómo podía Ben meterse con él sin que le pasara nada?

—Ben también era grande, y bastante duro. Y tenía más amigos. Yo creo que nosotros, todos, Jake y Dylan y yo, en el fondo sabíamos que no éramos importantes. Quiero decir, no sé, es raro. Es difícil de explicar. En fin que si todo hubiera acabado en una pelea de verdad con Ben, simplemente nos habrían marginado.

—Socialmente quieres decir.

—Sí. ¿Y qué pasaría entonces en la escuela si estábamos como solos?

—¿Ben les hacía esas cosas a otros chicos, o solo a Jacob?

—Solo a Jacob.

—¿Tienes idea de por qué?

—Porque sabía que Jacob se ponía como una fiera.

—Tú veías que se ponía como una fiera.

—Todos lo veían.

—¿Jacob se enfadaba mucho?

—¿Con Ben? Claro.

—¿Y con otras cosas también?

—Sí, un poco.

—Háblanos del genio de Jacob.

—Protesto.

—Denegada.

—Continúa, Derek, háblanos del genio de Jacob.

—Pues se enfadaba muchísimo por las cosas. Se comía la cabeza y no podía dejarlo estar. Se calentaba por dentro y entonces a veces explotaba por alguna cosa sin importancia. Después siempre se quedaba mal y le daba vergüenza, porque era como si siempre reaccionara de forma exagerada, porque nunca era solo por lo que le había hecho explotar. Eran todas esas otras cosas en las que había estado pensando.

—¿Y tú cómo sabes eso?

—Porque me lo dijo él.

—¿Alguna vez perdió los nervios contigo?

—No.

—¿Alguna vez perdió los nervios delante de ti?

—Sí, a veces se ponía un poco en plan psicópata.

—Protesto.

—Se acepta. El jurado ignorará ese último comentario.

—Derek, ¿podrías describir alguna vez en que el acusado perdió los nervios?

—Protesto, no es relevante.

—Se acepta.

—Derek, ¿podrías explicarle al tribunal qué pasó cuando el acusado encontró un perro perdido?

—Protesto, no es relevante.

—Pase a otra cosa, señor Logiudice.

Logiudice hizo una mueca. Echó un vistazo a una página de su cuaderno, una página de preguntas que dejó a un lado. Empezó otra vez a pasearse inquieto por la sala de juicio mientras hacía sus preguntas, como un pájaro al que han apartado de su percha, hasta que por fin volvió a su puesto en el atril, cerca del jurado.

—Por la razón que fuera, en los días posteriores al asesinato de Ben Rifkin, ¿empezó a preocuparte el papel que tu amigo Jacob tuvo en él?

—Protesto.

—Denegada.

—Puedes contestar, Derek.

—Sí.

—¿Había algo en particular, aparte de su mal genio, que te hiciera sospechar de Jacob?

—Sí. Tenía un cuchillo. Era una especie de cuchillo militar, como un cuchillo de combate. Tenía esa hoja tan afilada, con todos esos... *dientes.* Era un cuchillo que daba miedo, de verdad.

—¿Tú viste personalmente el cuchillo?

—Sí. Jake me lo enseñó. Incluso lo llevó al colegio una vez.

—¿Por qué lo llevó al colegio?

—Protesto.

—Se acepta.

—¿Te enseñó el cuchillo en el colegio una vez?

—Sí, me lo enseñó.

—¿Te dijo por qué te lo estaba enseñando?

—No.

—¿Te dijo por qué quería un cuchillo?

—Creo que simplemente pensaba que molaba.

—¿Y cómo reaccionaste tú cuando viste el cuchillo?

—Le dije algo como: «Tío, esto mola».

—¿Te incomodó?

—No.

—¿Te preocupó?

—No, entonces no.

—¿Estaba Ben Rifkin cerca cuando Jacob sacó el cuchillo ese día?

—No. Nadie sabía que Jacob tenía el cuchillo. Esa era la cuestión. Simplemente se paseaba por ahí con él. Era como que Jake tenía un secreto.

—¿Dónde llevaba el cuchillo?

—En la mochila o en el bolsillo.

—¿Se lo enseñó alguna vez a alguien más o amenazó a alguien con él?

—No.

—Muy bien, o sea que Jacob tenía un cuchillo. ¿Hubo algo más que te hizo sospechar de Jacob en las horas y días posteriores al asesinato de Ben Rifkin?

—Bueno, ya he dicho que al principio nadie sabía qué había pasado. Después nos enteramos de que a Ben le habían matado con un cuchillo en Cold Spring Park, y supongo que lo supe.

—¿Supiste qué?

—Supe..., quiero decir, intuí que seguramente lo había hecho él.

—Protesto.

—Se acepta. El jurado no tendrá en cuenta la respuesta.

—¿Cómo supiste que Jacob...?

—Protesto.

—Se acepta. A otra cosa, señor Logiudice.

Logiudice hizo una mueca y recondujo su argumento.

—¿Jacob te habló alguna vez de una página web llamada la Sala de Montaje?

—Es una especie de página porno, más o menos, pero solo son relatos y cualquiera puede escribirlos y colgarlos allí.

—¿Qué tipo de relatos?

—Tipo sadomaso, supongo. La verdad es que no lo sé. Es como sexo y violencia.

—¿Jacob hablaba a menudo de esa página web?

—Sí, creo que le gustaba. Solía entrar mucho ahí.

—¿Tú entraste ahí?

Avergonzado, ruborizado.

—No, a mí no me gustaba.

—¿Te molestaba que Jacob entrara ahí?

—No. Es asunto suyo.

—¿Jacob te enseñó alguna vez un relato de la Sala de Montaje que describía el asesinato de Ben Rifkin?

—Sí.

—¿Cuándo te enseñó Jacob ese relato?

—Creo que a finales de abril, me parece.

—¿Después del asesinato?

—Sí, pocos días después.

—¿Qué te dijo sobre aquello?

—Solo que tenía esa historia que había escrito y colgado en el foro.

—¿Quieres decir que la colgó en la red para que la leyeran otras personas?

—Sí.

—¿Y tú la leíste?

—Sí.

—¿Cómo la encontraste?

—Jacob me envió un *link*?

—¿Cómo? ¿Por e-mail? ¿Facebook?

—¿Facebook? ¡No! Cualquiera hubiera podido verlo. Creo que fue por e-mail, y yo entré en la página y la leí.

—¿Y qué pensaste de esa historia cuando la leíste por primera vez?

—No sé. Pensé que era raro que él la escribiera pero que era interesante, supongo. Jacob siempre ha escrito muy bien.

—¿Escribió otras historias como esa?

—No, no exactamente. Escribió otras que eran como...

—Protesto.

—Se acepta. Siguiente pregunta.

Logiudice sacó un documento impreso con láser por ambas caras, con mucho texto. Lo dejó sobre la tribuna de testigos, frente a Derek.

—¿Es esta la historia que el acusado te dijo que había escrito?

—Sí.

—¿Esta impresión reproduce exactamente la historia tal como tú la leíste aquel día?

—Sí, supongo.

—Solicito que el documento se admita como prueba.

—Se admite el documento y se clasifica como Prueba de la Fiscalía.... ¿Mary?

—Prueba de la Fiscalía número veintiséis.

—¿Cómo sabes con seguridad que el acusado escribió este relato?

—¿Por qué iba a decirlo si no era verdad?

—¿Y qué tenía el relato que hizo que te preocuparas por la relación de Jacob con el asesinato de Rifkin?

—Era como una descripción total, con todos los pequeños detalles. Describía el cuchillo, las puñaladas en el pecho, todo. Incluso el personaje, el chico al que apuñalan..., en el relato Jacob le llama «Brent Mallis», pero está claro que es Ben Rifkin. Cualquiera que conociera a Ben lo vería. No era solo ficción. Eso era evidente.

—¿Tus amigos y tú intercambiáis mensajes en Facebook alguna vez?

—Sí, claro.

—Y el 15 de abril de 2007, tres días después de que asesinaran a Ben Rifkin, tú colgaste un mensaje en Facebook que decía: «Jake, todo el mundo sabe que fuiste tú. Tú tienes un cuchillo. Yo lo he visto».

—Sí.

—¿Por qué colgaste ese mensaje?

—Porque no quería ser el único que sabía lo del cuchillo. Era como que no quería quedarme solo sabiendo aquello.

—Cuando colgaste ese mensaje en Facebook acusando a tu amigo, ¿él te contestó?

—No le estaba acusando, en realidad. Solo tenía ganas de decirlo.

—¿El acusado te contestó de algún modo?

—No sé lo que quiere decir. O sea, él escribió en Facebook, pero no contestando a eso.

—Bien, ¿negó él alguna vez que había asesinado a Ben Rifkin?

—No.

—¿Después de que tú publicaras esa acusación en Facebook, y lo viera toda la clase?

—Yo no lo *publiqué.* Solo lo puse en Facebook.

—¿Negó él la acusación en algún momento?

—No.

—¿Le acusaste tú directamente, a la cara?

—No.

—Antes de ver ese relato de la Sala de Montaje, ¿comunicaste en algún momento tus sospechas sobre Jacob a la policía?

—No exactamente.

—¿Por qué no?

—Porque no estaba seguro del todo. Además el policía responsable del caso era el padre de Jacob.

—¿Y qué pensaste cuando te diste cuenta de que era el padre de Jacob quien llevaba el caso?

—Pro-tes-to —La voz de Jonathan tenía tono de fastidio.

—Se acepta.

—Derek, una última pregunta. Fuiste tú quien fue a la policía para comunicarles esta información, ¿verdad? ¿Nadie había venido a preguntarte?

—Eso es.

—¿Sentiste que tenías que entregar a tu mejor amigo?

—Sí.

—No hay más preguntas.

Jonathan se levantó. Cualquiera habría dicho que lo que acababa de oír no le había inmutado. Y yo sabía que su contrainterrogatorio sería valiente. Pero era obvio que algo había cambiado en la sala del tribunal. Había electricidad en el ambiente. Era como si todos acabáramos de decidir algo. Estaba escrito en las caras de los miembros del jurado y del juez French, se oía en el silencio sepulcral del público: Jacob no saldría de aquel tribunal por su propio pie, por la puerta principal no, en cualquier caso. Dicha excitación era una mezcla de alivio —finalmente todo el mundo había resuelto sus dudas sobre si había sido Jacob y sobre si saldría libre— y una palpable ansia de venganza. El resto del juicio solo serían detalles, formalidades, intentos de atar cabos sueltos. Incluso mi amigo Ernie, el funcionario del tribunal, miraba a Jacob con desconfianza, pensando cómo reaccionaría a las esposas. Pero Jonathan parecía ajeno a ese descenso de presión ambiental. Se acercó al atril, se puso las gafas de media luna que llevaba colgadas alrededor del cuello con una cadena y empezó a desmontar pieza por pieza.

—¿Estas cosas que nos has contado te incomodaban, pero no tanto como para romper tu amistad con Jacob?

—No.

—De hecho, los dos seguisteis siendo amigos durante días e incluso semanas después del asesinato, ¿es así?

—Sí.

—De manera que se puede decir que en aquel momento no estabas muy convencido de que Jacob fuera realmente el asesino.

—Sí, es verdad.

—Porque tú no querrías seguir siendo amigo de un asesino, ¿no?

—No, supongo que no.

—Incluso después de haber colgado ese mensaje en Facebook acusando a Jacob del asesinato, ¿*seguiste* siendo amigo suyo? ¿Seguisteis en contacto, seguisteis saliendo por ahí?

—Sí.

—¿Alguna vez tuviste miedo de Jacob?

—No.

—¿Él te amenazó o te asustó alguna vez? ¿O explotó contigo?

—No.

—¿No es verdad que fueron tus padres quienes te dijeron

que no podías seguir siendo amigo de Jacob, que tú *nunca* decidiste dejar de ser amigo de Jacob?

—Más o menos.

Jonathan reculó, al notar que Derek empezaba a irse por la tangente, y pasó a otro tema.

—Tú has dicho que el día del asesinato viste a Jacob antes de entrar en las aulas y después también en inglés, justo después de que empezara la clase.

—Sí.

—Pero que no había ningún detalle que indicara que se hubiera peleado con alguien.

—No.

—¿Ni rastro de sangre?

—Solo esa manchita en la mano.

—¿Ni rascadas, ni desgarrones en la ropa, nada de eso? ¿Ni barro?

—No.

—De hecho, cuando viste a Jacob aquella mañana en clase de inglés, no se te pasó por la cabeza que pudiera haberse metido en algún lío de camino al colegio.

—No.

—Cuando más adelante llegaste a la conclusión de que Jacob podía haber cometido el asesinato, tal como has insinuado aquí, ¿tuviste eso en cuenta? ¿Cómo Jacob se las había arreglado para aparecer sin una gota de sangre y sin la menor rascada, después de un ataque sangriento y fatal con un cuchillo? ¿Pensaste en eso, Jacob?

—Más o menos.

—¿Más o menos?

—Sí.

—Has dicho que Ben Rifkin era más grande que Jacob, ¿más grande y más fuerte?

—Sí.

—Pero, a pesar de ello, ¿Jacob salió de esa pelea sin una sola marca?

Derek no contestó.

—Veamos, tú dijiste algo sobre que cuando anunciaron que cerraban la escuela Jacob sonrió. ¿Sonrieron otros niños? ¿No es bastante natural que un crío sonría cuando hay alboroto, cuando está nervioso?

—Puede ser.

—Simplemente es algo que los críos hacen a veces.

—Supongo.

—Ahora ese cuchillo que viste, el cuchillo de Jacob. Solo para que quede claro, ¿tienes la menor idea de si ese era el cuchillo que se utilizó en el asesinato?

—No.

—Y Jacob nunca te dijo nada sobre que tuviera *intención* de utilizar el cuchillo contra Ben Rifkin por lo del acoso.

—¿Intención? No, no dijo nada de eso.

—Y cuando te enseñó el cuchillo, ¿tú pensaste alguna vez que planeaba matar a Ben Rifkin? Porque, en ese caso, tú hubieras hecho algo, ¿verdad?

—Supongo.

—Así que, por lo que tú sabes, Jacob nunca tuvo un *plan* para matar a Ben Rifkin.

—¿Un plan? No.

—¿Nunca habló de cuándo o cómo iba a matar a Ben Rifkin?

—No.

—Y después, más adelante, ¿te envió ese relato sin más?

—Sí.

—¿Dijiste que te envió el vínculo por e-mail?

—Sí.

—¿Guardaste ese e-mail?

—No.

—¿Por qué no?

—No me pareció prudente. Me refiero para Jake..., desde el punto de vista de Jacob.

—¿Así que borraste el e-mail que te envió porque le estabas protegiendo?

—Supongo.

—¿Puedes decirme si, de todos los detalles de ese relato, había algo que fuera nuevo para ti, algo que no supieras de antemano o bien por la web o por lo que dijeron las noticias o por conversaciones con otros chicos?

—No, la verdad es que no.

—El cuchillo, el parque, las tres heridas por arma blanca... En aquel momento todo eso ya lo sabía mucha gente, ¿no?

—Sí.

—O sea que no puede considerarse una confesión, ¿no?

—No lo sé.

—¿Y en ese e-mail él decía que había escrito el relato? ¿O simplemente que lo encontró?

—No recuerdo qué decía exactamente el e-mail. Creo que era solo como: «Tío, mira esto», o algo parecido.

—Pero tú estás seguro de que Jacob te dijo que él escribió el relato, no que lo había leído simplemente.

—Casi seguro.

—¿*Casi* seguro?

—Casi seguro, sí.

Jonathan siguió por este camino durante un rato. Hizo lo que pudo, minimizó y recortó la declaración de Derek, se apuntó todos los puntos posibles. Quién sabe qué conclusiones estaba sacando el jurado realmente. Lo único que puedo decirles es que la media docena de miembros del jurado que habían estado tomando notas sin parar mientras Derek exponía su testimonio habían dejado los bolígrafos. Algunos ya ni siquiera le miraban; habían bajado la vista. Quizás Jonathan había ganado aquel día, y ellos habían decidido no tener en cuenta la declaración de Derek en su conjunto. Pero no daba esa impresión. Daba la impresión de que yo había estado engañándome a mí mismo, y por primera vez empecé a pensar en términos realistas qué supondría que Jacob estuviera preso en Concord.

35
Argentina

Yo estaba abatido cuando volvimos en coche del tribunal a casa, y contagié esa tristeza a Jacob y a Laurie. Yo me había mantenido firme desde el principio, y les afectó, creo, ver que perdía la esperanza. Pensando en ellos, intenté mentir. Hice todos los comentarios habituales: que no había que ilusionarse demasiado por un buen día, ni desanimarse por uno malo; que las pruebas del fiscal siempre parecían peores a primera vista que más adelante, cuando se analizaba todo el caso en su contexto; que los jurados eran impredecibles, y que no deberíamos deducir demasiadas cosas a partir de cada pequeño gesto. Pero el tono de voz me delató. Yo pensaba que seguramente habíamos perdido el caso aquel día, o como mínimo que el daño era suficiente como para que tuviéramos que oponer una auténtica defensa. En ese punto sería una estupidez confiar en «una duda razonable». El relato sobre el asesinato que Jacob había escrito parecía una confesión, y, por mucho que lo intentara, Jonathan no podía refutar la declaración de Derek de que lo escribió Jacob. Yo no reconocí nada de todo eso. No ganaba nada diciendo la verdad, así que no lo hice. Lo único que les dije fue que no había sido un buen día. Y nada más.

El padre O'Leary no apareció para vigilarnos aquella noche, ni ninguna otra. Los Barber nos quedamos completamente aislados. No nos habríamos sentido más solos aunque nos hubieran lanzado al espacio. Pedimos comida china, como habíamos hecho miles de veces durante los últimos meses, porque China City reparte a domicilio y el mensajero habla tan poco inglés que, cuando le abriéramos la puerta, no nos sentiríamos especialmente acomplejados. Nos comimos las costillas deshuesadas y el pollo General Gao prácticamente en silencio, y luego nos escabullimos a rincones opuestos de la casa durante el resto de la velada. Estábamos demasiado hartos del caso para volver a hablar de eso nunca más, pero demasiado obsesionados con eso como para hablar de otra cosa. Demasiado pesimistas para las imbecilidades de la tele —de pronto nuestras vidas parecían finitas; realmente cortas como para desaprovecharlas— y demasiado trastornados para leer.

Hacia las diez fui al dormitorio de Jacob para ver cómo estaba. Estaba acostado, de espaldas.

—¿Estás bien, Jacob?

—La verdad es que no mucho.

Entré y me senté en un lado de la cama. Él levantó el culo para hacerme sitio, pero Jake había crecido tanto que apenas había espacio para los dos. (Cuando era un bebé solía ponérmelo sobre el pecho para que durmiera la siesta. Tenía el tamaño de una barra de pan).

Se tumbó de lado y apoyó la cabeza en la mano.

—¿Puedo preguntarte una cosa, papá? Si pensaras que las cosas pintan mal, o sea que el caso va por mal camino, ¿me lo dirías?

—¿Por qué?

—No, nada de «por qué», ¿me lo dirías?

—Sí, supongo.

—Porque no tendría sentido que... Bueno, si yo me largo, ¿qué os pasaría a mamá y a ti?

—Perderíamos todo el dinero.

—¿Se quedarían con la casa?

—Al final. La hemos puesto como garantía para tu fianza.

Se quedó pensando.

—Solo es una casa —le dije yo—. Yo no la echaré en falta. No es importante como tú.

—Ya, pero aun así... ¿Vosotros dónde viviréis?

—¿Eso es lo que has estado pensando aquí tumbado?

—En parte.

Laurie se asomó a la puerta. Cruzó los brazos y se apoyó en el umbral.

Yo dije:

—¿Tú adónde irías?

—A Buenos Aires.

—¿Buenos Aires? ¿Por qué allí?

—Porque dicen que es un sitio guay.

—¿Quién lo dice?

—Había un artículo sobre eso en el *Times*. Es el París de Sudamérica.

—Mmmm. No sabía que Sudamérica tuviera un París.

—Eso está en Sudamérica, ¿verdad?

—Sí, está en Argentina. Quizás podrías informarte un poco antes de largarte allí.

—¿Hay..., cómo se llama eso, tratado, o sea, tratado de extradición?

—¿Tratado de extradición? No lo sé. Supongo que eso es otra cosa que deberías averiguar antes.

—Sí. Supongo.

—¿Cómo pagarías el billete?

—No lo pagaría yo. Lo pagarías tú.

—¿Y el pasaporte? El tuyo lo entregaste, ¿te acuerdas?

—Me las arreglaría para conseguir uno nuevo.

—¿Así, sin más? ¿Cómo?

Laurie entró, se sentó en el suelo junto a la cama y le acarició el pelo.

—Se colaría por la frontera con Canadá y conseguiría un pasaporte canadiense.

—Humm. No estoy seguro de que sea tan fácil, la verdad, pero vale. ¿Y qué harías cuando llegaras a Buenos Aires, que sabemos que está en Argentina?

Laurie dijo:

—Bailaría el tango. —Se le humedecieron los ojos.

—¿Sabes bailar el tango, Jacob?

—Más bien, no.

—Dice que más bien, no.

—Más bien, nada en absoluto. —Se echó a reír.

—Bueno, tengo entendido que en Buenos Aires puedes ir a clase de tango.

Laurie dijo:

—En Buenos Aires, todo el mundo sabe bailar el tango.

—Necesitarás a alguien *con* quien bailar el tango, ¿no?

Él sonrió tímidamente.

Laurie dijo:

—Buenos Aires está lleno de mujeres guapísimas que bailan el tango. Mujeres preciosas, misteriosas. Y Jacob escogerá a la suya.

—¿Es verdad eso, papá? ¿En Buenos Aires hay muchas mujeres guapísimas?

—Eso he oído.

Se tumbó de espaldas y cruzó las manos bajo la cabeza.

—Todo esto suena cada vez mejor.

—¿Qué harás allí cuando ya hayas solucionado lo del tango, Jake?

—Ir al colegio, supongo.

—¿Eso también lo pagaré yo?

—Claro.

—¿Y después del colegio?

—No sé. A lo mejor seré abogado como tú.

—¿No crees que querrás pasar desapercibido? Ya sabes, siendo un fugitivo y todo eso.

Laurie contestó por él.

—No. Todo este asunto se olvidará y Jacob tendrá una vida larga, feliz y maravillosa en Argentina con una mujer guapísima que baile el tango, y Jacob será un gran hombre. —Se puso de rodillas para poder mirarle a la cara y seguir acariciándole el pelo mientras él seguía allí tumbado—. Tendrá hijos, y sus hijos tendrán hijos, y él hará feliz a tantas personas que nadie creerá que una vez en Norteamérica hubo gente que dijo cosas espantosas sobre él.

Jacob cerró los ojos.

—No sé si soy capaz de ir al tribunal mañana. Ya no quiero ir más.

—Lo sé, Jake. —Le puse la palma de la mano sobre el pecho—. Ya falta poco.

—Eso es lo que me da miedo.

Laurie:

—Me parece que yo tampoco puedo soportarlo más.

—Ya falta poco, os lo prometo. Solo hemos de ir allí y aguantar el tipo.

—Papá, me lo dirás, tal como has dicho, ¿verdad? Si llega el momento de que yo... —Señaló la puerta con la cabeza.

Supongo que podía haberle dicho la verdad. *No funciona así, Jake. No puedes irte a ninguna parte.* Pero no lo hice. Dije:

—Eso no va a pasar. Ganaremos.

—Pero *si...*

—Si... Sí, claro que te lo diré. —Le alboroté el pelo—. Intentemos dormir un poco.

Laurie le besó la frente y yo hice lo mismo.

Él dijo:

—A lo mejor vosotros venís también a Buenos Aires. Podemos ir todos.

—¿Allí podremos seguir pidiendo comida china?

—Claro, papá. —Sonrió—. Nos la traerán en avión.

—Entonces de acuerdo. Por un momento he pensado que no era un plan realista. Ahora duerme un poco. Mañana nos espera otro día importante.

—Esperemos que no —dijo él.

Cuando Laurie y yo nos metimos en la cama, ella murmuró pegada a la almohada:

—Cuando estábamos hablando sobre Buenos Aires, ha sido la primera vez que me he sentido feliz desde hace no sé cuánto tiempo. No recuerdo la última vez que sonreí.

Pero su confianza debió de desvanecerse, porque pocos segundos después se tumbó de lado y, mirándome, susurró:

—¿Y si se va a Buenos Aires y mata a alguien allí?

—Laurie, no se irá a Buenos Aires y no matará a nadie allí. Ni mató a nadie *aquí.*

—Yo no estoy tan segura.

—No digas eso.

Ella desvió la mirada.

—¿Laurie?

—¿Y si somos nosotros los que estamos equivocados, Andy? ¿Y si se larga y luego, Dios no lo quiera, lo vuelve a hacer? ¿No somos nosotros en parte responsables?

—Laurie, es tarde, estás agotada. Tendremos esta conversación en otro momento. Por ahora lo que has de hacer es dejar de pensar esas cosas. Te estás volviendo loca.

—No. —Me miró suplicante, como si fuera *yo* el que no pensaba con lógica—. Hemos de ser sinceros uno con el otro, Andy. Eso es algo sobre lo que hemos de pensar.

—¿Por qué? El juicio todavía no ha terminado. Te rindes demasiado pronto.

—Hemos de pensar en eso porque es nuestro hijo. Necesita nuestra ayuda.

—Laurie, nosotros estamos cumpliendo con nuestra obligación. Le estamos apoyando, le estamos ayudando a soportar el juicio.

—¿Esa es nuestra obligación?

—¡Sí! ¿Qué más podemos hacer?

—¿Y si él necesita algo más, Andy?

—No *hay* nada más. ¿De qué hablas? No podemos hacer nada más. Ya hemos hecho todo lo humanamente posible.

—Andy, ¿y si es culpable?

—Eso no va a pasar.

Su respiración, queda, se intensificó, se endureció.

—No me refiero al veredicto. Me refiero a la verdad. ¿Y si en realidad es culpable?

—No lo es.

—¿Realmente piensas eso, Andy? ¿Que no fue él? ¿Así, sin más? ¿No tienes la menor duda?

No contesté. No era capaz.

—Yo ya no sé lo que piensas, Andy. Tienes que hablar

conmigo, tienes que decírmelo. Ya no estoy segura de lo que te pasa por dentro.

—No me pasa nada por dentro —dije, y esa afirmación me pareció incluso más cierta de lo que pretendía.

—Hay veces que tengo ganas de cogerte por las solapas y *obligarte* a decir la verdad, Andy.

—Ah, otra vez el tema de mi padre.

—No, no es eso. Yo estoy hablando de Jacob. Necesito que seas totalmente sincero en esto, por *mí*. Necesito saberlo. Aunque *tú* no lo sepas, *yo* necesito saberlo: ¿tú crees que fue Jacob?

—Yo creo que hay cosas que un padre nunca debe pensar sobre su hijo.

—No te he preguntado eso.

—Laurie, es mi hijo.

—Es *nuestro* hijo. Nosotros somos responsables de él.

—Exacto. Nosotros somos responsables de él. Hemos de permanecer a su lado. —Le puse la mano sobre la cabeza, le acaricié el pelo.

Ella la apartó.

—¡No! ¿No entiendes lo que te estoy diciendo, Andy? Si él es culpable, nosotros somos culpables también. Las cosas son así. Nosotros estamos implicados. Nosotros le hicimos... Tú y yo. Nosotros le creamos y le trajimos al mundo. Y si realmente hizo eso... ¿Tú eres capaz de aceptarlo? ¿Eres capaz de digerir esa posibilidad?

—Si no me queda otro remedio...

—¿De verdad, Andy, serías capaz?

—Sí. Mira, si es culpable, si perdemos, tendremos que afrontarlo de algún modo. Quiero decir que eso lo *entiendo*. Continuaremos siendo sus padres. No puedes dimitir de ese puesto.

—Eres un hombre de lo más tramposo y exasperante, Andy.

—¿Por qué?

—Porque necesito que estés a mi lado ahora y no lo estás.

—¡Sí lo estoy!

—No. Me estás manipulando. Hablas a base de tópicos. Estás ahí, escondido detrás de esos preciosos ojos castaños, y no sé lo que estás pensando realmente. No puedo saberlo.

Yo suspiré, moví la cabeza.

—A veces yo tampoco puedo, Laurie. No sé lo que pienso. Intento no pensar en nada.

—Andy, por favor, *tienes* que pensar. Reflexiona. Eres su padre. Eso no puedes evitarlo. ¿Fue él? O sí o no, no hay más.

Me estaba empujando hacia esa idea apabullante y espantosa, Jacob el Asesino. Yo la rocé, la tanteé... y no pude ir más allá. El peligro era demasiado grande.

Dije:

—No lo sé.

—Entonces piensas que podría haber sido él.

—No lo sé.

—Pero como mínimo es posible.

—He dicho que no lo sé, Laurie.

Ella escudriñó mi cara, mis ojos, buscando algo en lo que pudiera confiar, una base. Yo intenté aparentar convicción para que obtuviera de mi expresión todo lo que pudiera necesitar: seguridad, amor, unión, lo que fuera. Pero ¿la verdad? ¿La certeza? Yo no disponía de esas cosas. No las tenía y no podía darlas.

Un par de horas después, hacia la una de la madrugada, se oyó una sirena a lo lejos. Era algo inusual; el nuestro era un barrio tranquilo, y los policías y los coches de bomberos no las utilizaban. Solo las luces. La sirena solo duró cinco segundos aproximadamente. Después resonó en el silencio, suspendida como una bengala. Laurie dormía en la misma postura que antes, de espaldas a mí. Fui a la ventana y miré la calle pero no había nada que ver. No averiguaría hasta la mañana siguiente qué era esa sirena y cómo, sin que nosotros lo supiéramos, todo había cambiado ya. Ya estábamos en Argentina.

36

Un espectáculo alucinante

A las cinco de la madrugada del día siguiente sonó el teléfono, mi teléfono móvil, y yo, habituado durante años a recibir llamadas de emergencia a horas inverosímiles, contesté de forma automática. Incluso contesté «¡Andy Barber!», con el tono imperativo que usaba antes para convencer a la gente de que de hecho no estaba durmiendo, fuera la hora que fuese.

Cuando colgué, Laurie dijo:

—¿Quién era?

—Jonathan.

—¿Qué pasa?

—Nada.

—Pues ¿qué quería?

Yo noté que en mi cara aparecía una gran sonrisa y me invadía una felicidad de ensueño, apabullante.

—¿Andy?

—Se acabó.

—¿Qué quieres decir con «se acabó»?

—Ha confesado.

—¿Qué? ¿Quién ha confesado?

—Patz.

—¡Qué!

—Jonathan hizo lo que dijo que haría en el tribunal: le envió una orden judicial. Patz recibió la notificación y anoche se suicidó. Dejó una nota con una confesión detallada. Jonathan ha dicho que han pasado toda la noche en su apartamento. Han cotejado la caligrafía: la nota es auténtica. Patz confesó.

—¿Confesó? ¿Así sin más? ¿Cómo puede ser?

—Parece irreal, ¿verdad?

—¿Cómo se suicidó?

—Se ahorcó.

—Oh, Dios mío.

—Jonathan dice que en cuanto abra el tribunal pedirá el sobreseimiento.

Laurie se tapó la boca con las manos. Ya estaba llorando. Nos abrazamos, y después corrimos a la habitación de Jacob como si fuera la mañana de Navidad —o Pascua—, ya que aquel milagro era más bien una resurrección. Le zarandeamos para despertarle, le abrazamos y compartimos con él aquellas increíbles noticias.

Y todo fue diferente. Todo era diferente, sin más. Nos vestimos para asistir al juicio y esperamos a que llegara el momento de ir al tribunal. Vimos las noticias en la televisión y entramos en Boston.com, buscando alguna mención del suicidio de Patz, pero no había ninguna, así que nos quedamos sentados sonriéndonos unos a otros, y meneando la cabeza sin dar crédito.

Aquello era mejor que un veredicto de no culpabilidad del jurado. No parábamos de decir: *no culpable* solo significa que no hay pruebas. La realidad era que la inocencia de Jacob había quedado demostrada. Era como si todo aquel episodio espantoso se borrara. Yo no creo en Dios ni en los milagros, pero eso era un milagro. No puedo explicar la sensación de otra manera. Era como si nos hubiera salvado a todos algún tipo de intervención divina..., un auténtico milagro. Lo único que empañaba nuestra alegría era el hecho de que nos costaba creerlo, y no queríamos celebrarlo hasta que se desestimara oficialmente la acusación. Al fin y al cabo, cabía dentro de lo posible, como mínimo, que Logiudice continuara con el proceso incluso después de la confesión de Patz.

Jonathan no tuvo ocasión de pedir el sobreseimiento, llegado el momento. Incluso antes de que el juez subiera al estrado, Logiudice presentó un *nol pros,* un *nolle prosequi*, comunicando la decisión del estado de retirar los cargos.

A las nueve en punto el juez abandonó al estrado con una sonrisita. Leyó el *nol pros* con exagerada parsimonia, levantó la palma de la mano para indicarle a Jacob que se pusiera de pie. «Señor Barber, veo por su cara y por la cara de su padre que ya se han enterado de las noticias. Así que déjeme ser el primero en decirle unas palabras que estoy seguro de que ansiaba oír: Jacob Barber, es usted un hombre libre». Hubo una ovación —¡una ovación!— y Jacob y yo nos abrazamos.

El juez dio un golpe de martillo, pero lo hizo con una sonrisa indulgente. Cuando la sala de juicio volvió a quedar relativamente en silencio le hizo un gesto a la secretaria, que leyó en tono cansino —se diría que no estaba satisfecha con el resultado—: «Jacob Michael Barber, en referencia a la acusación número cero ocho guión cuatro cuatro cero siete, y ante el *nolle prosequi* del condado referido a dicha acusación, este tribunal ordena que se retiren a perpetuidad los cargos contra usted referidos al caso. Puede devolverse al garante la fianza depositada previamente. Caso sobreseído».

A perpetuidad. Esa peculiar fórmula legal es el billete de salida del acusado. Significa: puede marcharse y el tribunal no volverá a citarle, váyase y no vuelva.

Mary selló el sumario, metió el papel en el expediente y tiró la carpeta a su bandeja de documentos salientes, con tal eficacia burocrática que cualquiera hubiera dicho que tenía un montón de casos que solventar antes de comer.

Y se acabó.

O casi. Nos abrimos paso entre una multitud de periodistas que ahora se empujaban para felicitarnos y tener los vídeos a punto para los programas matinales, y bajamos Thorndike Street corriendo, abrazados, literalmente, hasta llegar al garaje donde habíamos aparcado. Corriendo, riendo... ¡Libres!

Cuando íbamos hacia el coche pasamos por un momento de incomodidad, preocupados por encontrar las palabras para darle las gracias a Jonathan. Él declinó el mérito con elegancia porque dijo, con razón, que en realidad no había hecho nada. Nosotros se lo agradecimos de todos modos. Volvimos a darle las gracias. Yo le levanté los brazos, arriba y abajo, y Laurie le abrazó.

—Habrías ganado —le dije yo—. Estoy seguro.

Estábamos en ello cuando Jacob les vio venir.

—Oh..., oh —dijo.

Eran dos. Dan Rifkin iba primero. Llevaba una gabardina color tabaco, más sofisticada que la mayoría, más de diseño, con un montón de botones, bolsillos y trabillas. Seguía teniendo esa cara inexpresiva de muñeco, así que era imposible saber exactamente qué pretendía. ¿Pedirnos disculpas, quizás?

Unos centímetros detrás de él estaba el padre O'Leary —un gigante comparado con Rifkin—, que caminaba sin prisa, con las manos en los bolsillos y la boina calada hasta los ojos.

Nosotros nos dimos la vuelta despacio para saludarles. Todos debíamos de poner la misma cara de sorpresa, pero también de alegría, al ver que, a pesar del dolor que estaba soportando, aquel hombre, que en circunstancias normales debería haber sido amigo nuestro, se acercaba ahora a darnos cortésmente la bienvenida de nuevo a este mundo, al mundo real. Pero su expresión era extraña. Dura.

Laurie dijo:

—¿Dan?

Él no contestó. De uno de los bolsillos enormes de la gabardina sacó un cuchillo. Un cuchillo corriente, doméstico, que por absurdo que parezca supe que era un Wüsthof Classic de carne, porque teníamos el mismo juego en un soporte para cubiertos sobre el mostrador de la cocina. Pero no tuve tiempo de asimilar totalmente la rareza sublime de que me apuñalaran con ese cuchillo, porque casi inmediatamente, antes de que Dan Rifkin nos tuviera a su alcance, el padre O'Leary le sujetó el brazo. Golpeó la mano de Rifkin contra el capó del coche, lo cual provocó que el cuchillo cayera estrepitosamente contra el suelo de hormigón del garaje. Luego dobló el brazo detrás de la espalda de aquel hombrecito y con total facilidad —tanta como si hubiera estado manipulando un maniquí— le dobló el cuerpo sobre el capó del coche. Rifkin gritó y él le dijo: «Tranquilo, colega».

Lo hizo todo con la destreza y elegancia de un profesional. Toda la operación debió de durar apenas unos segundos, y nosotros nos quedamos mirando a los dos hombres con la boca abierta.

—¿Quién *es* usted? —dije finalmente.

—Un amigo de su padre. Él me pidió que les vigilara.

—¿Mi padre? ¿De qué conoce usted a mi padre? No, espere, no me lo diga. No quiero saberlo.

—¿Qué quiere que haga con este tipo?

—¡Suéltele! ¿Qué narices le pasa?

Le soltó.

Rifkin se irguió. Tenía lágrimas en los ojos. Nos miró impotente e indefenso —por lo visto seguía creyendo que Jacob había matado a su hijo, pero no podía hacer nada— y, tambaleándose, se encaminó hacia un sufrimiento que yo no era capaz de imaginar.

El padre O'Leary se acercó a Jacob y le tendió la mano.

—Felicidades, chaval. Fantástico lo de esta mañana. ¿Viste la expresión de la cara del gilipollas del fiscal del distrito? ¡Impagable!

Jacob le estrechó la mano con cara de desconcierto.

—Un espectáculo alucinante —dijo el padre O'Leary—. Alucinante. —Se echó a reír—. ¿Y tú eres el hijo de Billy Barber?

—Sí. —Nunca me había enorgullecido decir eso. Creo que no lo había dicho nunca en voz alta en público. Pero aquello me relacionaba con el padre O'Leary y parecía que a él eso le divertía, así que los dos sonreímos.

—Tú eres más corpulento que él, eso está claro. Ahí cabrían dos mierdecillas como él.

Yo no supe cómo reaccionar al comentario, así que me limité a quedarme allí de pie.

—Saluda a tu viejo de mi parte, ¿de acuerdo? —dijo el padre O'Leary—. Jesús, la de historias que podría contarte sobre él.

—No. Por favor.

Finalmente, a Jacob:

—Hoy es tu día de suerte, chaval. —Se echó a reír otra vez y se fue tranquilamente y nunca he vuelto a ver al padre O'Leary.

Cuarta parte

«El modo exacto como las reacciones químicas y las señales eléctricas que se producen cada segundo en el cuerpo humano se convierten en ideas, motivaciones o impulsos —allí donde la maquinaria física del hombre se detiene y aparece el fantasma de la máquina, la consciencia— en realidad no es un tema científico, por la sencilla razón de que no podemos diseñar un experimento para captarlo, medirlo o reproducirlo. Pese a todo lo que hemos aprendido, el hecho sigue siendo que no entendemos de forma coherente por qué la gente hace lo que hace, y probablemente nunca lo entenderemos».

PAUL HEITZ
«El malestar de la neurocriminología»,
Revista Americana de Criminología y Política Pública,
otoño de 2008

37

Otra vida

Seamos sinceros: la vida continúa probablemente durante demasiado tiempo. Una vida larga supone pasar por treinta y cinco mil días, de los que apenas una cincuentena son realmente importantes, Días Grandes en los que Sucede Algo Memorable. El resto —la inmensa mayoría, decenas de miles de días— no son nada especial, son repetitivos, incluso monótonos. Nos deslizamos por ellos y luego los olvidamos al instante. Cuando repasamos nuestra vida pasada no solemos pensar en esas cifras. Recordamos ese puñado de Días Importantes y desechamos el resto. Organizamos nuestras vidas largas y amorfas ordenándolas en pequeñas historietas tal como yo hago ahora. Pero nuestras vidas están hechas básicamente de días vulgares, olvidables, de quincalla. Y la palabra «Fin» nunca es el final.

El día que exculparon a Jacob fue un Gran Día, por supuesto. Pero después de aquello, sorprendentemente, volvieron los días insignificantes.

Nosotros no volvimos a la «normalidad»; habíamos olvidado qué era la normalidad, los tres. Como mínimo no nos hacíamos ilusiones de recuperarla alguna vez. Pero en los días y semanas posteriores a la liberación de Jacob, cuando mermó la euforia por nuestra rehabilitación, nos sumimos en una rutina, si bien baldía. Salíamos muy poco. Nunca íbamos a restaurantes ni a lugares públicos donde nos parecía que nos miraban con recelo. Yo asumí la responsabilidad de comprar la comida, porque Laurie no quería correr el riesgo de volver a encontrarse con los Rifkin en el supermercado, y adopté ese hábito de las esposas de planear mentalmente los menús de las cenas semanales mientras compraba (lunes pasta, martes pollo, miércoles hamburguesas...). Íbamos poco al cine, normalmente entre semana cuando las salas no estaban tan llenas, e incluso solíamos escaparnos justo antes de que encendieran las luces. Sobre todo ganduleábamos por casa. Navegábamos constantemente en Internet, aturdidos, con la mirada perdida. Hacíamos ejercicio en la cinta del sótano, en lugar de correr al aire libre. Aumentamos la cuota de Netflix para tener disponibles tantos DVD como fuera posible. Suena deprimente cuando lo pienso, pero en aquel momento parecía maravilloso. Éramos libres, o algo parecido.

Pensamos en irnos a vivir no a Buenos Aires, lamentablemente, sino a lugares más prosaicos donde pudiéramos empezar de cero: Florida, California, Wyoming, cualquier lugar al que suponíamos que iban las personas a reinventarse a sí mismas. Durante una temporada yo pensé concretamente en Bisbee, una ciudad pequeña de Arizona, donde me habían dicho que era fácil perderse y seguir perdido. Siempre había también la posibilidad de irse del país, lo cual tenía cierto glamour. Tuvimos interminables conversaciones sobre eso. Laurie no creía que consiguiéramos dejar atrás la repercusión pública que había tenido el caso, por muy lejos que nos fuéramos. Y de todas formas, decía, toda su vida estaba en Boston. Yo, por mi parte, estaba ansioso por irme a cualquier otra parte. Para empezar no me sentía de ninguna parte, mi casa estaba donde estuviera Laurie. Pero nunca pude convencerla en este sentido.

El ambiente en Newton seguía siendo hostil. La mayoría de nuestros vecinos habían emitido su propio veredicto: culpable no, pero tampoco exactamente inocente. Puede que Jacob no hubiera matado a Ben Rifkin, pero con lo que habían oído les bastaba para considerarle un perturbado. El cuchillo, sus fantasías violentas, su linaje sangriento. Además, a algunos les olió mal el final repentino del juicio. Que ese chico siguiera en la ciudad preocupaba e irritaba a la gente. Ni siquiera a los más comprensivos les entusiasmaba la idea de que Jacob estuviera presente en la vida de sus hijos. ¿Por qué correr ese riesgo? Aunque estuvieran prácticamente convencidos de que era inocente, ¿quién iba a arriesgarse a asumir el estigma de que le vieran con él? Culpable o no, era un paria.

En vista de todo eso, no nos atrevimos a enviar a Jacob otra vez al colegio de Newton. Al principio, cuando le acusaron e inmediatamente le expulsaron de la escuela, el ayuntamiento se había visto obligado a proporcionarle una profesora particular, la señora McGowan, y nosotros la volvimos a contratar para que siguiera dándole clases. La señora McGowan era la única que visitaba regularmente nuestra casa, casi la única que llegó a ver el modo en que vivíamos. Cuando entró, tenía las caderas anchas e iba un poco desaliñada, echó una ojeada en rededor y se fijó en los montones de ropa sucia, en los platos por lavar que había en el fregadero, en el pelo sucio de Jacob. Debimos de haberle parecido un poco lunáticos. Pero no dejó de aparecer todas las mañanas a las nueve para sentarse con Jacob en la mesa de la cocina, repasar las lecciones y reñirle por no hacer los deberes. «No creas que te tendrán lástima», le decía con franqueza. Laurie también tomaba parte activa en las clases de Jacob. Yo la consideraba una profesora notable, paciente, amable. La verdad es que nunca la había visto en un aula, pero al verla trabajar con Jacob pensé: *debería* volver a enseñar. No debería haberlo dejado nunca.

Fueron pasando las semanas y Jacob se fue acostumbrando a su nueva vida solitaria. Era un ermitaño por naturaleza. Decía que no echaba de menos la escuela, ni a sus amigos. De hecho, le habría gustado más escolarizarse en casa desde el principio. Así tenía lo mejor del colegio, el «contenido» (en palabras suyas), sin esas infinitas complicaciones: las chicas, el sexo, los deportes, los abusones, la presión de los compañeros, las camarillas —la complicación de los demás chicos, básicamente—. Sencillamente Jacob era más feliz solo. Pero quién podía culparle después de todo lo que había pasado. Cuando hablábamos de mudarnos, Jacob siempre era el que se mostraba a favor con más entusiasmo. Cuanto más lejos, más remoto, mejor. Creía que Bisbee, Arizona, podía gustarle. Ese era Jacob: esa ecuanimidad, ese aplomo entre sereno y ausente. Sé que sonará raro, pero Jacob, que fue siempre quien tuvo más que perder con el caso, nunca se derrumbó ni lloró, nunca perdió ese aplomo. Podía enfadarse a veces o ser arisco o introvertido, y compadecerse de sí mismo en algún momento como hacen todos los críos, pero nunca se desmoronó. Ahora que el caso había terminado, seguía siendo ese chaval sereno. No era difícil suponer por qué a sus compañeros de clase les resultaba un tanto molesta esa compostura inquietante. Yo, personalmente, la consideraba admirable.

Yo no tenía que trabajar, al menos durante una temporada. Técnicamente seguía en excedencia con sueldo a cargo de la oficina del fiscal del distrito. Seguían ingresándome el salario completo en mi cuenta bancaria, y así había sido durante todo el proceso. Sin duda eso le planteaba un problema complicado a Lynn Canavan. Había apostado por el caballo equivocado. Ahora no tenía ninguna excusa para despedirme, puesto que yo no había hecho nada malo, pero tampoco podía readmitirme como primer ayudante. Al final tendría que ofrecerme un puesto que yo tendría que rechazar, y allí acabaría la historia. Pero por el momento parecía dispuesta a mantenerme el sueldo, a cambio de que no abriera la boca, lo cual me parecía un coste ridículo. De todas formas, no habría abierto la boca.

Entretanto, Canavan tenía que ocuparse de un tema más serio. Tenía que decidir qué hacer con Logiudice, el Rasputín de su corte, cuya autodestrucción profesional probablemente había terminado con sus expectativas políticas y, si Lynn no iba con cuidado, podía acabar con las suyas propias también. Pero tampoco podía echar a un fiscal simplemente por perder un caso; si no, ¿quién iba a querer trabajar con ella? La opinión general era que Canavan se presentaría pronto a fiscal general o incluso a gobernadora y dejaría atrás todo aquel caos, para que lo solucionara el próximo fiscal del distrito. Pero de momento lo único que podía hacer era verlas venir. Quizás Logiudice conseguiría recuperar su reputación de algún modo. Eh, nunca se sabe.

A mí no me preocupaba demasiado mi carrera en aquel momento. Como fiscal estaba claramente acabado. El cachondeo habría sido excesivo. Supongo que podría haber optado por otras vías para ejercer el derecho. Siempre podía ser abogado criminalista, un ámbito en el que mi relación con la acusación contra Jacob habría sido una especie de mención honorífica: el drama de un chico inocente acusado injustamente que había resistido como un Hombre, o algo así. Pero era un poco demasiado tarde para cambiar de bando, y no sabía si sería capaz de defender a los mismos cerdos que había dedicado mi vida a encerrar. No tenía ni idea de adónde me llevaba todo eso. Al limbo, supongo, como al resto de mi familia.

De los tres, Laurie fue quien quedó más abatida por el juicio. En las semanas posteriores al mismo se recuperó un poco, pero nunca volvió a ser la de antes. Nunca recuperó los kilos que había perdido y yo siempre la vi demacrada. Era como si hubiera envejecido diez años en apenas diez meses. Pero el verdadero cambio fue interno. Una vez superado el problema de Jacob, durante las primeras semanas Laurie mantuvo una postura cauta y fría. Estaba recelosa. Para mí esa actitud nueva, más desconfiada, era comprensible. La habían convertido en una víctima y ella respondía como suelen hacerlo las víctimas. Eso alteró la dinámica de nuestra familia: ya no era la mami cariñosa que nos suplicaba a Jacob y a mí, los introvertidos de la familia, que compartiéramos nuestros sentimientos y vomitáramos nuestros problemas y en resumen que nos volviéramos del revés ante ella. Laurie había abandonado todo aquello, durante una temporada al menos. Ahora nos observaba a distancia. Y difícilmente podía culparla por eso. Mi esposa, finalmente herida, se había vuelto un poco más dura, se había convertido un poco en mí. El dolor nos endurece a todos. También les endurecerá a ustedes cuando les pille... Y les pillará.

38

El dilema del policía

Correccional de Northern, Somers, Connecticut

Otra vez en la cabina de visitas, aislado en mi compartimiento de paredes blancas con un cristal grueso delante. Un ruido constante de fondo: murmullos en las cabinas adyacentes, avisos por un altavoz y gritos sordos y barullo carcelario a lo lejos.

Bloody Billy apareció en el marco del cristal con las manos esposadas a una cadena en la cintura y otra cadena desde la cintura hasta los tobillos esposados. No importaba: entró en la sala como un rey tiránico, con el mentón hacia delante, sarcástico desprecio, y el pelo canoso hacia atrás con una especie de copete de viejo loco.

Dos guardias le condujeron a la silla pero sin ponerle la mano encima. Uno de ellos le quitó las cadenas de la cintura mientras el otro vigilaba, luego ambos se retiraron, lejos del marco de la ventanilla.

Mi padre descolgó el auricular y, con las manos unidas frente a la barbilla como si rezara, dijo: «¡Júnior!» en un tono que implicaba: ¡qué sorpresa tan agradable!

—¿Por qué hiciste eso?

—¿Hacer qué?

—Patz.

Desvió la mirada de mi cara hacia el teléfono de la pared y viceversa, recordándome que fuera con cuidado con lo que decía en una línea intervenida.

—¿De qué hablas, júnior? Yo no me he movido de aquí. Puede que tú no lo sepas, pero no salgo mucho.

Abrí una carpeta de archivo, de un expediente criminal interestatal. Eran varias páginas. Lo alisé con la mano y con los cinco dedos puse la primera hoja contra el vidrio para que él leyera el nombre: *James Michael O'Leary, alias Jimmy, Jimmy-O, Padre O'Leary, DOB 18/2/1943.*

Él se inclinó hacia delante y se puso a examinar el documento.

—Nunca he oído hablar de él.

—¿Nunca has oído hablar de él? ¿De verdad?

—Nunca he oído hablar de él.

—Compartiste una temporada con él aquí mismo.

—Por aquí pasa mucha gente.

—Estuvisteis seis años juntos aquí. ¡Seis años!

Se encogió de hombros.

—Yo no trato con nadie. Esto es la cárcel, no Yale. ¿Tienes una fotografía o algo así? —Un guiño pícaro—. Pero yo nunca he oído hablar de este tío.

—Bueno, pues él ha oído hablar de ti.

Encogió los hombros.

—Mucha gente ha oído hablar de mí. Soy una leyenda.

—Dice que tú le pediste que nos vigilara, que vigilara a Jacob.

—Chorradas.

—Para protegernos.

—Chorradas.

—¿Enviaste a alguien para protegernos? ¿Crees que te necesito para proteger a mi hijo?

—Eh, yo nunca he dicho nada de esto. Lo estás diciendo tú. Ya te he dicho que nunca he oído hablar de ese tío. No sé de qué demonios hablas.

Bien. Ahora ya han pasado bastante tiempo en un tribunal y ya se han convertido en expertos en mentiras. Saben reconocer distintos tipos de chorradas, como los esquimales que dicen que distinguen diferentes tipos de nieve. Eso de negarlo con un guiño que Billy se permitió aquí —donde las palabras *No fui yo* se pronunciaron de un modo que implicaba *Claro que fui yo, pero los dos sabemos que no puedes demostrarlo*— debe de suponer un placer especial para cualquier criminal. ¡Reírse en la cara de un policía! Ciertamente el desgraciado de mi padre estaba disfrutando de lo lindo con aquello. Desde el punto de vista del policía, cuando alguien se niega a confesar no tiene sentido insistir. Uno aprende a aceptar esa situación. Forma parte del juego. Es el dilema del policía: hay veces que no puedes probar la acusación sin una confesión, pero no puedes conseguir dicha confesión a menos que tengas una prueba.

Así que yo me limité a retirar el papel del vidrio y dejarlo caer sobre el pequeño mostrador de melamina que tenía delante. Me volví a sentar y me froté la frente.

—Imbécil. Eres un viejo imbécil. ¿Sabes lo que has hecho?

—¿Imbécil? ¿Tú me llamas imbécil? Yo no hice una mierda.

—¡Jacob era inocente, imbécil! Viejo imbécil.

—Cuidado con lo que dices, júnior. No tengo por qué estar aquí hablando contigo.

—No necesitábamos tu ayuda.

—¿No? Puede que estuviera equivocado.

—Habríamos ganado.

—Y si no, ¿qué? Entonces, ¿qué? ¿Quieres que el chaval se pudra en un sitio cómo este? ¿Sabes lo que es este sitio, júnior? Es una tumba. Es un vertedero. Es un agujero enorme en el suelo donde echan la basura que nadie quiere volver a ver. En cualquier caso, fuiste tú quien me dijo el otro día por teléfono que ibais a perder.

—Oye, no puedes..., no puedes, así sin más...

—Por Dios, no pierdas los papeles, ¿quieres? Eres un ridículo de mierda. Mira, yo no estoy hablando de lo que pasó, ¿vale?, porque no lo sé. No tengo ni idea de qué le pasó a ese tipo —¿cómo se llama?, Patz—, yo no sé qué le pasó. Yo estoy atrapado en este hoyo. ¿Qué leches voy a saber? Pero si me pides que me eche a llorar porque a una mierda de violador de niños le han matado o porque se mató él, o lo que sea, olvídate. Buen viaje. Habrá menos mierda en el mundo. Que le jodan. Ya no está. —Se acercó un puño a la boca, sopló y luego abrió los dedos, como un mago que hace desaparecer una moneda—. *No está.* Un gilipollas menos en el mundo, nada más. El mundo es mejor sin tipos como ese.

—¿Y con tipos como tú?

—Eh, que yo sigo aquí —hinchó el torso—, no importa lo qué pienses de mí. Yo sigo aquí, júnior, te guste o no. No puedes librarte de mí.

—Como de las cucarachas.

—Es verdad, soy una cucaracha vieja y dura, y lo digo con orgullo.

—Entonces, ¿qué hiciste? ¿Pedir un favor? ¿O simplemente recurriste a un viejo amigo?

—Ya te he dicho que no sé de qué hablas.

—Mira, la cosa es que de hecho tardé un poco en verlo claro. Tengo un amigo que me contó que ese tipo, el padre

O'Leary, era un antiguo matón, que seguía trabajando como factótum, y cuando yo le pregunté qué quería decir eso de «factótum», dijo: «Hace que los problemas desaparezcan». Así que eso fue lo que hiciste, ¿verdad? Llamaste a un viejo amigo e hiciste que el problema desapareciera.

No hubo respuesta. ¿Por qué iba a hablar para ayudarme? Bloody Billy comprendía el dilema del policía tan bien como yo. Sin confesión no hay caso, sin caso no hay confesión.

Los dos sabíamos lo que había pasado. Estábamos pensando exactamente lo mismo, estoy seguro: después de un día especialmente malo para Jacob en el tribunal, el padre O'Leary sale por ahí una noche y asusta a ese chico gordo, le pone una pistola en la cara, le obliga a firmar una confesión. Probablemente el chaval se cagó en los pantalones antes de que el padre O'Leary le ahorcara.

—¿Sabes lo que le has hecho a Jacob?

—Sí, le he salvado la vida.

—No, le privaste de su día de gloria en el tribunal. Le privaste de la posibilidad de oír al jurado decir: «No culpable». A partir de ahora siempre quedará espacio para la duda. Siempre habrá gente convencida de que Jacob es un asesino.

Se echó a reír. No fue una risita, sino una carcajada.

—¿Su día en el tribunal? ¿Y yo soy el imbécil? ¿Sabes qué, júnior? No eres tan listo como pensaba. —Y volvió a reír, una serie de carcajadas enormes, sonoras, escandalosas, y me imitó con una voz aguda y remilgada—: «¡Oh, su día de gloria en el tribunal!». ¡Por Dios, júnior! Es increíble que tú estés ahí fuera y yo aquí dentro. ¿Cómo coño puede ser eso? Eres un memo integral.

—El mundo está loco. Imagínate, meter a un tipo como tú en la cárcel.

Me ignoró. Se inclinó hacia delante como si pretendiera

susurrarme un secreto al oído, a través de aquel vidrio de dos centímetros y medio de grosor.

—Escucha —me explicó—, ¿quieres hacerte el bueno? ¿Quieres que el chico vuelva a meterse en la mierda? Llama a la policía. Venga, avisa a la policía y cuéntales toda esa historia absurda que sabes sobre Patz y ese tipo, O'Leary, a quien supuestamente yo conozco. ¿A mí qué mierda me importa? De todas maneras me pasaré toda la vida aquí. No me perjudicarás. Venga. Es tu hijo. Haz lo que quieras con él. Como tú dices, a lo mejor el crío se libra. Arriésgate.

—No pueden volver a juzgar a Jacob. Dos veces por la misma causa, no.

—¿Y?, mejor aún. Por lo visto tú crees que ese O'Leary asesinó a alguien. Si yo fuera tú, informaría de eso ahora mismo. ¿Eso es lo que vas a hacer, señor fiscal? ¿O quizás eso no favorecería demasiado al crío?

Me miró directamente a los ojos un par de segundos, hasta que me di cuenta de que yo estaba parpadeando.

—No —dijo—. No creo. ¿Ya hemos terminado?

—Sí.

—Bien. ¡Eh, guardia! ¡Guardia!

Los dos guardias se acercaron con aire escéptico.

—La visita de mi hijo ha terminado. ¿Conocéis a mi hijo, chicos?

Los guardias no contestaron, ni siquiera me miraron. Por lo visto pensaban que era un truco para que apartaran la vista un segundo y no estaban dispuestos a picar. Su trabajo consistía en devolver al animal salvaje a su jaula. Y eso ya era bastante peligroso. No había margen para saltarse el protocolo.

—Muy bien —dijo mi padre cuando uno de los guardias rebuscó en sus bolsillos la llave para volverle a atar las esposas al arnés—. Vuelve pronto, júnior. Recuerda que sigo siendo tu padre. Siempre seré tu padre. —Los guardias empezaron a apartarle de la silla, pero él siguió hablando—. Eh —les dijo a los guardias—, deberíais conocer a este tío. Es abogado. A lo mejor algún día necesitáis un abogado, chicos...

Uno de los guardias le quitó el auricular de la mano y lo colgó. Puso de pie al prisionero, volvió a atarle las esposas a la cadena de la cintura, y después tiró de esa sarta de cadenas para asegurarse de que estaban bien atadas. Billy no dejó de mirarme ni un segundo, ni siquiera cuando los guardias le empujaron para que saliera. Lo que vio al mirarme nadie lo sabe. Quizás solo a un extraño en un marco de vidrio.

Sr. Logiudice: Se lo preguntaré otra vez. Y le recuerdo, señor Barber, que está bajo juramento.

Testigo: Lo sé.

Sr. Logiudice: Y sabe que estamos hablando de un asesinato.

Testigo: El forense dictaminó suicidio.

Sr. Logiudice: ¡A Leonard Patz le asesinaron y usted lo sabe!

Testigo: No creo que nadie pueda saber eso.

Sr. Logiudice: ¿Y no tiene nada que añadir?

Testigo: No.

Sr. Logiudice: ¿No tiene idea de qué le pasó a Leonard Patz el 25 de octubre de 2007?

Testigo: Ni idea.

Sr. Logiudice: ¿Alguna teoría?

Testigo: No.

Sr. Logiudice: ¿Sabe usted algo de James Michael O'Leary, también conocido como padre O'Leary?

Testigo: Nunca he oído hablar de él.

Sr. Logiudice: ¿De verdad? ¿Ni siquiera había oído ese nombre?

Testigo: Nunca lo había oído.

Recuerdo a Neal Logiudice de pie, con los brazos cruzados, desafiante. Hubo un tiempo en que yo le habría dado una palmada en la espalda diciendo: «Los testigos mienten. Tú no puedes hacer nada. Ve a tomarte una cerveza y déjalo correr. Todos los crímenes son locales, Neal..., todos esos tipos volverán tarde o temprano». Pero Logiudice no era de los que se encogen de hombros ante un testigo insolente. De todos modos, seguramente el asesinato de Patz le importaba una mierda. Aquello no iba sobre Leonard Patz.

Ya era última hora de la tarde cuando Logiudice finalmente me obligó a cometer un pequeño perjurio inofensivo. Yo había estado declarando todo el día. Y estaba cansado. Estábamos en abril. Los días empezaban a alargarse. La luz solar empezaba a apagarse cuando dije: «Nunca he oído hablar de él».

A esas alturas Logiudice ya debía de saber que con aquello no recuperaría su reputación, y menos aún si me pedía ayuda a mí. Poco después dimitió de la oficina del fiscal. Ahora ejerce como abogado defensor en Boston. No tengo la menor duda de que será un gran abogado defensor también, justo hasta el día en que le expulsen. De momento, me conformo con esa imagen suya, consumiéndose lentamente ante el gran jurado, mientras su caso y su carrera se derrumbaban ante mis ojos. Me gusta pensar que esa fue la última lección que le di a mi anterior pupilo. Ese es el dilema del policía, Neal. Al cabo del tiempo uno se acostumbra.

39
Paraíso

Resulta que uno se acostumbra a casi todo. Algo que un día parece un ultraje horrible e insoportable, con el tiempo se convierte en algo normal y corriente.

A medida que iban pasando aquellos primeros meses, el insulto de que juzgaran a Jacob poco a poco perdió su capacidad de indignarnos. Habíamos hecho todo lo que pudimos. A nuestra familia le había pasado esa cosa grotesca. Siempre nos conocerían por eso. Esa sería la primera frase de todos nuestros obituarios. Y nosotros quedaríamos marcados para siempre por la experiencia, en formas que ni imaginábamos en aquel momento.

Todo eso empezó a parecernos normal, permanente, algo que casi no valía la pena comentar. Y cuando ya era así —cuando empezamos a acostumbrarnos a nuestra nueva vida como familia-con-mala-fama, cuando finalmente empezamos a mirar hacia delante y no hacia atrás—, la familia sin más volvió a surgir gradualmente.

Laurie fue la que despertó primero. Recuperó su amistad con Toby Lanzman. Toby no se había puesto en contacto con nosotros durante el juicio, pero de nuestros amigos de Newton fue la primera que volvió a contactar con nosotros después. En forma y dominante como siempre —la misma cara enjuta de corredora, el mismo trasero alto y el cuerpo flexible—, Toby arrastró a Laurie a un terrorífico programa de ejercicios que incluía carreras largas y duras a lo largo de Commonwealth Avenue. Laurie decía que quería ser más fuerte, y no tardó en someterse a entrenamientos agotadores incluso sin Toby. En pleno invierno volvía acalorada y brillando de sudor de unas carreras cada vez más largas. «Tengo que ponerme más fuerte».

Laurie recobró su papel de capitana de la familia, y se lanzó al proyecto titánico de revivirnos, tanto a Jacob como a mí. Nos preparaba unos desayunos tremendos a base de bollos, tortillas, cereales calientes, y ahora que no teníamos que irnos corriendo a trabajar, nos entreteníamos un buen rato con la prensa, que Jacob leía en su MacBook, mientras Laurie y yo compartíamos las versiones impresas del *Globe* y del *Times.* Ella organizaba noches de cine en familia e incluso me dejaba escoger las películas de gánsteres que me encantan, y después soportaba con buen humor que Jacob y yo repitiéramos una y otra vez nuestras frases favoritas: «Dile hola a mi amiguito» y «Sonny, nunca vuelvas a ponerte en contra de la familia en público». Ella decía que mi Marlon se parecía a Elmer Fudd, lo cual exigió que fuéramos a YouTube para enseñarle a Jacob quién era Elmer Fudd.*

Y cuando Laurie vio que todo aquello no iba lo suficientemente rápido, que por lo visto ni Jacob ni yo éramos capaces

---

* Personaje de dibujos animados.

de superar la tristeza del año anterior, decidió que era necesario un medicamento más potente.

—¿Por qué no nos vamos una temporada? —dijo con entusiasmo una noche durante la cena—. Podríamos irnos de vacaciones toda la familia, como antes.

Fue una de esas ideas ridículamente obvias que se te ocurren de repente. ¡Claro! En cuanto lo propuso, supimos que *claro* que teníamos que irnos. ¿Por qué no lo habíamos pensado antes? Solo con imaginarlo sentimos cierto vértigo.

—¡Fantástico! —dije—. ¡Limpiemos nuestras mentes!

—¡Hagamos un *reset*! —propuso Jacob.

Laurie estaba tan emocionada que levantó los puños y los agitó en el aire.

—Estoy tan *harta* de todo esto... Odio esta casa. Odio esta ciudad. Odio esa sensación de... estar atrapada que tengo todo el día. Quiero irme a otra parte y ya está.

Recuerdo que los tres corrimos en aquel momento al ordenador y escogimos nuestro destino esa misma noche. Optamos por un complejo turístico en Jamaica llamado Waves. Ninguno de los tres había oído hablar de Waves ni había estado en Jamaica. Simplemente basamos nuestra decisión en la página web del propio complejo, que nos fascinó con sus fantásticas imágenes pasadas por Photoshop: palmeras, playas de arena blanca, un océano de color aguamarina. Era todo tan perfecto y tan obviamente falso que no pudimos resistirnos. Era pornografía de viajes. Se veían parejas risueñas, ellas en forma, con bikini y pareo, ellos con las sienes canosas pero con un cuerpo moldeado en el gimnasio a base de abdominales —la mamá de zona residencial y el ejecutivo medio transformados gracias a Waves en la pícara y el semental que llevan dentro—. Era un complejo hotelero decorado con persianas y verandas, y exteriores pintados de colores brillantes que evocaban una villa caribeña ficticia. El hotel tenía vistas sobre una red de piscinas azul cielo con cascadas y bares flotantes. En el fondo de todas esas piscinas centelleaba el logotipo de Waves. Las piscinas rebosaban una sobre la otra y el agua llegaba hasta el borde de un pequeño acantilado, y en ese borde había un ascensor que bajaba a una playa con forma de herradura y a un arrecife prístino y, a lo lejos, el azul del océano se extendía hasta el infinito azul del cielo, sin que se distinguiera la línea del horizonte, que hubiera echado a perder la ilusión de que Waves estaba enclavado en el mismo planeta redondo que todos los demás sitios. Era la clase de mundo de ensueño al que ansiamos huir. Nosotros no queríamos ir a ningún lugar «real»; uno no puede estar en un sitio como París o Roma y no pensar, y ante todo nosotros no queríamos pensar. Afortunadamente, Waves tenía aspecto de que se podía eliminar rápidamente todo tipo de pensamiento. Todo lo que estropeara la diversión estaba prohibido.

Lo remarcable de toda esa manipulación emocional era que de hecho funcionaba. Nosotros realmente logramos ese sueño del viajero de dejar atrás nuestros antiguos yos y todos nuestros problemas. Nos transportamos, en todos los aspectos. No de golpe, claro, sino poco a poco. Notamos que esa carga se aligeraba en el momento de reservar el viaje, una agradable estancia de dos semanas. Posteriormente nos sentimos aún más ligeros cuando el avión despegó de Boston, e incluso más cuando pisamos la pista del pequeño aeropuerto de Montego Bay bajo el resplandor y el calor de la brisa tropical. Ya éramos distintos. Éramos extraña, milagrosa, delirantemente felices. Nos mirábamos unos a otros como diciendo sorprendidos: ¿Puede ser verdad esto? ¿Somos realmente... felices? Dirán que nos engañábamos a nosotros mismos; que nuestros problemas seguían siendo reales. Y sin duda eso es verdad, pero ¿y qué? Nos habíamos ganado unas vacaciones.

En el aeropuerto, Jacob sonrió. Laurie me cogió la mano. «¡Esto es el paraíso!», dijo radiante.

Cruzamos la terminal y subimos a un pequeño autobús lanzadera donde había un conductor con una tablilla con el logo de Waves y la lista de los huéspedes que debía recoger. Llevaba camiseta, pantalones cortos y sandalias de ducha y tenía un aspecto un tanto desaliñado. Pero nos sonreía y salpicaba sus frases diciendo «¡Yeah, tío!» de una forma bastante exagerada en general. «¡Yeah, tío!», dijo una y otra vez, hasta que nosotros terminamos diciéndolo también. Era obvio que había representado el numerito del nativo feliz mil veces. Los veraneantes incautos se lo tragaban, incluidos nosotros. *¡Yeah, tío!*

El trayecto de autobús duró casi dos horas. Fuimos dando bandazos por una carretera destartalada junto a la costa norte de la isla. A la derecha había montañas verdes y exuberantes, a la izquierda el mar. Era difícil no ver la pobreza de la isla. Pasamos junto a casitas en ruinas y chabolas construidas con restos de madera y planchas de aluminio. Vimos a ambos lados de la carretera mujeres andrajosas y niños esqueléticos andando. Los veraneantes del autobús estuvieron callados durante todo el viaje. La pobreza de los nativos era un mal rollo y no querían ser insensibles, pero al mismo tiempo habían ido allí para pasarlo bien y que la isla fuera pobre no era culpa *suya*.

A Jacob le tocó sentarse en el asiento corrido de la parte de atrás del autobús al lado de una chica de su edad. Era mona, tipo la chica lista de clase, y los dos se pusieron a hablar, con cierta cautela. Jacob contestaba a base de monosílabos, como si cada palabra fuera una carga de dinamita. Sonreía como un bobo. Allí había una chica que no sabía nada del asesinato, que ni siquiera era consciente de que Jacob era un pringado, incapaz de mirar a los ojos a una chica. (Aunque se estaba demostrando a sí mismo que era muy capaz de no apartar la vista del pecho de esa chica). Todo era tan maravillosamente normal que Laurie y yo hicimos esfuerzos para no mirar, no fuera a ser que se lo estropeáramos.

Yo murmuré:

—Y yo que pensaba que en este viaje *yo* pegaría un polvo antes que Jacob.

—Yo sigo apostando por ti —dijo ella.

Cuando el autobús llegó por fin a Waves, pasamos a través de una gran entrada, junto a cuidados parterres de exuberantes hibiscos rojos y alegrías amarillas, y nos detuvimos bajo un pórtico en la entrada principal del hotel. Unos botones sonrientes bajaron las maletas. Llevaban unos uniformes que combinaban elementos militares británicos —salacots teñidos de un blanco resplandeciente y pantalones negros con una franja roja a un lado— con llamativas camisas de flores. Era una mezcla delirante, perfecta para el ejército del paraíso, el ejército de la alegría.

Nos registramos en el vestíbulo. Cambiamos nuestro dinero por la moneda local de Waves, moneditas de plata llamadas «dólares de arena». Un soldado de la alegría con un salacot nos sirvió, a modo de bienvenida, un ponche de ron del que solo puedo decir que contenía granadina (era rojo brillante) y ron, y yo me tomé inmediatamente otro más, considerándolo un deber patriótico con la pseudonación de Waves. Le di propina al soldado, Dios sabe cuánto, ya que la tasa de cambio de los dólares de arena era un poco confusa, pero la propina debió de haber sido generosa porque se metió la moneda en el bolsillo y dijo, ilógica pero alegremente: «Yeah, tío». A partir de ahí, mis recuerdos del primer día se vuelven un poco borrosos.

Y del segundo.

Pido disculpas por el tono bobalicón, pero la verdad es que estábamos de lo más contentos. Y aliviados. Una vez olvidada definitivamente la tensión del año anterior, nos volvimos un poco tontos. Ya sé que toda esta historia es un asunto muy grave. A Ben Rifkin seguían habiéndole asesinado, aunque no hubiera sido Jacob. Y Jacob se había salvado únicamente por mediación de un segundo asesinato, organizado por un *deus ex* prisión, un secreto que solo conocía yo. Y por supuesto se suponía que nosotros, como el acusado, seguíamos siendo culpables de *algo* y por lo tanto no teníamos derecho a ser felices. No habíamos tomado al pie de la letra las estrictas instrucciones de Jonathan de no reír ni sonreír en público, no fuera a ser q alguien pensara que no vivíamos la situación con la serie debida, no vaya a ser que creyeran que no estábamos dest dos. Ahora finalmente respirábamos, y debido al agotar nos sentíamos embriagados aunque no lo estuviéramos. No n sentíamos en absoluto unos asesinos.

Las primeras mañanas las pasamos en la playa, las tardes en alguna de las muchas piscinas. Cada noche el complejo ofrecía algún tipo de entretenimiento. Podía ser un musical o karaoke, o un concurso de habilidades entre los huéspedes. Fuera cual fuera el formato, el personal nos animaba a ser extrovertidos y a divertirnos. Nos gritaban desde el escenario con cadenciosos acentos de las islas: «¡Venga, to-dos, hagamos un poco de ruido!». Y los huéspedes aplaudíamos y vitoreábamos con enorme placer. Después había baile. Hacía falta una buena dosis de ponche Waves para soportarlo.

Comíamos vorazmente. Las comidas eran un bufet libre, y nos desquitamos por los meses que habíamos comido mal. Laurie y yo nos gastábamos nuestros dólares de arena en cervezas y piñas coladas. Incluso Jacob probó su primera cerveza. «Está buena», comentó como un machote, pero no se la terminó.

Jacob estaba casi siempre con su nueva novia, cuyo nombre, prepárense, era Hope.* También le gustaba estar con nosotros, pero poco a poco ellos dos fueron haciendo cosas juntos. Más adelante nos enteramos de que Jacob le había mentido sobre su apellido. Echó mano del apellido de soltera de Laurie y le contó que se llamaba Jacob Gold, por lo que Hope nunca supo nada del caso. En aquel momento nosotros no estábamos al tanto de ese pequeño subterfugio de Jacob, de modo que era lógico que nos preguntáramos qué significaba exactamente que aquella chica estuviera coqueteando con Jacob. ¿Era tan inconsciente, que nunca se le ocurrió siquiera buscarle en Google? Si hubiera escrito en Google «Jacob Barber» hubiera obtenido 300.000 resultados (el número ha aumentado desde entonces). O quizás ya se había informado y le producía algún tipo de emoción extraña salir con ese peligroso paria. Jacob nos dijo que Hope no sabía nada del caso, y nosotros no nos atrevimos a preguntárselo a ella directamente, por miedo a estropear la primera cosa buena que le había pasado a Jacob en mucho tiempo. En cualquier caso, Laurie y yo no vimos mucho a Hope los primeros días después de conocerla. Ella y Jacob preferían estar solos. E incluso cuando estábamos todos en la piscina, ellos dos se acercaban a saludar y después se sentaban a cierta distancia de nosotros. Una vez que estaban en tumbonas contiguas les pillamos dándose la mano a escondidas.

Quiero decir —y es importante que lo sepan— que Hope nos gustaba, sobre todo porque hacía feliz a nuestro hijo. Jacob resplandecía cuando la tenía cerca. Y ella era una persona cariñosa. Era amable y educada, rubia y tenía un maravilloso deje de Virginia que a nosotros, bostonianos, nos parecía encan-

* Hope: esperanza.

tador. Era un poco regordeta pero estaba a gusto con su cuerpo, lo suficientemente cómoda como para llevar bikini todos los días, y también nos gustaba por eso, por la naturalidad con la que se aceptaba, ajena a esa inseguridad mórbida habitual en los adolescentes. Incluso su nombre cuadraba increíblemente con esa fantasía de cuento de hadas que suponía su repentina aparición en escena. «Por fin tenemos Hope», solía decirle yo a Laurie.

La verdad es que Laurie y yo no estábamos totalmente centrados en Jacob y Hope. Teníamos que ocuparnos de nuestra relación. Teníamos que reaprendernos el uno al otro, restablecer antiguos patrones. Incluso recuperamos nuestra vida sexual; no de forma frenética, sino lenta y cautelosamente. Probablemente éramos tan torpes como Jacob y Hope, quienes sin duda estaban tanteándose el uno al otro en rincones secretos y metiéndose mano apoyados en una palmera. Laurie se puso muy morena enseguida, como siempre. A mis ojos de hombre maduro estaba increíblemente sexy, y empecé a preguntarme si aquella página web no tenía razón después de todo: Laurie se parecía cada vez más a la atractiva mamá de barrio residencial del anuncio. Para mí seguía siendo la mujer más guapa del mundo. Ya era un milagro que la hubiera conseguido en su momento, y seguía siéndolo que siguiera conmigo después de tanto tiempo.

Yo creo que en algún momento de aquella primera semana, Laurie empezó a perdonarse ese pecado original —en su opinión— de haber perdido la fe en su propio hijo, de dudar de su inocencia durante el juicio. Se veía en cómo iba relajándose cuando estaba con él. Para ella aquello era una batalla interna; no tenía por qué reconciliarse con Jacob, porque él nunca se enteró de sus dudas y mucho menos de que había tenido miedo de él. Solo Laurie podía perdonarse a sí misma.

Personalmente, yo no lo consideraba tan grave. Como traición, era muy pequeña, y comprensible dadas las circunstancias. Tal vez hay que ser madre para saber por qué le afectó tanto. Lo único que puedo decir es que, a medida que Laurie empezó a estar mejor, toda la familia empezó a recuperar su ritmo habitual. Nuestra familia giraba en torno a Laurie. Siempre había sido así.

Rápidamente instauramos ciertas rutinas, como necesitan hacer las personas, incluso en mundos de ensueño como Waves. Mi ritual favorito era contemplar la puesta del sol en la playa, en familia. Todas las tardes nos bajábamos unas cervezas a la orilla y juntábamos tres sillas de playa para poder sentarnos con los pies en el agua. Una vez Hope vino con nosotros a contemplar la puesta de sol y se sentó muy modosita al lado de Laurie, como una dama de honor al servicio de su reina. Pero generalmente éramos solo los tres Barber. Bajo la luz crepuscular, los niños jugaban a nuestro alrededor en la arena y el agua poco profunda, eran críos pequeños, incluso algunos bebés y sus jóvenes padres. Poco a poco la playa se iba quedando en silencio mientras los demás huéspedes iban a arreglarse para la cena. Los socorristas arrastraban las sillas de playa vacías por la arena y las apilaban con estrépito para la noche, y al final los socorristas también se iban, y solo unos pocos se quedaban en la arena a contemplar el ocaso. Nosotros mirábamos a lo lejos, donde se unían dos brazos de tierra que enlazaban la pequeña bahía y el horizonte ardía, primero amarillo, luego rojo y después añil.

Al recordarlo ahora, veo a los tres miembros de mi feliz familia sentados en aquella playa al atardecer, y quiero congelar la historia allí. Laurie, Jacob y yo debíamos de parecer tan normales, tan iguales al resto de los fiesteros y urbanitas de las afueras que había en aquel complejo... Debíamos de tener el mismo aspecto que todos los demás, lo cual, si lo piensas, es lo único que yo quise siempre.

Sr. Logiudice: ¿Y luego?
Testigo: Y luego…
Sr. Logiudice: ¿Qué pasó luego, señor Barber?
Testigo: Que la chica desapareció.

40

Sin salida

Estaba anocheciendo. En la calle la luz diurna se estaba apagando, el cielo se volvía mate, con ese gris familiar de las primaveras frías y sin sol de Nueva Inglaterra. La luz solar ya no inundaba la sala del gran jurado que se volvió amarilla bajo los fluorescentes.

Durante las últimas horas los miembros del jurado habían estado algo distraídos, pero ahora atendían, erguidos en sus asientos. Sabían lo que iba a pasar.

Yo me he pasado el día en la tribuna de los testigos. Debía de estar un poco demacrado. Logiudice daba círculos alrededor mío, como un boxeador que tantea a un contrincante aturdido.

Sr. Logiudice: ¿Tiene usted alguna información sobre qué le pasó a Hope Connors?

Testigo: No.

Sr. Logiudice: ¿Cuándo se enteró de que había desaparecido?

Testigo: No me acuerdo exactamente. Recuerdo cómo empezó. A la hora de la cena telefonearon a nuestra habitación del complejo. Era la madre de Hope, preguntando si ella estaba con Jacob. No la habían visto en toda la tarde.

Sr. Logiudice: ¿Qué le dijo usted?

Testigo: Que no la habíamos visto.

Sr. Logiudice: ¿Y Jacob? ¿Qué dijo de todo aquello?

Testigo: Jake estaba con nosotros. Yo le pregunté si sabía dónde estaba Hope. Él dijo que no.

Sr. Logiudice: ¿Hubo algo raro en la reacción de Jacob cuando le hizo usted esa pregunta?

Testigo: No. Solo se encogió de hombros. No había motivo para preocuparse. Todos imaginamos que seguramente había salido a dar un paseo por ahí. Probablemente perdió la noción del tiempo. Allí no había cobertura, así que perdías a los chicos constantemente. Pero el complejo era muy seguro. Estaba totalmente vallado. Nadie podía entrar y agredirla. La madre de Hope tampoco estaba muy asustada. Yo le dije que no se preocupara, que Hope seguro que volvería en cualquier momento.

Sr. Logiudice: Pero Hope Connors no volvió nunca.

Testigo: No.

Sr. Logiudice: De hecho tardaron varias semanas en encontrar su cuerpo. ¿Es así?

Testigo: Siete semanas.

Sr. Logiudice: ¿Y cuándo lo encontraron?

Testigo: La marea lo arrastró a la arena a varios kilómetros del complejo. Aparentemente se ahogó.

Sr. Logiudice: ¿Aparentemente?

Testigo: Cuando un cuerpo pasa tanto tiempo en el agua se deteriora. Tengo entendido que además estaba comida por los peces. No estoy seguro. No estoy al tanto de esa investigación. Pero sí sé que el cadáver apenas permitió sacar conclusiones.

Sr. Logiudice: ¿El caso se considera un homicidio sin resolver?

Testigo: No lo sé. No debería. No hay pruebas que apoyen eso. Las pruebas solo sugieren que se fue a nadar y se ahogó.

Sr. Logiudice: Bueno, eso no es cierto del todo, ¿no? Hay ciertos indicios de que Hope Connors tenía la tráquea destrozada antes de entrar en el agua.

Testigo: Las pruebas no apoyan esa deducción. El cuerpo estaba muy degradado. La policía de allí... Hubo mucha presión, mucha prensa. Esa investigación no se llevó bien.

Sr. Logiudice: Eso suele pasar a menudo por aquí, ¿verdad? Un asesinato, una investigación chapucera. Por lo visto ese chico tuvo muy mala suerte.

Testigo: ¿Es una pregunta?

Sr. Logiudice: Continuemos. El nombre de su hijo ha aparecido muy a menudo en relación con el caso, ¿verdad?

Testigo: En prensa sensacionalista y en algunas páginas web morbosas. Dicen lo que sea por dinero. Decir que Jacob era inocente no es rentable.

Sr. Logiudice: ¿Cómo reaccionó Jacob ante la desaparición de la chica?

Testigo: Estaba preocupado, claro. Hope le importaba.

Sr. Logiudice: ¿Y su esposa?

Testigo: Ella también estaba muy, muy preocupada.

Sr. Logiudice: ¿Solo eso? «¿Muy, muy preocupada?».

Testigo: Sí.

Sr. Logiudice. ¿Se podría decir que ella dedujo que Jacob tenía algo que ver con la desaparición de la chica?

Testigo: Sí.

Sr. Logiudice: ¿Hubo algo en particular que la convenciera de eso?

Testigo: Hubo una cosa que pasó en la playa. El día que la chica desapareció. Jacob apareció allí a última hora de la tarde, para ver la puesta de sol, y se sentó a mi derecha. Laurie estaba a mi izquierda, y le dijimos: «¿Dónde está Hope?». Jacob dijo: «Con su familia, supongo. Yo no la he visto». Así que nosotros bromeamos un poco con él... Me parece que fue Laurie quien le preguntó si todo iba bien, si se habían peleado. Él dijo que no, pero que llevaba varias horas sin verla. Yo...

Sr. Logiudice: ¿Andy? ¿Se encuentra bien?

Testigo: Sí. Perdone, sí. Jake... tenía esas manchitas en el traje de baño, esas manchitas rojas.

Sr. Logiudice: Describa esas manchas.

Testigo: Eran salpicaduras.

Sr. Logiudice: ¿De qué color?

Testigo: Rojo oscuro.

Sr. Logiudice: ¿Salpicaduras de sangre?

Testigo: No lo sé. No lo creo. Yo le pregunté qué era, qué había hecho con el traje de baño. Él dijo que debía de haberse manchado con algo que había comido, kétchup o algo así.

Sr. Logiudice: ¿Y su esposa? ¿Qué pensó ella de las salpicaduras rojas?

Testigo: En aquel momento no pensó nada, porque todavía no sabíamos que la chica había desaparecido. Yo le dije que se tirara al agua y nadara un rato hasta que el traje de baño estuviera limpio.

Sr. Logiudice: Y Jacob ¿cómo reaccionó?

Testigo: No reaccionó de ningún modo. Solo se levantó y fue andando hasta el muelle..., era un muelle en forma de H; se fue hacia el lado derecho y se tiró al agua.

Sr. Logiudice: Es interesante que fuera usted quien le dijera que se limpiara las manchas de sangre del traje de baño.

Testigo: Yo no tenía ni idea de que eran manchas de sangre. Y sigo sin saber si eso es así.

Sr. Logiudice: ¿Sigue sin saberlo? ¿De verdad? Entonces, ¿por qué le dijo enseguida que se tirara al agua?

Testigo: Laurie le dijo a Jacob que era un traje de baño muy caro y que debería ser más cuidadoso con sus cosas. Era muy descuidado, muy dejado. Yo no quería que tuviera problemas con su madre. Todos lo estábamos pasando muy bien. Nada más.

Sr. Logiudice: Pero ¿eso fue lo que angustió a Laurie en un principio, cuando Hope Connors desapareció?

Testigo: En parte, sí. Fue toda aquella situación, todo lo que habíamos pasado.

Sr. Logiudice: Laurie quiso volver a casa enseguida, ¿verdad?

Testigo: Sí.

Sr. Logiudice: Pero usted se negó.

Testigo: Sí.

Sr. Logiudice: ¿Por qué?

Testigo: Porque sabía lo que diría la gente: que Jacob era culpable y que se largó antes de que la poli pudiera pillarle. Le llamarían asesino. Yo no estaba dispuesto a permitir que nadie dijera eso de él.

Sr. Logiudice: De hecho las autoridades de Jamaica interrogaron a Jacob, ¿verdad?

Testigo: Sí.

Sr. Logiudice: Pero no llegaron a detenerle, ¿verdad?

Testigo: No. No había motivo para detenerle. No había hecho nada.

Sr. Logiudice: Maldita sea, Andy, ¿cómo puede estar tan seguro? ¿Cómo puede estar tan seguro de eso?

Testigo: ¿Es que alguien puede estar seguro de algo? Yo confío en mi hijo. Es lo que tengo que hacer.

Sr. Logiudice: Es lo que tiene que hacer, ¿por qué?

Testigo: Porque soy su padre. Se lo debo.

Sr. Logiudice: ¿Y ya está?

Testigo: Sí.

Sr. Logiudice: ¿Y Hope Connors? ¿A ella no le debe nada?

Testigo: Jacob no mató a esa chica.

Sr. Logiudice: Pero los chicos que tiene alrededor no paran de morirse, ¿es eso?

Testigo: Esa pregunta es impropia.

Sr. Logiudice: Pues la retiraré. Andy, ¿usted cree sinceramente que es un testigo fiable? ¿Cree sinceramente que ve a su hijo tal como es?

Testigo: Creo que soy fiable, sí, en general. Pero creo que ningún padre es capaz de ser completamente objetivo con su hijo, eso lo admito.

Sr. Logiudice: Y sin embargo a Laurie no le costó ver a Jacob tal como era, ¿verdad?

Testigo: Eso tendrá que preguntárselo a ella.

Sr. Logiudice: ¿A Laurie no le costó creer que Jacob tenía algo que ver con la desaparición de esa chica?

Testigo: Como ya he dicho, Laurie estaba muy afectada por todo aquello. No era la de siempre, y llegó a sus propias conclusiones.

Sr. Logiudice: ¿Alguna vez habló con usted de sus sospechas?

Testigo: No.

Sr. Logiudice: Repetiré la pregunta. ¿Su esposa le dijo alguna vez que sospechaba de Jacob?

Testigo: No. No me lo dijo.

Sr. Logiudice: ¿No se confió a usted, nunca? ¿Su propia esposa?

Testigo: Creía que no podía... hablar de eso. Habíamos hablado sobre el caso Rifkin, naturalmente. Pienso que ella sabía que había ciertas cosas de las que yo simplemente era incapaz de hablar; cosas que no era capaz de abordar. Cosas que tendría que solucionar sola.

Sr. Logiudice: ¿Y después de esas dos semanas en Jamaica?

Testigo: Nos fuimos a casa.

Sr. Logiudice: Y cuando llegaron a casa, ¿en aquel momento Laurie le confesó finalmente que sospechaba de Jacob?

Testigo: La verdad es que no.

Sr. Logiudice: ¿«La verdad es que no»? ¿Y eso qué quiere decir?

Testigo: Cuando volvimos de Jamaica a casa Laurie estaba silenciosa, muy silenciosa. La verdad es que no quería hablar absolutamente nada conmigo. Estaba afectada, muy afectada. Estaba asustada. Yo intenté hablar con ella, intenté que se abriera, pero creo que no confiaba en mí.

Sr. Logiudice: ¿Le habló ella alguna vez de lo que debían hacer los dos, moralmente, como padres?

Testigo: No.

Sr. Logiudice: Si se lo hubiera preguntado, ¿qué hubiera dicho usted? ¿Cuál consideraba usted que era su obligación moral como padres de un asesino?

Testigo: Eso es una pregunta hipotética. Yo no creo que fuéramos los padres de un asesino.

Sr. Logiudice: De acuerdo, hipotéticamente, pues. Si Jacob fuera culpable, ¿qué deberían haber hecho usted y su mujer respecto a ello?

Testigo: Puede plantear la pregunta de todas las formas que quiera, Neal. No pienso contestar. Eso no fue lo que pasó.

Lo que pasó entonces debo decir honestamente que fue la reacción más espontánea y genuina de Neal Logiudice que había visto en mi vida. Tiró su cuaderno con un gesto de frustración. Aleteó como el pájaro que da vueltas en el aire cuando le alcanza una escopeta, y cayó en el otro extremo de la sala.

Una anciana del jurado dio un respingo.

Por un momento pensé que se trataba de uno de esos gestos teatrales de Logiudice, un gesto de cara al jurado: ¿no ven que está mintiendo? Mejor, porque eso no constaría en la transcripción. Pero Logiudice se limitó a quedarse allí, con las manos en las caderas, mirándose los zapatos y meneando ligeramente la cabeza.

Al cabo de un momento recuperó la compostura. Cruzó los brazos e inspiró profundamente. *Volvamos al tema. Atraer, atrapar, joder.*

Levantó la vista para mirarme y vio... ¿Qué? ¿Un criminal? ¿Una víctima? Una decepción, en cualquier caso. Dudo mucho de su sentido común para ver la verdad: que hay heridas peor que mortales, y que esas insignificantes distinciones binarias de la ley —culpable/inocente, criminal/víctima— no las pueden ni imaginar y mucho menos solucionar. La ley es un martillo, no un bisturí.

Sr. Logiudice: ¿Es usted consciente de que este gran jurado investiga a su esposa, Laurie Barber?

Testigo: Naturalmente.

Sr. Logiudice: Nos hemos pasado todo el día aquí hablando de ella, de por qué hizo eso.

Testigo: Sí.

Sr. Logiudice: A mí Jacob no me importa una mierda.

Testigo: Si usted lo dice...

Sr. Logiudice: ¿Y sabe que usted no es sospechoso de nada, de nada en absoluto?

Testigo: Si usted lo dice...

Sr. Logiudice: Pero está bajo juramento. No necesito recordárselo, ¿verdad?

Testigo: No. Conozco las normas, Neal.

Sr. Logiudice: Lo que su esposa, hizo, Andy... No entiendo por qué no tiene usted intención de ayudarnos. Era su familia.

Testigo: Plantee una pregunta, Neal. No haga discursos.

Sr. Logiudice: Lo que Laurie... A usted no le molesta...

Testigo: ¡Protesto! ¡Plantee una pregunta!

Sr. Logiudice: ¡Deberían acusarla!
Testigo: Siguiente pregunta.
Sr. Logiudice: ¡Deberían acusarla y llevarla a juicio y encerrarla, y usted lo sabe!
Testigo: ¡Siguiente pregunta!
Sr. Logiudice: El día de autos, 19 de marzo de 2008, ¿recibió usted una noticia en relación con la acusada, Laurie Barber?
Testigo: Sí.
Sr. Logiudice: ¿Cómo fue?
Testigo: Hacia las nueve de la mañana llamaron a la puerta. Era Paul Duffy.
Sr. Logiudice: ¿Qué dijo el teniente Paul Duffy?
Testigo: Preguntó si podía entrar y sentarse. Dijo que tenía que decirme algo terrible. Yo le contesté: dilo sin más, lo que sea, dímelo aquí mismo, en la puerta. Él dijo que había habido un accidente, que Laurie y Jacob iban en coche por la autopista, y se salieron de la carretera. Dijo que Jacob estaba muerto. Laurie estaba bastante mal pero sobreviviría.
Sr. Logiudice: Continúe.
[El testigo no contestó].
Sr. Logiudice: ¿Qué pasó después, señor Barber?
[El testigo no contestó].
Sr. Logiudice: ¿Andy?
Testigo: Yo, mmm..., sentí que me flaqueaban las piernas y estuve a punto de caerme. Paul se acercó para sujetarme. Me ayudó a tenerme en pie. Me ayudó a entrar en la sala y a llegar a una silla.
Sr. Logiudice: ¿Qué más le dijo?
Testigo: Dijo...
Sr. Logiudice: ¿Quiere descansar un poco?

Testigo: No. Perdón. Estoy bien.

Sr. Logiudice: ¿Qué más le dijo el teniente Duffy?

Testigo: Dijo que no había ningún otro coche implicado. Que había testigos, otros conductores, que vieron al coche dirigirse directamente contra un contrafuerte del puente. Que ella no frenó ni intentó desviar el volante para evitarlo. Según los testigos aceleró, que de hecho aceleró cuando estaba a punto de chocar. Los testigos creían que el conductor debió de desmayarse, o que tuvo un ataque al corazón o algo.

Sr. Logiudice: Fue un asesinato, Andy. Ella asesinó a su hijo.

[El testigo no respondió].

Sr. Logiudice: Este jurado quiere procesarla. Mírenles. Quieren cumplir con su deber. Igual que todos. Pero usted tiene que ayudarnos. Tiene que decirnos la verdad. ¿Qué le pasó a su hijo?

[El testigo no respondió].

Sr. Logiudice: ¿Qué le pasó a Jacob?

[El testigo no respondió].

Sr. Logiudice: Todavía existe la posibilidad de que esto acabe bien, Andy.

Testigo: ¿Ah, sí?

Fuera del palacio de justicia, las ráfagas de viento azotaban Thorndike Street. Las paredes, altas y planas por los cuatro lados, provocaban que alrededor de la base del edificio el viento se convirtiera en un tornado. Otro error arquitectónico. A veces, en una cruda tarde de abril como esa, cuando el viento giraba alrededor como un torbellino, era difícil llegar hasta el palacio de justicia. Como si tuviera un foso alrededor.

Yo me envolví en la chaqueta y bajé por Thorndike hacia el garaje, con el viento empujándome por detrás. Sería la última vez que pisaría ese tribunal. Apoyé la espalda contra el viento, como un hombre que mantiene una puerta cerrada.

Naturalmente hay cosas que es imposible dejar atrás. Yo había imaginado aquellos últimos momentos una y otra vez. Revivo los últimos segundos de la vida de Jacob todos los días, y cuando duermo, sueño con eso. No importa que yo no estuviera allí. No puedo evitar presenciarlo mentalmente.

Cuando apenas le quedaba un minuto de vida, Jacob se repantigó en la fila central del monovolumen y estiró sus largas piernas hacia delante. Siempre se sentaba en la fila de en medio, como un niño pequeño, aunque él y su madre fueran solos en el coche. No llevaba el cinturón abrochado. Solía ser descuidado con eso. Normalmente Laurie le habría insistido para que se lo pusiera. Aquella mañana no lo hizo.

Jacob y Laurie no habían hablado mucho durante el trayecto. No había mucho que decir. La madre de Jacob había estado silenciosa y melancólica desde que habíamos vuelto de Jamaica unas semanas antes. Él era lo bastante listo como para no agobiarla. En el fondo debía de saber que había perdido a su madre..., que había perdido su confianza, no su amor. Les costaba estar juntos. Así que después de intercambiar cuatro palabras forzadas mientras iban por la carretera 128, ambos se quedaron callados en cuanto entraron en la autopista en dirección oeste. El monovolumen se incorporó al tráfico y cogió velocidad, y madre e hijo se acomodaron para un trayecto largo y monótono.

Había otro motivo para el silencio de Jacob. Iba a una entrevista en una escuela privada de Natick. La verdad es que nosotros pensábamos que ninguna escuela le admitiría. ¿Qué escuela asumiría la responsabilidad legal, aunque estuviera dispuesta a asumir la mala fama que suponía tener al sangriento Jacob Barber en el campus? Nosotros confiábamos en que Jacob estudiaría en casa los años que le quedaban de instituto. Pero la municipalidad nos había comunicado que no correría con los gastos del plan especial de escolarización en casa, a menos que hubiéramos agotado todas las demás opciones, de manera que habíamos organizado una serie de entrevistas sin demasiado interés. Todo aquel proceso era duro para Jacob —para demostrar que no le querían, tenían que rechazarle una y otra vez— y aquella mañana tenía que asistir a otra entrevista sin sentido y estaba de mal humor. Él pensaba que las escuelas concertaban esas entrevistas solo para echarle una ojeada, para ver cómo era el monstruo de cerca.

Le pidió a su madre que encendiera la radio. Laurie sintonizó la WBUR, la emisora de noticias de la radio pública, pero la apagó enseguida. Le dolía que le recordaran que el mundo exterior seguía girando, indiferente.

Llevaban unos minutos en la autopista y Laurie, con la cara llena de lágrimas, agarró con fuerza el volante.

Jacob no se dio cuenta. Estaba absorto en sus propios pensamientos. Tenía los ojos fijos en lo que veía delante, entre los dos asientos delanteros, a través del parabrisas: la multitud de coches que corrían en formación por la carretera.

Laurie puso el intermitente y se trasladó al carril derecho, donde el tráfico era menos denso, y empezó a coger velocidad, 110, 120, 130. Se desabrochó el cinturón y lo pasó hacia atrás por encima de su hombro izquierdo.

Jacob habría crecido, claro. En un par de años le hubiera cambiado la voz. Habría tenido amigos nuevos. Al cumplir los veinte se habría parecido cada vez más a su padre. Su mirada sombría se habría suavizado con el tiempo y una vez superados los disgustos y las preocupaciones de la adolescencia habría adquirido una expresión más amable. Su cuerpo huesudo se habría redondeado. No habría sido tan grande como su descomunal padre, solo un poco más alto, un poco más ancho de espaldas que la mayoría. Habría pensado estudiar derecho. Todos los chicos se imaginan haciendo el mismo trabajo que su padre, aunque sea durante poco tiempo, aunque les incomode. Pero él no habría sido abogado. Lo hubiera considerado un oficio para gente extrovertida, demasiado teatral, demasiado pedante para su personalidad callada. Se habría pasado mucho tiempo buscando, mucho tiempo en trabajos que no le iban.

Cuando el monovolumen superó los 140 kilómetros por hora, Jacob dijo, sin darle demasiada importancia:

—Corres bastante, ¿no, mamá?

—¿Ah, sí?

Habría conocido a su abuelo. Ya sentía curiosidad. Y dados sus propios problemas con la justicia, habría querido afrontar todo ese asunto de su herencia, de lo que significaba ser el nieto de Bloody Billy Barber. Habría ido a conocer al hombre y habría tenido una decepción. La leyenda —el apodo, la fama temible, ese asesinato que era literalmente indescriptible para muchos— era más grande que el anciano marchito que había detrás, que al final era solo un matón, aunque un matón educado. Jacob habría conseguido aceptarlo. Él no habría hecho lo que yo hice, borrarlo, ignorarlo, hacerlo desaparecer. Él era demasiado reflexivo para engañarse a sí mismo de ese modo, pero habría hecho las paces con aquello. Y solo cuando hubiera pasado de hijo a padre, se habría dado cuenta de la poca importancia que tenía aquello en realidad.

Más adelante, después de deambular un poco, se habría establecido en algún sitio, lejos, donde nadie hubiera oído hablar nunca de los Barber, o al menos donde nadie conociera la historia lo bastante a fondo como para que le molestara. En alguna ciudad lejana del oeste, creo. Quizás en Bisbee, Arizona. O en California. ¿Quién sabe? Y un día, en uno de esos sitios, habría cogido a su propio hijo en brazos y habría mirado a los ojos del bebé —como yo hice con Jacob muchas veces— preguntándose: ¿quién eres tú? ¿Qué estás pensando?

—¿Te pasa algo, mamá?

—Claro que no.

—¿Qué estás haciendo? Es peligroso.

140, 145, 150. El monovolumen, un Honda Odissey, de hecho era bastante pesado —el nombre no le hace justicia— y tenía un motor potente. Era fácil acelerar. Si corrías mucho, lo notabas estable. A veces yo iba conduciendo, miraba el cuentakilómetros y me sorprendía ver que iba a 120 o a 130 kilómetros por hora. Pero por encima de 150 empezaba a temblar un poco, y las ruedas empezaban a perder el contacto con la carretera.

—¿Mamá?

—Te quiero, Jacob.

Jacob pegó la espalda contra el respaldo del asiento. Sus manos buscaron a tientas el cinturón de seguridad pero ya era demasiado tarde. Solo quedaban unos segundos. Él seguía sin entender qué estaba pasando. Su mente trataba de buscar explicaciones para la velocidad, para la extraña tranquilidad de mamá: un acelerador atascado, prisa para no llegar tarde a la entrevista, o puede que simplemente se hubiera despistado.

—Os quiero a los dos, a ti y a tu padre.

El monovolumen empezó a deslizarse hacia el carril de emergencia situado a la derecha de la carretera, primero cruzaron la línea las ruedas derechas, luego las izquierdas —ya solo quedaban segundos—, y siguió cogiendo velocidad mientras la carretera bajaba una ligera pendiente ayudando al motor del vehículo, que cuando rebasó los 150, 155 empezaba a estar al límite.

—¡Mamá! ¡Frena!

Ella lanzó el monovolumen directamente contra el contrafuerte de un puente. Era una pared de hormigón construida sobre la ladera de una colina. El contrafuerte estaba protegido por un guardarraíl, que hubiera impedido que el monovolumen chocara frontalmente. Pero el vehículo iba demasiado rápido y el ángulo de aproximación era demasiado directo, de manera que cuando Laurie lo rozó, el guardarraíl provocó que se levantaran las ruedas derechas del coche, que saltó sobre el muro y salió despedido de forma trágica. Laurie perdió el control inmediatamente pero no soltó el volante. El monovolumen se llevó por delante el guardarraíl e hizo saltar la parte superior del mismo, la velocidad lo catapultó en el aire y lo hizo rodar un buen trecho al revés, como un barco que vuelca por babor.

Con el monovolumen en el aire rodando en el sentido contrario a las agujas del reloj, el motor a toda velocidad y Laurie chillando —fue una fracción de segundo, nada más—, Jacob habría pensado en mí —que le había tenido en brazos, a él, mi propio hijo, y le había mirado a los ojos, y habría comprendido que le quería, por encima de todo y hasta el final—, mientras veía el muro de hormigón que volaba a toda prisa hacia él.